월야환담

월야환담 광월야 · · 4

홍정훈 장편 소설

초판 1쇄 찍은 날 2017년 05월 08일
초판 1쇄 펴낸 날 2017년 06월 23일

지은이 홍정훈
펴낸이 서경석

편집책임 이창진 | **편집** 김슬기 | **디자인** 신현아

펴낸곳 도서출판 청어람
등록번호 제387-1999-000006호 | **등록일자** 1999. 5. 31
어람번호 제8-0095호

주소 경기도 부천시 부일로 483번길 40 서경B/D 3F (우) 14640
전화 032-656-4452 | **팩스** 032-656-4453
http://www.chungeoram.com | E-mail chungeorambook@daum.net

ISBN 979-11-04-91298-6 04810
ISBN 979-11-04-91294-8 (SET)

광월야

·

4

·

월야환담

홍정훈 장편 소설

도서출판 청어람

차례

第18夜

패도(覇道)의 그늘

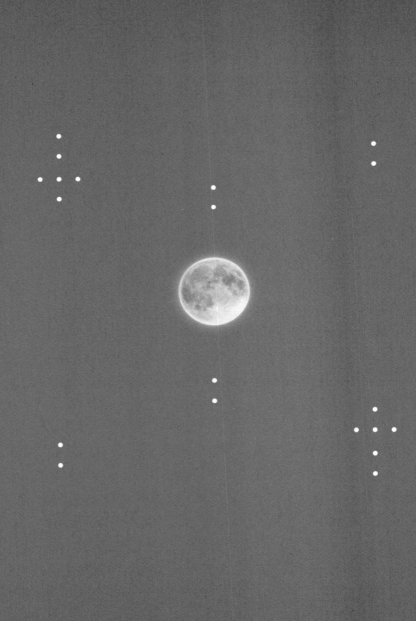

1

인도네시아 일대는 예로부터 열강들의 각축전이 벌어지던 땅이었다. 서구 열강들이 무력으로 병탄하고 식민지를 세우면서 기존의 국가와 체계는 사라졌다. 서구 열강의 주인들, 특히 영국인들은 중국인과 인도인을 하인으로 데려와 쓰고 원주민들, 말레이인이나 인도네시아인들을 농장 노동자로 고용했다.

그리고 열강들이 떠났을 때 그곳에는 이미 이 땅에 자리 잡은 인도인과 중국인, 그리고 원주민들이 뒤섞여 아무것도 없는 공백지가 생겼다.

인도네시아는 그 안에서 자신들의 아이덴티티를 확고히 했다. 인도인과 중국인들을 견제하지 않으면 국가로서의 존립 그 자체가 위험했다. 그래서 그들은 인도인과 중국인들을 견제하기 위해 인도네시아인들을 위한 각종 차별 제도를 마련하고 인근 소수민족들을 병탄했다.

부국강병을 위한 패도. 그것은 인도네시아라는 국가의 역량을 늘리는 데는 더할 나위 없이 합당한 일이었다.

그러나 그로 인해서 희생되는 자들, 아무리 능력이 있고 역량이 있더라도 자신의 뜻을 펼치지 못하는 탄압받는 자들은 그것을 받아들일 수 없었다.

장칵라이는 어린 시절부터 과학자가 되고 싶었다.

하지만 그가 태어난 곳은 인도네시아. 그것도 한창 화교에 대한 탄압이 거셀 때였다. 그는 중국어의 사용을 금지당했고 회교도와 인도네시아인에게 쿼터가 할당되어 있는 바늘구멍 같은 진학로를 뚫고 어렵사리 대학에 들어갔다.

하지만 그가 대학에 들어간 뒤 화교에 대한 폭동이 일어났다. 강력한 탄압 활동에도 불구하고 인도네시아 각지에 진출한 화상(華商)들이 시내 중심 부동산과 유통업을 장악하고 본토의 화교들을 주로 채용하는 데 반발한 이들이 화상의 가게를 습격하고 불태운 것이었다.

장칵라이는 그 폭동으로 부모를 잃었다. 외숙부는 장칵라이가 계속 학교를 다닐 수 있도록 학비를 대주기로 했지만 중국어를 쓰는 외숙부와 영어, 인도네시아어를 쓰는 장칵라이는 서로 말도 통하지 않았다.

말도 통하지 않는 숙부에게 학비를 받아가며 공부할 수는 없었다.

장칵라이는 학교를 그만두었다. 그는 분리독립주의자가 되어서 자신을 억누르는 이 부당함에 대해서 싸우기로 결심했다.

하지만 평범한 대학 중퇴자가 되어버린 그는 이 거대한 문명 사회에서 아무것도 아니었다.

앙리 유이가 그를 거두어주지 않았다면 말이다.

스콜이 커피나무들 위로 쏟아져 내리고 있었다.

그 커피나무들 아래로 토굴 입구가 입을 벌리고 있었다. 토굴의 입구에는 물을 퍼내기 위한 펌프와 가솔린 발전기가 요란하게 돌아가고 있었다.

그 밑에서 장칵라이는 미사일들을 조립하고 있었다. 비를 피하고 습기도 피하면 좋을 텐데 이런 습한 곳에서 고체 연료 미사일을 재조립하다니 미친 짓이다.

"이제 끝나지 않았습니까? 쏩시다."

장칵라이의 곁에는 타밀인인 '쿠루빌리슈난'이 있었다. 실론 지방의 타밀 반군과 그들을 물밑에서 지원하는 인도 본토의 극우 단체를 연결하는 이 남자는 인터폴에 수배된 전쟁범죄자였다. 수사망에서는 신중하고 이지적인 성격이라고 되어 있었는데 장칵라이 입장에서는 말도 안 되는 헛소리로 들렸다.

"어허. 서두른다고 생쌀이 밥이 됩니까."

"…이미 항법 시스템은 넣었지 않소?"

"싸구려 GPS칩을 떼어서 넣었을 뿐이지요. 군사용 GPS나

글로나스가 아니기 때문에 발사나 비행 중 충격으로 망가질 수가 있소."

미사일에서는 이음매 하나가 천 미터를 좌우하는 법, 장칵라이는 자꾸 자신을 보채는 '쿠루빌리슈난'을 짜증스럽게 노려보았다. 그러자 '쿠루빌리슈난'의 입가에 수염이 도드라지게 돋아났다.

"…싸우자는 게 아니요. 서두르면 오히려 그간 들여온 모든 공이 날아간다는 걸 말하고 싶었던 것이지."

장칵라이가 먼저 화해의 제스처를 취했다. 장칵라이는 뱀파이어지만 쿠루빌리슈난은 라이칸스로프였다. 물론 장칵라이는 자신이 진다고는 생각지 않았지만 여기서 쿠루빌리슈난과 사소한 말다툼 끝에 싸움을 벌여 일을 망치고 싶진 않았다.

아마 쿠루빌리슈난이 자극받은 것은 장칵라이가 먼저 눈에서 살기를 뿜어냈기 때문일 것이다.

"그렇다고는 해도… 저런 걸 쏘면서 테스트하는 건 아무래도 취미가 너무 지나친 것 같은데. 비용이 너무 나가지 않나."

쿠루빌리슈난은 장칵라이가 만드는 다른 로켓들을 보며 투덜거렸다. 장칵라이는 간단한 재료로 '까삼 로켓'과 흡사한 사정거리 50킬로미터의 발사체를 만들고 거기에 자신이 만든 GPS 장치를 이용해 제대로 발사가 되는지, GPS 항법 장치에 이상은 없는지, 그리고 GPS와 연계한 유도 제어장치는 별다른 문제가 없는지 연습하고 있었다.

장칵라이가 과학자 지망이었다는 걸 알고 있는 쿠루빌리슈난으로서는 장칵라이가 조직의 돈으로 자신의 취미를 즐기고 있다고밖에는 보이지 않았다.

"당신 혹시 일본 애니메이션 봅니까?"

장칵라이가 그런 쿠루빌리슈난에게 뜬금없이 그렇게 물어보았다. 쿠루빌리슈난의 검은 피부 사이로 새하얀 눈이 크게 떠졌다. 뜬금없는 질문에 놀란 것이다.

"일본 애니메이션을 보면 시제품도 실전에 투입하더군요. 하지만 현실적인, 제대로 된 군수산업이라면 절대로 시제품과 테스트기를 실전에 투입하지 않습니다. 시제품, 테스트기는 어디까지나 테스트기, 그것을 실전에 쓰지 않고 보다 더 많은 데이터를 뽑아내는 게 결과적으로 비용을 절약하는 길이니까요."

"으음."

쿠루빌리슈난도 장칵라이의 말뜻은 알고 있었다. 그러나 그런 장기적인 일, 먼 훗날의 일까지 생각할 문제인가, 지금 이게?

"이것을 계기로 저 항법 제어장치의 자료를 얻게 되면 그건 앞으로 우리 조직의 항구적인 재산이 될 테니까."

"앙리 유이와 당신의 재산 말인가?"

쿠루빌리슈난은 그렇게 물어보았다. 그러자 장칵라이가 어깨를 으쓱해 보였다.

"당신들은 빨리 핵탄두를 구할 수 있으면 그거나 구해 오시오. 비셔스 바이러스 탄두는 착탄 시 운동에너지가 열에너지로 바뀌는 순간 변성되니까."

비셔스 바이러스의 감염력은 바이러스 자체보다는 그로 인해

생성된 프라이온이 면역 체계를 파괴하면서 생기는 것이다. 이 프라이온은 열에 약하기 때문에 탄두로 발사해서 바이러스를 살포하는 것은 효과적이지 않다.

그렇다고 공중에서 탄두를 방사하면서 떨어지게 만든다고 해서 효과적인 건 아니고, 역시 최고의 선택은 전술 핵탄두다. 모든 발사체에 전부 다 핵탄두를 실을 수 있으면 가장 좋고, 그게 아니더라도 한 개는 실었으면 좋겠다. 전술 핵 하나만 있어도 도시국가인 싱가포르에는 큰 타격이 될 것이다.

그리고 그 이상 있다면⋯ 인구 2억 4천만에 달하는 인도네시아 정부도 위협할 수 있겠지. 아니, 앙리 유이가 일본을 공격한 것을 보면 충분히 가능한 일이다.

2

"테트라 아낙스가 몬주 증식로를 폭주시킨 장본인. 그런데 우린 지금 테트라 아낙스가 수배한 비행기를 타고 있군요. 비셔스 바이러스인지 뭔지도 만들었는데⋯ 게다가 같이 타고 있는 놈들은 사장단⋯ 부자들이라니."

래트가 투덜거렸다.

"그러게?"

아르곤도 어깨를 으쓱해 보였다.

"아니, 이건 잘한 겁니다. 테트라 아낙스의 일만 해주고 혜택은 누리지 않다니 뭐 정신병 있어요? 당연히 받아야 할 거 받은 겁니다! 그리고 비행기 안 타면 뭐요? 그 통통보트 저어서 쿠로시오 해류를 역류하게요?"

왠지 꺼림칙해하는 아르곤과 래트와 달리 몬티는 적극적으로 지금 상황을 반기고 있었다. 언제나 거지꼴로 돌아다니던 에스프리의 삶은 그에게 짜증과 우울만 안겨주었다.

그런 그들에게 테트라 아낙스는 직접 '봉바르디에 글로벌 6000', 대기업 회장단이나 탈 법한 전용기를 보내주었다. 물론 그들만 타는 게 아니다. 플렉스 메디칼의 고위 간부들, 회사 직원들이 함께 타긴 한다. 하나 초호화 사양의 전용기다.

"받아먹는 데 버릇이 들면 안 돼. 가난과 청빈 속에서 위대한 정신이 싹트지! 자유롭고 위대한 정신이 바로 우리 에스프리의 이념이잖아? 그리고 그 보트는 괜찮은 편이야. 난 옛날에 오리보트로 태평양을 횡단했었지."

"아, 생각만 해도 소름이 돋네요. 미친……."

몬티는 아르곤의 설교를 듣고 기막혀했다. 위아래로 패들을 저어서 수면 위로 떠서 나가는 방식의 보트는 레저 스포츠용이긴 하지만 의외로 파랑에 강하다. 하지만 배가 잠겨 있어야 나가는 오리보트로 대양을 건너다니… 역시 아르곤은 기인이다. 같은 클랜원인데도 못 참아줄 정도로 기인이다.

"위대한 정신이 오리보트 타고 태평양을 건너야 함양되는 거라면 그건 광기입니다. 그리고 위대한 정신이라서, 그래서 근처 상점을 약탈했습니까? 유니클로 청바지를 잔뜩?"

몬티는 주위 상점에서 청바지를 털던 아르곤의 모습을 떠올리고 빈정거렸다. 같은 비행기에 탄 이들은 플렉스 메디칼이 일본에서 사업을 전개하기 위해 고용한 월급 임원인데, 그들의 팔뚝에서는 블랑팡이나 오데마 피게, 파텍 필립 같은 고급 시계들이 빛나고, 그들이 걸치고 있는 것은 기성복이 아닌 명품 양복점에서 주문생산한 양복이었다. 몬티는 그들을 보고 있자니 배알이 뒤틀렸다.

테트라 아낙스의 사상에 반대하고 독립적으로 행동하는 에스프리. 하지만 그 에스프리의 아르곤만큼 매 상황상황마다 테트라 아낙스의 어려운 처지를 해소시켜 준 인물이 어디 있는가? 차이니즈 마피아의 두령이며 테트라 아낙스의 말을 징하게 안 듣는 파군조차 아낙스의 예지를 받아먹어 축재하는데 아르곤은 그런 거 하나 안 받아먹고 거지꼴로 전 세계를 유랑하고 있으니 열불이 터진다.

저 고급 시계 찬 놈들의 자리가 그의 것이어야 했다. 다른 뱀파이어들은 다들 잘사는데 에스프리만 거지꼴이니… 그런데 정작 그 리더인 아르곤의 변명 좀 봐.

"아니, 이건 일종의 음… 분소의(糞掃衣:세속 사람들이 버린 옷을 주워다 빨아 만든 가사. 출가한 사람들이 입는다)라고 할까?"

아르곤은 그렇게 둘러댄다. 언제부터 불교도였다고 분소의를 운운할까? 불교도라면 뱀파이어인 시점에서 이미 끝장 아닌가?

"이보세요. 저기 저 친구가 찬 시계가 뭐로 보입니까?"

"초침 시계 아냐. 저런 낡은 메커니즘을 아직도 쓰다니 이해가 안 가는군. 요즘 가장 핫한 시계는 이거지.”

아르곤은 당당히 스마트폰을 보여주었다.

“…….”

“뭐야, 테트라 아낙스는 사장단에게 전용기도 챙겨주는 척하더니만 저런 고물딱지 시계를 차고 다니게 하나. 월급 제대로 안 주나 봐?”

“…….”

몬티의 수난은 앞으로도 계속될 것 같았다. 바흐의 마태수난곡이 몬티의 머릿속에서 계속 울리고 있었다.

3

아그니는 강아담과 츠구미, 에두아르도와 함께 이코노미석에 구겨져 앉아 있었다. 저가 항공사가 아닌 국적기이지만 이코노미석은 처참했다.

반면 앙리 유이와 헥토르는 퍼스트 클래스석에서 와인을 따고 느긋하게 클래식을 들으며 널찍한 공간을 즐기고 있었다.

“…야. 뭐야, 이거?”

아그니가 옆에서 영화를 보고 있는 아담을 툭툭 찔렀다. 그러자 아담이 고개를 돌렸다.

“자꾸 찌르지 마요.”

“아니, 이 차이는 뭐냐? 나도 나름 진마인데…….”

"저야 체구가 작으니까 이코노미도 괜찮아요."

"나랑 이 친구는?"

아그니가 에두아르도와 츠구미를 가리켰다. 그러자 아담이 어깨를 으쓱해 보였다.

"이 기회에 요가를 즐기시지그래요?"

"그리고 뭣보다 왜 그 헥토른지 아킬레슨지 하는 놈도 퍼스트 클래스냐고?"

"사비를 써서 그래요."

"……."

아그니가 잠시 손가락을 폈다 접었다 하면서 뭔가 계산하더니 입을 굳게 다물었다.

돈이 없나 보다. 하긴 여기저기 인간과 뱀파이어를 가리지 않고 죽이고 다니며 먹어치우는 데만 집중하던 작자다. 돈이 있다 하더라도 신분이 없을 터, 그런데 퍼스트 클래스를 탈 수는 없겠지.

"뭐… 뭐야. 나는 진마인데 이런 하급 흡혈귀들이랑 함께 태우고."

"…듣는 하급 기분 나쁘네."

츠구미가 중얼거렸다. 그러자 아그니가 그녀를 돌아보았다.

"친해지니까 막 기어오르는데."

"우… 우린 당신들에게 꼭 필요하잖아? 게다가 지금 우리 능력은 과거 진마에 필적할 정도로 성장하고 있다고."

"아, 됐어. 내가 하고 싶은 말은 우리 모두 퍼스트 클래스를 타야 하지 않겠냐 이거 아냐!"

아그니가 츠구미와 언성을 높인다. 그때 캐빈 어텐던트가 너무나 가식적인, 굳어 있는 얼굴로 미소를 지으며 다가왔다.

"…에휴."

아그니는 승무원이 경고를 주기 전에 언성을 낮추고 시트에 머리를 기대고 모포로 얼굴을 팍 덮어버렸다.

자카르타 공항에 도착한 헥토르는 한숨을 내쉬었다.

"덥군."

"적도 지방이니까."

앙리 유이도 평상시 입던 가죽 덧댄 양복 대신 서스펜더가 붙은 반바지에 와이셔츠를 입고 있다.

"……"

오래 잠들어 있던 헥토르지만, 광기의 헥토르라 불리는 그이건만, 지금 이 순간 앙리 유이의 패션 센스에 경악하고 있었다.

"이제 거기에 옛날 영국인 탐험모를 쓰면 딱 시대착오 코스프레가 완성되겠군."

퍼스트 클래스가 아니라서 좀 늦게 나온 아그니가 뒤늦게 합류하며 한마디 했다.

"그리고 선두엔 짐 나르는 하인이 필요한 법이지."

헥토르가 나불거린다. 아그니가 참지 못하고 혈인 능력을 발휘해서 헥토르를 공격하려 했지만 헥토르 역시 혈인 능력을 썼다.

둘의 혈인 능력은 불과 전기, 발화와 전하지만 둘 다 에너지 준위를 높이는 기술이라 이게 근접한 데서 쓰이면 서로서로 정밀도를 해친다. 특히 헥토르의 전하 능력에는 상대의 혈인 능력이나 마법의 표적을 결정하는 정밀도를 낮추는 사이드 이펙트가 있었다.

결과적으로 둘의 혈인 능력이 서로 간섭을 일으켜 빗나갔다.

"예상외로군……."

헥토르는 아그니의 엄청난 힘에 살짝 놀랐다. 동면형 뱀파이어인 그는 동시대, 동급의 진마들보다 월등히 강력한 힘을 발휘하는 이형 VT인자를 가지고 있다. 그럼에도 불구하고 아그니의 능력은 무시할 게 못 된다. 저번 각성 때 아그니의 이름을 듣지 못했던 걸 보면 진마가 된 지 얼마 되지 않은 놈일 텐데도 이 정도 힘이라니, 아마도 저만큼의 힘을 쌓기 위해 엄청난 고행을 견뎌왔음에 분명하겠지.

하지만… 하인이나 어울리는 작자가 그에게 이빨을 들이대는 걸 봐 넘길 수는 없다.

헥토르가 힘을 끌어 올리는 그 순간이었다.

턱!

앙리 유이가 아그니와 헥토르의 손목을 각각 한 손에 거머쥐었다. 두 진마의 손목을 갑자기 잡아버린 그로부터 저릿저릿한 독기가 스며들었다.

"윽!"

"음!"

아그니와 헥토르가 둘 다 손을 빼고 한 걸음 물러났다.

"공항 안에서 둘 다 그만하지. 이건 헥토르가 잘못했군. 진마라고 몇 번을 말해야 기억하겠나?"

"아… 제발. 그런 옷 입고 나랑 좀 닿지 좀 마. 응?"

아그니는 그렇게 짜증을 내면서 손목을 털었다. 팔 전체가 저릿저릿 저려온다. 사법인지 앙리 유이의 혈인 능력인지 모르겠지만 굉장히 위험하다.

'이거에 비하면 차라리 러셀 바이퍼에게 물렸던 때가 훨씬 낫군.'

진마 체면에 부끄럽게도 아그니는 독사에게 물린 적이 있었다. 물론 혈액과 몸을 녹이는 용혈독은 신체 체액을 그 의사에 따라 자유롭게 조종하는 구속력을 지닌 뱀파이어, 그것도 진마에겐 아무것도 아니었다. 아그니는 굉장히 짜증 내면서 러셀 바이퍼를 죽여 버리고 상처로 독을 배출해 치워 버렸었다.

그러나 앙리 유이에게 당한 것은 유형의 독이 아니라 무형의 것이었다. 저주나 주술, 사법 같은 힘이 아그니의 팔을 마비시킨다. 헥토르 표정도 벌레 씹은 꼴인 걸 보면 헥토르 역시 저릿저릿 저려오는 느낌을 받았을 것이다.

동료 간의 다툼을 말리기 위해서 한 짓치고는 너무 센 거 아닌가? 그러나 앙리 유이가 마치 가벼운 다툼을 말렸다는 듯 행동하는데 정색하고 달려들자니 쪽팔린다. 앙리 유이가 일단 이 그룹의 리더긴 하지만 아그니는 앙리 유이의 밑으로 들어갈 생각이 없는데 여기서 앙리 유이가 자신보다 더 유능한 존재임을 인정하고 싶지 않았다.

"내가 잘못했군. 하지만 내가 말한 짐 나르는 하인은 자네가 아니라 저 친구들이야."

헥토르는 멀찍이서 카트에 캐리어 얹고 오고 있는 에두아르도와 츠구미를 가리켰다.

"…그것도 좀."

아그니는 헥토르의 귀족적인 태도에 진저리를 쳤다.

"어쨌거나 둘 다 화해하도록. 여기서 귀한 손님을 만나야 하니까."

"귀한 손님? 어디서 또 멍청이 진마들을 꼬드겼나?"

그렇게 말하면 너도 그 멍청이 진마인데? 앙리 유이는 눈살을 찌푸렸다.

"적요도 죽고 그런 지금 대놓고 테트라 아낙스에게 적대하는 진마는 별로 없지. 하지만 보험은 들어둬서 나쁠 게 없잖아? 내게 선을 댄 뱀파이어들은 잊지 않고 나중에 후사하기로 했지. 그러니 테트라 아낙스파인 뱀파이어들도 내게 선을 댈 거란 말이지."

"어떻게? 앙리 유이, 당신이 지면 당신을 도와준 뱀파이어들은 테트라 아낙스에게 그대로 통보될 텐데."

"다 방법이 있지. 아, 저기 오는군."

공항 입구에 래핑 광고를 달고 있는 도요타제 미니버스가 한 대 미끄러지듯 들어왔다. 래핑 광고에는 '베오울프'라는 이름과 함께 QR코드가 붙어 있었다. 왠지 궁금해져서 아그니가 카메라를 들어 QR코드를 찍어보니… 베오울프라는 곳의 홈페이지가 뜨는데…….

'용병 회사?'

정확히는 경호 회사라고 되어 있지만 경호 가능 지역이 남수단, 소말리아, 콩고 같은 곳인 데다가 기업 전체 경호, 사업장 전체 경호, 광산이나 유전 플랜트 전체 경호가 들어 있다면 용병 회사라고 봐야 할 것이다. 콩고의 광산 전체를 경호할 정도의 무력을 갖추고 있다면 사설 군대나 다름없으니까.

게다가 베오울프라면… 아그니도 이름을 들어봤다. 라이칸스로프들을 고용한 사설 용병 집단.

"베오울프라고 래핑되어 있어서 놀랐는데 이게 그 베오울프였나? 그런데 설마 베오울프를 고용했나? 어떻게? 돈이 많이 들 텐데?"

앙리 유이는 자산이 좀 있었지만 테트라 아낙스에게 저항한 시점에서 그의 계좌는 모조리 동결되었다. 물론 앙리 유이는 현금도 많고, 테트라 아낙스에게 동결될 때를 대비해 다른 자산들을 숨겨둔 데다가 그의 아이들, 그러니까 그가 거두어들여 초상능력 개화에 연구하고, 또 신을 창조할 그릇으로 만든 아이들이 사회적으로 성공하면서 그들의 재산 지원도 많았다. 그러나 그렇다고 해도 오가는 돈이 커지면 커질수록 테트라 아낙스가 그 돈의 흐름을 차단하기 쉬워진다.

게다가 이 베오울프라는 놈들이 테트라 아낙스에게 총구를 돌리게 하려면 일반적인 용병 회사와는 단위가 다른 돈이 필요

할 것이다. 아니, 돈만으로는 아무리 많이 준다고 해도 절대로 테트라 아낙스에게 돌아서지 않겠지. 그 이상의 보장, 그 이상의 거래가 필요할 것이다.

"어서 오십시오. 이건 필요 없었나 보군요."

베오울프의 미니버스에서 내린 젊은 남자는 놀랍게도 머리에 검은 터번을 두른 시크교도였다. 그는 공항에서 들고 있으려 했던 팻말을 치우고 만면에 미소를 머금고 팔을 벌렸다.

"먼 길 오신 걸 환영합니다."

"당신은 인간이군."

헥토르는 그렇게 말하고 자신의 짐을 가리켰다.

"이걸 차에 싣도록. 그리고 앙리 유이에게 상식적인 옷을 준비해 주게."

영국이 인도를 점령하던 시절로 생각해 보면 저런 터번 두른 타밀인 시크교도는 영국인들의 충실한 경호원이자 하인이었다. 그리고 헥토르의 마인드는 그때 그 시절로 완전 굳어 있는데 시크교도가 찾아왔으니 과연 예상했던 대로의 반응이 나왔다. 평소라면 아그니는 그런 헥토르의 행동에 눈꼴이 시어서 뭐라고 했겠지만 그 역시 앙리 유이가 좀 더 상식적인 옷을 입어야 한다는 것에는 동의했다.

결국 앙리 유이는 모두의 의견에 못 이겨 어쩔 수 없이 서스펜더가 붙은 반바지 대신 여름용 얇은 정장 바지로 갈아입어야 했다.

앙리 유이가 정상적인 차림을 하자 많은 이가 박수를 쳤다.

"오, 좋아. 이제야 좀 사람처럼 보이는군."

"뱀파이어가 사람처럼 보여서 뭐 하게?"

앙리 유이가 그렇게 대꾸했지만 고개를 갸웃거렸다.

"그런데 그렇게 이상했나?"

"미친놈아, 패션이 얼마나 휙휙 바뀌는데. 몇 년 전 유행이라고 아무렇지 않게 입고 있다가는 박물관에 밀랍 인형들이랑 같이 앉아 있어야 할걸?"

"너무 오래 살다 보니까 어느 게 어떤 유행인지 몰라서 말이지. 그냥 내가 내키는 대로 입고 있네만."

"…세상살이에 관심이 없군."

아그니는 그렇게 중얼거렸지만 앙리 유이가 그보다 훨씬 더 오래 산 뱀파이어라는 사실만은 확실하다. 아그니도 오래 살면 저렇게 되는 걸까?

'그건 싫군. 아, 하지만 생각해 보면 팬텀이나 다른 친구들은 멀쩡하잖아?'

오래 살았든 말든 이건 그냥 앙리 유이의 변명이라는 생각이 들었다. 그러는 사이 그들은 베오울프의 차를 타고 시내로 이동했다.

"바로 국내편으로 갈아타는 게 아닌가?"

"후원자들을 꼭 만날 필요가 있어서 말이지."

"후원자도 있나?"

아그니는 깜짝 놀랐다. 뱀파이어와 구울들을 잔뜩 뿌려 테트라 아낙스의 부담을 늘리는 이 행위는 정부가 미우니까 세상에 불을 질러대는 것과 같다. 관리 책임을 가중시키기 위해서 사고를 치는 이런 막장스러운 짓에 후원자가 있다니?

"당연히 있지. 나는 알려져 있는 대로 그렇게 오만한 성격은 아니야. 내 혼자의 한계를 잘 알고 있어. 그러니까 자네 같은 다른 진마에게 협력도 구하지 않았나. 꽤나 공손한 태도로 말이지."

"자기 스스로 태도가 공손하다고 말하면 끝장 아닌가. 어쨌거나 웃긴 놈들이군. 이런 개막장 테러리즘에 후원을 하다니."

"별 이상한 놈들도 다 후원을 받는데 내가 못 받을 것은 없지. 어쨌거나 잠깐 스톱오버한다고 생각해. 약도 전해줘야 하고."

앙리 유이는 그리 말하며 뒤를 돌아보았다. 화장실에서 커다란 캐리어를 들고 나오는 배니싱 블러드의 뱀파이어들이 보였다. 이들은 공항 안으로 텔레포트해서 간단히 약물들을 넣어두어 세관을 무사히 통과하고, 현지에 도착하면 다시 텔레포트로 화물에서 빼 와서 세관을 통과하는 방식으로 마약과 총화기들을 아무렇지도 않게 운반할 수 있었다. 그렇지만 텔레포트 능력이 있다고 해도 그들이 텔레포트하는 곳에 사람이 있을 경우 발각되는지라…….

누군가가 그들이 텔레포트할 곳을 미리 원격 시각으로 감시하고 통지를 해주지 않으면 안 되었다. 그런 번거로운 작업을 아담과 배니싱 블러드의 뱀파이어들이 하는 동안 아그니와 헥토르, 앙리 유이는 이렇게 사사로운 이유로 다투거나 옷을 갈아

입거나 하면서 놀고 있던 것이었다.

"음, 좋아. 이번엔 좀 진마 대접을 받은 것 같군."

"자네는 그냥 다른 뱀파이어들이랑 차별만 받으면 되지?"

앙리 유이가 그렇게 물어보자 아그니가 투덜거렸다.

"…딱히 이코노미석에 구겨져 있어서 기분 나빴던 건 아니고."

그때 에두아르도가 보고했다.

"아웃레이지는 전부 회수해 왔습니다. 이상 없습니다."

"그거 다행이군."

에두아르도가 들고 온 캐리어에는 아웃레이지가 잔뜩 담겨 있었다. 개중에는 오염되어서 그냥 인간에게 먹이기만 해도 뱀파이어나 구울, 커럽티드로 바꿔 버릴지도 모르는 위험한 것들이 섞여 있다.

저 약들을 지속적으로 푸는 것만으로도 사회를 파멸시키고 인류 문명을 위협하는 데 큰 역할을 수행할 것이다.

"그나저나 고향에 온 기분이겠군? 어때?"

"정말 화낸다?"

아그니는 투덜거리며 선글라스를 꼈다.

"이 미친 백인 놈들은 제국주의로 자기 배들 불리려고 남의 터전에 쳐들어와서 소수민족들을 싹 밀어버리고 어딜 가나 인도인 중국인을 들여놓은 다음 이 일대를 다 플랜테이션으로 만들어서 뜯어먹다가 그렇게 다 똑같이 만들어놓고 빠진 다음에 이번엔 여행자로 와가지고 여기랑 저기랑 비슷하네, 똑같네 그딴 소리나 처하는데 전부 다 대가리 털을 뽑고 모근에다 불을 질러서 영구적인 대머리로 만들어 버리고 싶어."

"호오? 늘 죽이고 잡아먹었으면서 뭘 이제 와서 새삼스럽게."

앙리 유이가 피식 웃으며 그렇게 말했다.

"네 후원자라는 놈들도 그런 거겠지? 인도네시아는 절대 한 덩어리의 나라가 아니야. 그런데 열강들이 멋대로 누덕누덕 기워놓은 걸 가장 세력이 큰 이슬람계 말레이 인종이 주도하는 나라로 만들어졌을 뿐이지. 이런 나라를 찢고 싶어 하는 놈들 입장에서는 일본도 거덜 낸 당신의 능력을 높이 평가할 테니까."

"……."

"인도네시아를 찢어달라는 의뢰라도 받은 건가?"

인도네시아를 찢을 경우 인도네시아 정부는 싫어하겠지만 중화권이나 인도계, 그리고 그 외 소수민족들이나 석유 기업 입장에서는 신나는 새 판이 짜일 것이다.

석유가 나는 곳에 위치한 이들은 지금 있는 석유를 팔기 위해 국영기업 대신 해외 석유 자본을 끌어들일 수밖에 없을 테고 그렇게 되면 당연히 이전보다 헐값에 자국의 자원을 빼앗길 것이다. 그럼에도 불구하고 그들의 분리 독립 요구가 아주 허황된 것도 아니다.

이슬람계, 인도네시아계에 대한 쿼터 확보 후 주어지는 일자리 등은 이전부터 큰 문제였으니까.

"서로서로 윈윈하는 거지."

앙리 유이는 부정하지 않았다. 사실상 긍정이다. 뱀파이어 헌터들이 알면 기절초풍할 일이다. 인류의 역사를 끝낼지도 모르는 뱀파이어들의 준동을 그저 자신들의 이권을 극대화해 줄 무장 세력 중 하나쯤으로 치부하는 인간의 어리석음, 탐욕은 정말 혐오스럽다. 물론 탐욕의 대명사인 아그니가 그들을 혐오한다는 건 동족 혐오에 지나지 않는다. 저들이 먹어치우기 전에 내가 먹어치워야지. 그런 마음가짐이 있는 것도 사실이다.

"흠, 좋아. 아주 재밌어. 좋군. 하지만 그 빌어먹을 약 뿌리기 전에… 내가 우선 설치게 해줘. 난 요즘 먹은 게 별로 없으니까."

아그니가 그렇게 말하자 뒤에 앉아 있던 헥토르가 혀를 찼다.

"지금 사고 치면 공항이 봉쇄될 거라는 건… 동면하고 있던 나도 아는 일이다. 역시 인종별로 평균 지능의 차이가 있나 보군. 우월한 인종, 열등한 인종의 차이가 뱀파이어가 된 이후에도 적용된다는 건 서글픈 일이로군."

"……."

운전하던 시크교도가 중얼거렸다.

"지금 싸우면 곤란합니다만……."

아그니와 헥토르 간에 다시금 살기가 팽팽하게 치솟고 있었다.

시크교도가 몰고 있던 미니버스는 자카르타 시내 진입로에서 멈춰 섰다. 지하철과 철도가 거의 파멸 상태인 자카르타는 출퇴근 시간만이 아니라 평소에도 교통 정체가 심각했다.

"켁. 뭐 이래?"

아그니가 투덜거리자 시크교도가 답했다.

"여긴 전철이나 버스 등의 대중교통이 그다지 좋지 않으니까요. 특히 전철은 거의 전멸입니다."

"사람도 엄청 많은데 전철을 안 깔았어?"

거리마다 스쿠터 오토바이가 장사진을 이루고 있었다. 차량의 교통 정체 때문에 스쿠터와 오토바이들이 덩달아 정체되고 있는데 차나 바이크마다 사람들이 탈 수 있는 만큼 가득 타 있어서 눈이 아플 지경이었다. '월리를 찾아라'로 도배해 놓은 방 안에 들어선 기분이었다.

"자카르타 경제권은 2,800만 정도, 일본 동경과 비슷하지요. 허허. 저 관광 가이드 해도 될 것 같습니다?"

시크교도가 넉넉한 미소를 지어 보이며 말했다. 지금이라도 당장 저 웃음에 호응하기 위해서 발리우드풍 군무를 춰야 할 것 같다는 착각이 들었다.

"대부분 말레이 군도 원주민, 그러니까 말레이인인데 말레이인이라고 하면 화냅니다. 말레이시아랑 사이가 별로 안 좋거든요. 인도하고도 안 좋고. 인도인 매우 싫어해요. 하지만 그중 가장 싫어하는 건 화교죠."

"왜지?"

"돈 되는 부동산을 다 차지하고 월세를 받아먹거든요. 세속주의 회교 국가라지만 돼지고기를 아무렇지도 않게 팔기도 하고."

"…그런 거 알 필요 없어. 우린 여기 현지인들의 호의를 얻을 필요가 없거든. 인간은 다 먹이다. 너희들은 소나 돼지가 널 좋아하는지 싫어하는지 관심을 가지나? 아, 시크교도는 소 안 먹던가?"

그러자 휴대폰 게임을 하고 있던 아담이 중얼거렸다.

"시크교도는 고기 먹어요. 대한민국에선 유치원생도 알고 있는 사실입니다."

"이 새끼… 그런 말도 안 되는 헛소리를…….''

유치원생이 시크교도를 알 리가 없다. 이건 유치원생만도 못하다고 아그니를 조롱하는 것인가?

"그렇다기보다는 힌두신인 아그니의 이름을 코드네임으로 정했으면 근처 종교에 대해 박식해지시라는 뜻입니다만."

아담은 아그니의 분노에도 별로 물러섬 없이 그렇게 말했다. 그 상황을 무마하기 위해서 시크교도가 말했다.

"저희는 고기 먹습니다. 그리고 지금 전 여기의 평범한 사람들이 아니라 우리가 만날 사람들에 대해서 조언해 드리는 겁니다."

"뭐? 설마… 만나야 할 사람이 인도네시아인이야?"

아그니는 그 말에 깜짝 놀랐다. 인도네시아인이 자국에 사고를 쳐달라고 요청했단 말인가?

"새삼스럽게 놀라기는. 인간들이나 뱀파이어나 원래 그런 거 아니겠나? 같은 민족이라고 사람들이 해치지 않는다면 살인범이나 그런 놈들이 왜 있겠나?"

앙리 유이가 아그니가 놀라는 걸 보며 피식 웃었다. 그의 곁에 앉아 있던 아담은 핸드폰 게임을 하다 투덜거렸다.

"유력자의 도움이 있으면 쉽게 약물을 퍼뜨릴 수 있지요. 막무가내로 약을 공급하는 건 쉽지 않은 일이거든요. 뱀파이어들보다는 일반인 위주로 퍼뜨려도… 효과가 있는 약이니까요."

"또 아웃레이지를 퍼뜨릴 건가?"

"어찌 되었든 인구수는 많으니 저지를 만한 가치가 있지요. 그러나 이슬람교도가 많은 곳은 세속주의가 강한 곳에 비해서 그렇게… 힘을 끌어낼 수 없을 것 같군요."

아담은 그리 말하고 혀를 찼다. 아웃레이지를 일으켜 문명을 파괴하고 많은 사람을 죽이는 것은 테트라 아낙스의 힘을 약화시키기 위함도 있지만 그로 인해서 그들이 만든 이성질체 VT 인자인 아웃레이지를 진화시키고 그 영적인 힘으로 그들이 원하는 마법을 만들어내기 위해서였다. 하지만 동경에서 이보다 더 좋을 수 없는 환경에서도 앙리 유이는 만족할 만한 성과를 거두지 못했었다. 그런데 자카르타에서 그런 게 가능할 리가 없다.

"아무래도 한세건이 있는 이상… 저로는 신을 담을 수 없는 것 같습니다. 마치 벼락이 가장 높은 피뢰침에 떨어지듯 말이지요."

아담은 그리 말하며 쓴웃음을 지었다. 열등감과 혐오감이 이 소년의 얼굴에서 감돌고 있었다.

"그만큼 내가 만들어낸 비약, 사이키델릭 문의 효과가 대단한 거지. 말하자면 나는 너무나 강렬한 영감에 명작 앨범을 내버리고 그 후속작이 나름 괜찮음에도 첫 작의 그림자에 짓눌려 있는 예술가라고 할 수 있지."

앙리 유이는 그리 말하며 창을 바라보았다.

"무슨 일인지 모르지만 나는 굳이 따라갈 필요 없지? 여기서
부터 시작해도 될까?"

"음? 무슨 소리입니까?"

시크교도가 의아해하면서 아그니를 바라보았을 때 아그니가
달리는 버스의 문을 열어버렸다. 당연히 주행 중 열리지 않도록
안전장치가 되어 있었지만 흡혈귀의 막무가내의 힘 앞에 문짝
은 허망하게 열려 버리고 말았다.

"도시락 좀 먹고 오겠단 말이다!"

"……."

미처 말릴 새도 없이 아그니는 주행 중인 오토바이에 뛰어
들어 상대의 등에 매달리더니 대뜸 운전수의 목덜미를 손으로
잡아 손바닥으로 흡혈했다. 막강한 구속력을 가진 아그니는
일정 거리 이내라면 구속력만으로 살아 있는 인간의 혈액을
빼앗을 수 있었다. 순식간에 맛이 간 운전수를 대신해 핸들을
잡은 아그니가 무수한 인파와 차량들 사이를 멋대로 빠져나가
버렸다.

"그렇군. 나에 대한 열등감을 그저 많이 먹어서 힘을 키우는
것으로 채우려 하는 게로군."

헥토르는 아그니가 갑자기 뛰쳐나간 것을 그렇게 해석했다.

4

서현과 한세건, 실베스테르는 별말 없이 미군 부대가 마련한 특별 편을 이용해 한국에 위치한 미군 기지에 착륙하고 거기서 다시 가루다 인도네시아 편을 타기 위해서 인천 공항으로 이동했다.

그러나 여기서 문제가 생겼다.

미증유의 대규모 질병이 발병한 일본의 현장에 있던 이가 출국을 하는 것은 어불성설. 일단 철저하게 방역이 되어 있는지 조사해야 한다고 출국 심사대에서 서현을 붙잡았던 것이다.

"왜 나만?!"

서현은 당황해서 출국 심사대를 지나는 한세건을 바라보았다. 그는 어깨를 으쓱해 보이곤 깨끗한 신규 여권을 보여주었다. 대학생들의 유스호스텔 등록증이 끼워져 있는 그럴싸한 케이스에 담겨 있는 여권은 이제 막 대학생이 된 젊은이가 가혹한 수험을 벗어나 해외 물 좀 먹어볼까 하고 떠나는 모습을 연출하고 있었다.

국제수배자인 한세건인 이상 정상적인 항공기를 이용할 때는 당연히 신분 위장을 한다. 실베스테르 신부도 신분 위장은 일상. 그 반면 서현은 자신의 신분 그대로 움직이고 있다. 그러다 보니 여권에 일본 출입국 기록이 남아 있게 된다.

"아니, 그런데 그럼 일본에서 한국으로 들어왔을 때 병원으로 보내서 검진을 했어야지… 이제 와서 중요한 일이 있는데 못 가

게 하면 어떻게 해요? 여기 그럼 어디 의사에게 진단서라도 받
으면 됩니까?"

"그러니까 기다려 보십시오."

출입국 관리소의 직원 역시 난처한 표정을 짓고 있었다. 미증
유의 바이러스, 그로 인해서 일본이 궤멸적 타격을 입었음에도
불구하고 대한민국의 방역 체계는 잘 작동하지 않는다. 구제역
이나 조류독감 등 주로 축산 농가에 타격을 입히는 질병에 대해
서는 많이 체계가 잡혀 있지만 미지의 질병에 대해서는 매뉴얼
이 존재하지 않는다.

질병 담당 병원이 설정되어 있긴 하지만 CDC라고 할 만큼 확
실한 질병 통제 체계를 갖춘 건 아니다.

"원래는 입국할 때 처리해야 하는 거 아닙니까?"

"아니, 그게 미군 부대로 입국한 거니 그만."

"…아, 진짜."

서현은 꽉 막힌 공무원을 보고 눈을 빛냈다. 이대로는 한세건
과 실베스테르가 먼저 떠나 버리겠다. 실제로 그들은 어깨를 으
쓱해 보이곤 먼저 안으로 들어갔다.

"나중에 처리되면 그때 가서 와라. 우린 너 때문에 시간을 낭
비할 수가 없어"

"그건 알겠는데 음… 아, 이거 짜증 나는데."

서현은 사람들이 발하는 맥박, 호흡, 분비물과 체취로부터 그
사람들의 표층 심리, 간단한 감정을 빠르게 읽어낼 수 있었다.
예를 들어서 매끈한 미소를 짓고 있어도 사실은 혐오하고 있다

거나 짜증 내고 있는 것, 겁에 질렸으면서 허세를 부리는 것 등의 감정은 간단히 간파할 수 있었다.

그런 그가 출국관리소의 직원들에게서 느끼는 감정은 짜증과 당황이었다. 이들도 이런 경우 어떻게 해야 하는지 모르는 것이다. 그나마 젊은 직원이 마침 비셔스 바이러스의 대책을 책임지는 병원에 대해서 연락을 해보고 있었지만 다른 이들은 그야말로 적당히 시간을 끌면 저놈이 성내다 제풀에 꺾이겠지, 일단 시간 끌자, 이런 심정으로 기다리고 있었다.

문제는 여기서 난동을 부릴 수도 없다는 것. 서현으로서는 가장 신참의, 아직 세상 물을 덜 먹어서 의욕이 넘쳐나는 직원이 뭔가 대박을 건져 오길 기다릴 수밖에 없었다.

그러나 분위기로 봐서 그런 건 불가능하리라. 과연 직원이 난처한 표정을 지었다. 그는 서현에게 들리지 않게 자기네 상사와 이야기를 나누었다.

"뭐래?"

"그게 역시 미지의 바이러스라서 그런지 자기네들이 일단 담당 병원이 되었지만 책임지고 진단서를 발부할 수는 없다고 그러네요."

"음. 뭐 그럴 줄 알았지. 뭐, 그래도 이렇게까지 했으면 저치도 만족하겠지."

"그래도 되나요? 저 젊은 친구, 일행이랑 찢어지는데요?"

"웃기지 마. 우리가 여기서 아무 생각 없이 보내주면 그게 더 문제야. 여기서 검역하는 건 솔직히 써멀 카메라로 체온 측정하

는 것밖에 못 하지만 이거라도 있는 게 어디야? 보나 마나 그쪽
에서도 입국 심사를 통과 못 할걸? 차라리 여기서 보딩을 못 하
는 게 낫지 거기서 못 하면 다시 추방당해서 돌아와야 하잖아.
항공권값도 완전히 날리고 시간도 날리고 이중 부담을 겪게 된
다고."

"그런데 그럼 저 친구가 오산 미군 기지에서 인천 공항까지
횡단을 해 왔는데 그거 이미 큰 문제 아닙니까? 만약 그가 감염
자라면 한국 전체에 바이러스를 풀풀 뿌렸을 겁니다."

"어휴, 이게 빠져 가지고. 너 얼른 업무에 복귀해. 저 애새끼
는 내가 잘 구슬릴 테니까. 지금 나라가 시국이 어느 땐대 파릇
파릇하게 젊은 새끼가 해외여행이나 다니고 말이야."

그들은 그리 말하고 벤치에 앉아서 초조하게 발을 구르는 서
현에게 돌아왔다. 이미 실베스테르와 한세건이 탄 비행기는 이
륙해서 사라진 다음이었다.

"허허, 미안하지만 말이야."

서현의 귀가 얼마나 먼 거리에서 소리를 포착할 수 있는지 알
지 못하는 출입국관리소의 고참 직원이 거짓말을 하기 위해 입
에 침을 바르기 시작했다.

"책임은 내가 질 테니까. 찍으시지?"

서현은 그에게 맹수의 눈을 썼다. 그 순간 세관원은 산길에
서 갑자기 곰이나 호랑이 같은 맹수를 만났을 때처럼 화들짝
놀랐다. 너무 놀라고 두려워서 심장이 철렁하고 떨어진 기분이
들었다.

"아니, 그……."

"찍어."

서현이 나직히 명령하자 출국관리원이 할 수 없이 서현을 게이트로 데려가 도장을 찍어주었다. 본인도 뭔가에 홀린 듯 다리가 풀려서 휘적휘적 걷다가 서현이 흥 하고 지나치자 그제야 정신을 차렸다.

"과, 과장님? 안 보내주기로 하지 않으셨습니까? 그걸 찍으시면 어떻게 합니까."

"어… 뭐 그, 항공사도 먹고살아야지. 본인이 가고 싶다는데 막는 것도 그렇고. 써멀 카메라에는 아무 이상 없으니까 딱히 막을 근거도 없고 말이야. 규정상 그렇지? 난 잘못 없다고."

출국사무소 직원이 횡설수설하는 사이 서현은 안으로 들어갔다. 하지만 이미 비행기는 출발했다.

"…젠장."

다음 항공편을 찾아서 티켓을 교환해야 하나. 그럼 돈이 더 든다. 아니, 돈이 들어가는 거야 문제가 아니지. 문제는 한세건과 실베스테르와 떨어지게 되는 거고 무기 조달을 실베스테르에게 의존하고 있었는데 만약 이걸로 갈라지기라도 하면 큰일이다.

서현은 한숨을 내쉬고 항공사 직원과 이야기해서 가장 가까운 편의 빈자리로 티켓을 조종하고 수수료를 지불한 뒤 의자에 앉았다.

"정말 가버렸군. 이것들이 진짜."

서현은 그리 중얼거리며 공항에 설치된 TV를 보았다. 어딘가 거대한 쇼핑센터가 불타고 차량이 뒤집어지고 경찰들이 뭐라뭐라 소리를 지르며 무장 차량을 끌고 와 방벽을 세우는 장면이 보였다.

처음에는 영화인가 싶었는데… 잠시 후 아나운서가 핏기가 가신 창백한 얼굴로 모습을 드러냈다.

—자카르타 시내에서의 소요는 현재까지도 안정될 기미가 보이지 않고 있습니다. 현재 인도네시아 당국은 비셔스 바이러스의 발병에 대해서 확언할 단계가 아니라고 부인하고 있습니다.

"……."

서현은 그 모습을 보고 혀를 찼다.

한세건은 의자에 앉아서 핸드폰을 보다가 자신의 옆자리를 바라보았다. 원래는 서현이 앉아 있어야 할 자리는 현재 공석으로 남아 있었다. 그 자리 너머에서는 실베스테르가… 개인 멀티미디어 시스템으로 뭔가를 보다가 그의 시선을 느끼고 급히 채널을 돌렸다. 편광 처리 되어 있어서 이곳에선 보이지도 않는데 그런다.

아마 애니메이션 채널을 보고 있었겠지.

"흠… 너는 내가 어떤 존재인지 알고 있겠지?"

"뭐, 인간이 아니라는 건 알지요. 연금술로 만들어낸 인조인간 정도?"

세건이 그렇게 말하자 실베스테르가 어깨를 으쓱해 보였다.

"그 정도면 다 아는 거군. 그런데 사실 나에게는 한 가지 문제가 있어. 내게는 인간과 내가 동일한 존재라는 걸 바로 인식하지 못하는 감정 결락이 있거든."

스스로 사이코패스라고 고백하는 것인가? 세건은 그런 실베스테르를 보고 으쓱해 보였다. 뭐, 실베스테르다. 이보다 더한 사이코패스적인 질병을 앓고 있다고 해도 이상할 게 없다.

"이 결락은 애니메이션에서는 적용되지 않아. 아마도 강력한 데포르메가 들어간 캐릭터에 대한 공감이 더 쉬운 것 같아. 인간이 어설프게 너무 인간 같은 것에 혐오감을 느끼는 것과 비슷하다고 할까?"

"즉 지금 이것은 당신의 감정을 훈련하는 것이다, 그런 뜻이지요? 아니, 뭐 애니메이션 좀 보는 걸 가지고… 굳이 그렇게까지 변명하지 않아도 되는데."

세건은 실베스테르의 변명을 일축했다.

"그보다… 빠르군요, 앙리 유이는. 벌써 인도네시아에서 일을 시작하고 있어요. 마치 세상 모든 걸 다 부숴 버릴 권리가 그에게 있다는 것처럼……."

세건이 그렇게 말하자 실베스테르가 쯧 하고 혀를 찼다.

"이사카가 오기 힘들겠군. 위험한데."

"위험은 어제 오늘 일이 아니지요. 뭐, 나중에 내리면 연락하는 게……."

세건은 그렇게 말했지만 내심 놀랐다. 실베스테르는 지금까지 그 어떤 상황에서도 남의 도움을 필요로 하지 않았다. 그런데 서현이 함께 오지 못한 것에 아쉬워하다니?

　자카르타의 수카르토 공항에 도착했을 때 한세건의 휴대폰에 서현이 보낸 메일이 도착했다. 서현은 현재 앙리 유이 일행이 국내선을 타고 자바 섬으로 이동한 게 아니라 여전히 수마트라 섬에 남아 있으며 자카르타 시내에서 일을 벌이고 있다는 사실, 그리고 용병 회사 베오울프가 앙리 유이와 접촉했다는 사실을 담담하게 알려오고 있었다.
　"아마도, 테트라 아낙스의 정보겠지."
　실베스테르는 그것을 보고 말했다. 서현에게는 분명히 라이칸스로프 동료들이 있지만 그들이 그렇게 살갑게 정보를 가르쳐 줄 것 같지 않다. 라이칸스로프의 동료들이라는 건 해적 동업자 간의 의리와 비슷해서 서로서로 볼 때는 웃고 지내지만 필요하면 언제든지 상대 안면에 총알을 박아 넣을 수 있는 관계였다. 그런데 베오울프가 참전할 정도의 사건을 알려줄 리가 없다.
　"상관없습니다. 이 정도 성의를 보여준다면."
　한세건은 서현이 테트라 아낙스의 정보를 받아서 여과해서 그에게 전해준다는 것을 알고 있었지만 그걸 문제 삼아서 손에 들어온 정보까지 버릴 생각은 없었다.
　"의외로군. 테트라 아낙스의 모든 것을 부정해서 뱀파이어를 능멸하고 그들의 존재를 부정하려 하지 않았나?"

실베스테르가 그렇게 물어보자 한세건이 어깨를 으쓱해 보였다.

"뻔한 걸 물어보시는군요. 언제부터 제게 그렇게 관심이 많았다고."

세간에서는 실베스테르의 제자 취급 받고 있지만 한세건을 키운 것은 사실 송덕연이다. 아니, 그것도 초반만 그렇고 이후 방향을 잡고 난 뒤 세건은 알아서 잘 컸다. '애 낳아두면 알아서 잘 큰다'는 노인들의 말이 부합되는 경우라고 할까?

그래서 세건은 이제 와서 자신의 행동과 일거수일투족에 관심을 보이는 실베스테르에게 의문을 품었다. 이제까지 남에게 별다른 관심을 안 보이더니만 왜 한세건의 동기나 내심까지 물어보는 걸까?

"테트라 아낙스의 정보가 조작되어서 결과적으로 그에 의해 조종당하는 건 생각해 보지 않나?"

"통 안의 뇌라는 역설이 있지요. 모든 것을 의심하는 회의적인 태도는 좋지만 지나친 의심은 결국 자아마저 붕괴시킨다는 걸… 합리성과 광기는 종이 한 장 차이예요. 난 미친놈으로 소문이 자자한 놈이지만 그 종이 한 장 위에서 줄타기를 하고 싶지 종이를 찢고 아예 광기의 세계로 넘어가고 싶진 않아요."

한세건은 그리 말하고 외투를 벗었다.

공항 안은 냉방이 되고 있어서 시원하긴 하지만… 역시 적도의 나라라 덥다. 옷을 갈아입을 필요가 있다. 반면 실베스테르는 여전히 신부복 차림이면서 땀도 흘리지 않는다. 이자가 인간이 아니라는 걸 이런 데서 느끼게 된다.

"저도 예전에는 테트라 아낙스의 전지성에 대해서 걱정했었지만 앙리 유이가 테트라 아낙스의 전지성이 허구라는 걸 훼손해 주어서……."

"아니, 내 말은 그게 아니라 뱀파이어와 간접적이라도 협력 관계가 되는 것에 대해서 부담감은 없느냐는 거지."

"제가 뱀파이어의 존재를 종족적으로 부정하고 그들과 싸우는 것은 그것이 존엄한 인간의 의무이기 때문이지요. 그래요, 인간은 누군가에게 먹히든 죽든 간에 적어도 그에게… 나 자신이 나에게 있어서는 한없이 존엄한 존재라는 걸 자각시켜 주어야 해요."

한세건은 그렇게 말하고 쓴웃음을 지었다.

"정육점에 걸려서 팔리는 고기에게 존엄한 생명이 있었다는 걸 떠올리는 건 너무나도 피곤하고 힘든 일이지요. 그래서 사람들은 공업적으로 고기를 도축하는 법이고요. 그래서 나는 저항하는 거예요. 쉽게 인간을 먹기 힘들다는 사실을 그놈들에게 알려주어서… 누군가는 자신의 존엄을 지키기 위해 무모한 싸움을 감수할 수도 있다는 걸 보여주고 싶은 거지요."

"……."

실베스테르는 말없이 한세건을 바라보았다. 그의 눈동자가 한세건의 내면을 엿본다. 실베스테르는 아마도 자신이 느끼는 그 감정이 경이라는 걸 이해하고 있을까?

그가 어둠의 피바다에서 주워 온 한 명이 지금 그의 뒤를 잇는, 아니, 그를 능가하는 헌터로 이곳에 서 있다. 게다가 그는 실베스테르와 달리 진정한 인간이다.

"테트라 아낙스는, 뱀파이어는 자신들이 먹는 것의 존엄함을 직시해야 합니다. 적어도 그렇게 하는 것만이… 내 가족에 대해 바칠 수 있는 최고의 찬사지요. 실베스테르, 난 부모님이 살해당하기 전까지… 좋은 아들이 아니었어요. 좋은 동생도 좋은 가족도 아니었지요. 그렇기 때문에 그날 잃어버린 것을, 영원한 상실에 어쩔 줄 몰랐어요. 하지만 이건 의미가 있는 일이겠지요."

"그리고 테트라 아낙스는 너의 존엄성을 인정해 주는 게로군. 이런 식으로 정보를 제공함으로써 더 이상 너는 그들에게 정육점의 고기가 아니다. 만족하나?"

"만족하냐고요? 천만의 말씀입니다. 역시 좋은 뱀파이어는 죽은 뱀파이어뿐이겠지요. 하하하… 지금의 테트라 아낙스는 그 아이예요. 그 아이가 착해서 내 존엄성을 인정해 주는 것뿐이지, 내가 싸워서 쟁취해 낸 것은 아니에요. 싸워서 쟁취하지 못하고 누가 던져 주는 걸로 만족할 만큼 얄팍하진 않아요."

그러나 그가 테트라 아낙스가 될 수 있었던 것은 한세건이 투쟁을 계속해 왔기 때문이었다. 비록 거대한 운명 속에서 작은 물결에 불과하다 해도 한세건이 일으킨 물결이 파를 더하고, 더하고, 또 더해서 결국 그러한 결론에 도달했었다. 그것을 폄하하는 걸까?

세건은 그리 말하고 태블릿 PC로 메일을 옮겨서 첨부된 사진 자료를 열어보았다.

"그런데 베오울프라는 건 어떤 놈들이지요?"

"라이칸스로프들이 먹고살기 위해 만든 용병 조직이라고 해야겠지. 참고로 말하자면 뉴욕 증시에 상장되어 있는 상장회사다."

"하… 건방지게."

한세건은 그 말을 듣고 어이없어했다. 용병 회사가 상장되어 있다니? 세상이 어떻게 돌아가려고 그러는 걸까?

"세간의 소문에 의하면 그들은 분쟁을 일으키며 먹고사는 놈들이다. 나이지리아나 콩고 등지에서 천연자원을 개발하는 업체가 그들과의 계약을 거부하면 그들은 현지인들에게 무기를 풀고 무장시켜서 송유관을 공격하거나 플랜트를 공격해 인질을 잡게 하지. 그리고 나서 그들과의 계약을 종용하는 거야."

"세간의 소문이 아니라 피할 수 없는 진실이겠지요. 그래서? 이런 놈들이 왜 앙리 유이와 계약을?"

"이길 수 있는 싸움이라 생각하는 건가 보지."

"그렇게 생각할 근거가 있을 거 아니에요? 앙리 유이는 계좌도 동결시켜 놓았을 텐데 용병 회사가 합당하다 생각할 만큼 돈을 댈 수 있을 것 같지도 않고."

세건이 그렇게 물어보며 화장실로 쑥 들어갔다. 실베스테르는 발을 멈춰 세웠다.

"나야 잘 모르지. 내가 이 녀석들 주주도 아닌데. 그보다 벌써 옷을 갈아입을 건가?"

"네, 벌써 덥군요."

세건은 그리 말하고 화장실 부스 안에서 쓱쓱 익숙한 솜씨로 방인 소재의 특수 제작 한 래시 가드를 입고 그 위에 반팔 티셔츠와 반바지를 입었다. 에어컨의 차디찬 공기가 직접 피부에 닿는 듯해서 오히려 춥게 느껴질 지경이었지만… 이 정도 날씨면 한세건이 평소 입는 라이더 슈트를 입기 힘들겠다.

"라이더 슈트를 입으면 쪄 죽겠군요."

권총탄은 가볍게 막아내는 방탄 방인 소재의 라이더 슈트는 한세건에게 있어서 갑옷이나 다름없었다. 그것 없이 싸워야 한다니… 알몸으로 명동 거리를 활주하는 변태가 된 기분이 들었다.

불안감을 넘어서 수치심까지 느껴진다. 어느새 한세건에게 라이더 기어들은 제2의 피부처럼 느껴졌다.

'이 정도면 중증인데……'

한세건 자신도 자신의 강박관념에 쓴웃음을 지었다. 그러나 저러나 이리되면 만만치가 않다. 앙리 유이 세력도 만만치 않았는데 거기에 라이칸스로프 용병들이라니.

"베오울프라. 앙리 유이 일행에 라이칸스로프 용병대까지 합류하다니 만만치 않은 적일 것 같은데. 뭔가 도와줄 사람은 없습니까?"

"이곳은 이슬람 국가라 가톨릭 신부를 도와주려는 사람은 그리 많지 않지."

"그런 문제였던가요? 마치 뱀파이어 헌터들이 죄다 가톨릭교도라서 당신을 열성적으로 돕고 있었다는 것처럼 들리는군요. 그리고 애초에 당신은 파문당한 거 아닙니까?"

한세건이 그렇게 반문할 때였다.

쿠웅…….

두두두두두.

충격음과 총격음이 들린다.

무슨 일이 벌어지나 싶었는데 그다음 순간⋯ 활주로에서 달리던 비행기를 향해 토우 대전차미사일이 날아들었다. 구식 유선 유도미사일이 여객기의 엔진에 쑥 빨려 들어가 폭발하고 덕분에 활주로를 달리던 비행기가 크게 흔들리며 활주로를 벗어난다. 날개당 엔진이 하나씩, 2발 엔진을 가진 보잉 737기의 엔진 중 하나가 부서졌으니 나머지 한쪽 엔진만으로 추진하면 당연히 계속 좌회전할 수밖에 없다. 그것도 다른 한쪽 날개를 활주로에 처박고 찢어발기면서.

콰직!

활주로 옆에 오가던 택싱 버스가 비행기와 충돌해 옆으로 엎어진다. 그러고도 활주로를 튀어나온 비행기가 지면을 동체로 긁으면서 주르륵 미끄러진다.

"오, 맙소사!"

환승을 기다리고 있던 터미널의 승객들이 기겁하면서 창문에서 떨어져 달리기 시작했다. 다행히 항공기는 인근의 다른 기물들과 충돌해서 멈춰 섰지만⋯ 공항 경비대와 일단의 무장 집단이 총격전을 벌이는지 여기저기서 총성이 울려 퍼지고 있었다.

"…시작부터 화끈한 환영이군."

실베스테르가 혀를 찼다.

"아마도 공항을 마비시켜서 빠른 개입을 막으려 하는 거겠지요. 여기서 국내선을 차단해 버리면 미사일을 발사할 때까지 개입을 더욱더 늦출 수 있으니까 저라도 할 겁니다."

한세건도 화장실에서 나와서 그 상황을 보고 쓴웃음을 지었다. 공항 안이라 현재 둘 다 무장이 없다. 물론 실베스테르와 한세건 모두 마법으로 숨겨둔 무장이 있지만… 지금 여기 대낮부터 보는 사람이 많은데 싸울 수는 없다.

'전자여권 시대라 여기서 쉽게 위조 여권을 잃을 수는… 위조 여권값도 꽤 나오는 데다가 만약 걸리기라도 하면 살기 위해 경찰들을 돌파해야 해. 그것만은 삼가야겠지.'

한세건은 그렇게 아쉬워하고 있었지만 자신이 서 있는 터미널 창문에 금이 가는 걸 보니 더 이상 손 놓고 구경할 수도 없는 것 같았다.

신분이 발각될 위험과 다가오는 뱀파이어들의 위협, 이 중 후자를 더 우선시하기로 할 수밖에.

"그럼… 가볼까. 시건방진 뱀파이어들이 환영 인사를 아주 거창하게 해주는군."

한세건과 실베스테르가 손을 꺾고 걸어 나갔다.

5

헥토르는 짧게 자른 곱슬머리에 언제나 오만한 눈빛을 가진 사람이었다. 그 모습이 마치 회화용 조상과 닮아 있어서 미술 전공을 가진 사람들은 신기해서라도 한 번씩 돌아보는 용모를 가지고 있었다.

그런 그의 앞에 앙리 유이는 두 자루 총을 건네주었다. 총이 라기보다는 쇠파이프 두 개에 손잡이를 붙인 것 같은 것이다.

"이걸 쓰도록 해."

란탄 의자에 앉아서 정원을 바라보고 있던 앙리 유이가 그렇게 말했다.

"어떻게 하는 거지?"

총을 받아 든 헥토르가 그렇게 물어보았다.

"안에는 스프링으로 탄을 공급하는 장치가 있어. 그 탄을 이 쇠파이프 안에서 가속시키는 거지."

앙리 유이가 세팅해 준 방식대로 혈인 능력을 사용해 본다.

그 순간 헥토르가 든 이 기다란 파이프로부터 무서운 속도로 탄환이 가속되어 나갔다. 이미 코일 건 방식을 터득한 헥토르지 만 그때보다 월등히 빠르고 강력하다.

정원의 고무나무에 묶어둔 남자는 밧줄과 재갈로 자유를 구 속당한 채 몸부림치고 있었지만 그의 몸부림이 잠잠해졌다.

"읍… 으으으읍!"

주위에 묶여 있던 다른 사람들이 소리 없는 비명을 지른다.

하지만 헥토르는 그들에게 관심 없이 자신의 손에 들린 총을 바라보았다.

"이건……."

"아무래도 그냥 능력을 쓰면 탄환의 자세 제어를 위해서 에너지가 낭비되는 것 같더군. 그래서 이걸 준비했지. 특수 세라믹과 테플론 코팅이 된 마그네슘 합금 레일이지. 마음에 드나?"

그냥 뭔가를 쏴 보낼 때보다 훨씬 적은 힘으로 더 강력한 위력을 낼 수 있었다. 마음에 들지 않을 리가 없지.

"연사도 가능한가?"

"물론이지."

헥토르는 앙리 유이의 말을 믿고 탄을 발사해 보았다.

나무에 묶여 있던 이들이 폭풍우처럼 쏟아져 나오는 총탄에 비명도 없이 죽어버렸다.

탄의 위력은 대단했다. 일격에 고무나무가 통째로 부러져 나갔다.

헥토르 입장에서는 손가락 하나 까딱하는 정도의 힘으로 발휘되는 것이라 매우 만족스럽다.

그가 이미 가지고 있던 혈인 능력을 이렇게 활용하는 법이 있었다니. 새삼스럽게 앙리 유이의 지혜에 놀라게 된다.

"흠. 마음에 드는군."

헥토르는 자신의 총열 앞에 쓰러져 있는 사람들을 보며 훅 하고 총구를 부는 시늉을 했다. 화약총도 아니고 엄밀히 따지면 코일 건 방식은 총열만 있을 뿐 총열에 직접 탄이 닿지 않는다.

마찰열도 나지 않는다.

그럼에도 불구하고 헥토르가 연기를 부는 걸 보면 영화의 영향을 많이 받은 것 같다.

총화기 쏘는 법에 대한 개념을 잡아주기 위해 동영상들을 몇 개 선별해서 보여준 걸 무분별하게 받아들인 걸까?

"그런데 우리 이 친구들이 도와준다고 하지 않았나? 대뜸 일가를 몰살시켜 버려도 되나?"

"아니, 그런데 그게⋯ 괜찮거든. 아담, 해라."

앙리 유이가 그렇게 말하자 아담이 숨을 들이쉬더니⋯⋯.

스ㅇㅇㅇㅇㅇㅇ⋯⋯.

안개같이 몸의 모공으로부터 엑토플라즘을 뿜어내었다. 아담에게서 뿜어져 나오는 안개가 스멀스멀⋯ 퍼져 나가더니 점점 빨라진다.

안개 속에서 투명한 괴물 같은 게 땅을 휘적휘적 기어가더니⋯ 헥토르의 공격으로 쓰러졌던 시체로 돌진해 그 안에 쑥 들어갔다.

시체들이 벼락 맞은 것처럼 몸을 부르르 떨더니 눈을 떴다.

"헉⋯ 헉⋯ 어⋯ 어떻게?"

"뭐⋯ 뭐야?!"

헥토르에게 살해당했던 이들은 눈 뜨자마자 어리둥절해하고 있었다. 놀랍게도 죽었던 사람들은 생전의 기억을 가진 채로⋯ 그뿐만 아니라 그 인격을 가진 채로 살아난 것이다. 다만⋯⋯.

"몸 조립하세요."

아담이 말하자 그들은 헥토르의 총격으로 조각난 자신들의 몸을 보고 기겁했다. 고속 탄체에 의해서 몸에 구멍이 뚫린 이들이 놀라워하고 있었다. 개중에는 연사를 잘못 맞아서 팔이 잘린 놈도 있었는데 팔을 집어 들어 원래 잘린 부분에 붙이자… 밀랍으로 이어붙인 것처럼 팔이 연결된다.

"윽… 워어어어억!"

팔 접합부의 신경이 직접 자극되어서 그런지 팔을 붙인 이가 비명을 지르며 몸부림친다. 하지만 잠시 후 그들은 제대로 움직일 수 있었다.

"놀랍군."

언제나 무표정한 석고상 같은 광기의 헥토르도 그 순간은 흠칫 놀라서 눈을 크게 떴다. 죽었던 사람을 되살려 낸다니? 물론 죽었던 시체를 다시 움직이게 하는 구울이라는 게 있지만 이 경우는 그것과 다르다. 죽었던 사람의 의식까지 그대로가 아닌가?

실제로 몸을 붙인 이들은 총격으로 느슨해진 밧줄을 풀고 숲으로 도망치기까지 했다.

그러나 아담이란 소년이 손을 뻗자… 그들의 상처 부위에서 엑토플라즘 사슬이 뻗어 나와 지면에 박혔다. 마치 닻줄에 묶인 배처럼 옴짝달싹 못 하고 그들의 몸이 굳어버렸다.

"이… 이럴 수가!"

"당신들은 이미 죽었어. 하지만 우리가 되살려 내었지. 우리의 뜻에 따르기만 하면 보통 인간보다 훨씬 긴, 영구적인 삶을 줄 수 있지만⋯ 그렇지 않으면 죽이는 것도 쉽지. 그리고 우리와 정신도 연결되어 있으니 통역도 필요 없지? 내가 아는 인도네시아어라고는 '셀라맛 다탕(Salamat datang:환영합니다)'밖에 없는데 편해져서 좋군요."

소년 아담이 하는 말은 한국어였지만 이들은 아무렇지도 않게 그걸 알아들을 수 있었다. 소년이 말하는 의도가 그대로 그들의 마음에 전해져 오는 것이다.

"난 팬텀이나 다른 녀석들처럼 인간관계를 잘 맺지 못해서 말이야. 이렇게 하는 게 편하더라고."

앙리 유이는 그렇게 말하고 쓴웃음을 지어 보였다.

앙리 유이에게 접근한 이들은 인도네시아 폭력 조직의 보스, 보탁 연합이었다.

조직원 수 추정 2만, 길거리의 공갈 협박이나 사기, 소매치기부터 크게는 해적 행위까지 거의 모든 범죄를 총망라하는 범죄의 원스톱 홀세일 마트 같은 곳이었다.

2만의 조직원이라고 한 시점부터 앙리 유이는 이들과 정상적으로 거래하기보다는 이들을 흡수하기로 결심했었다.

그리고 단번에 존 보탁과 그의 간부들을 흡수해 버린 앙리 유이는 그들의 조직력을 통해서 아웃레이지를 뿌리고, 그보다 먼저 자카르타 시내를 습격한 아그니에게 허덕이고 있는 경찰들의 무기고를 털어 보탁 연합을 무장시켰다.

그리고 테트라 아낙스의 추가 무력 개입을 어렵게 하기 위해서 공항을 습격했다. 덕분에 자카르타 시내는 지옥도로 변해 있었다.

총성과 비명이 울려 퍼지는 공항 한복판에서 시크교도 가수인 '달러 멘디'의 대표곡, '투낙투낙툰'이 울려 퍼지자 한세건의 얼굴이 찌푸려졌다.

놀랍게도 그의 휴대폰이다.

그가 준비한 위조 신분과 매칭되어 있는 휴대폰의 문자 수신음이 그걸로 설정되어 있는 것이다. 막 공격당하고 있는 공항에서 그런 소리를 들으니 맥이 풀린다. 케네스 양의 소행인가? 아니면 김성희? 그런 생각을 하며 폰을 들어보니 맥 빠지는 문자가 와 있었다.

[귀하가 방문한 지역은 해외여행 주의 경보가 내려진 곳입니다. 대한민국 외무부 영사 콜센터……]

'아, 해외여행 주의 경보. 지금은 그보다 더 심한 것 같은데?'

한세건은 그리 생각하며 폰을 침묵시키고 공항 로비를 바라보았다.

무장한 뱀파이어들이 사람을 물어뜯고 있고 그들이 만든 구울들이 방벽처럼 뱀파이어를 둘러싸고 있다. 구울로 방벽을 치고 그 안에서 뱀파이어들이 식사를 하는 장면이다. 여행객으로 보이는 백인 남자가 비명을 지르고 있지만 주위의 아무도 그를 도와줄 수 없는 것 같았다.

한세건은 부적 고리를 하나 골라서 찢었다.

그러자 그의 그림자로부터 USAS—12 샷건과 구르카 나이프, 대량생산 한 일본도와 글록 18, 그리고 도폭선 등의 장비가 나타났다. 전부 합쳐서 수십 킬로그램에 달하는 장비지만 이 정도는 한세건에게 아무것도 아니다.

그러나 한세건이 부적을 찢는 순간… 뱀파이어들이 이곳을 눈치챘다. 영감이 강해진 뱀파이어들이 마법이 사용된 것을 알아챈 것이다.

'이런, 방금 뱀파이어가 된 놈들이 꽤 감이 좋군. 아웃레이지의 뱀파이어들이라고 만만히 봤나?'

한세건이 그림자에서 소환된 장비를 미처 챙기기도 전에 뱀파이어 하나가 에스컬레이터를 통째로 뛰어넘어 2층으로 날아올랐다. 한세건은 항공사 로고가 새겨진 볼펜을 역수로 잡고 대뜸 뱀파이어의 눈에 푹 쑤셔 박았다.

"쿠엑!"

깜짝 놀란 뱀파이어가 허둥대는 사이 한세건은 팔꿈치를 올려쳐 상대의 턱을 돌려 버렸다. 턱이 깨지며 뱀파이어의 목이 돌아간다. 보통 사람이라면 즉사, 아니, 눈에 볼펜을 쑤셔 박은 순간 이미 죽음이었다. 두 번 죽어 마땅한 중상을 입고도 뱀파이어는 몸을 틀어서 한세건을 잡으려 했다. 그러나 한세건은 이미 치명상을 입혀놓고도 간단히 백스텝을 해서 뱀파이어로부터 멀어졌다.

불사자와의 싸움에 이토록 익숙한 자가 있을까? 한세건은 발차기로 머리와 목이 부러져 균형 감각을 잃은 뱀파이어를 에스컬레이터 밑으로 차버리고 옆으로 구르며 샷건을 잡았다.

다른 뱀파이어가 난간 위로 뛰어올랐지만 샷건으로 쏴버리자 돌 맞은 개구리처럼 쭉 퍼지며 나가떨어진다.

"뭐, 뭐야, 저 자식?!"

"공항 경비대도 아닌데?!"

존 보탁의 조직원들은 당황하고 있었다. 원래 폭력 조직의 일원이었다가 아웃레이지에 중독되어 뱀파이어로 돌변한 그들은 방금 전까지 그 막강한 힘에 취해 있었다. 무장 경찰도, 공항 경비대도, 군인도 그들의 상대가 되지 않았다. 뱀파이어가 되기 전에는 폭력 조직원이라고는 해도 공권력의 행사자는 두려워하며 피해야 했었다. 하지만 뱀파이어가 되고 난 후는 일방적으로 사람들을 유린할 수 있었다. 그뿐인가?

흡혈이라는 끝내주는 쾌락이 그들을 유혹하고 있었다.

인간의 피는 뱀파이어에게 있어서는 쾌락의 정점. 지치지 않고 계속해서 오르가즘을 느끼는 것과 같다. 비록 존 보탁의, 그 위의 앙리 유이의 명령이 있었다고는 하지만 그들은 절대적인 힘으로 경찰과 무장 경비대를 유린하고 그들의 피와 살로 축제를 벌이며 절대적 강자의 위치를 마음껏 즐기고 있었는데…….

갑자기 어디서 나타난 이상한 놈이 그들을 해치기 시작했다. 일반 경찰들의 총탄은 맞아도 비웃을 정도였지만 저 녀석의 총탄은 이상하게도 그들의 몸을 쉽게 상하게 했다.

"괜찮아! 우리가 더 우세하다!"

"이까짓 상처쯤은……."

처음 한세건에게 뛰어들어서 볼펜을 안면에 선물받은 뱀파이어가 얼굴에 꽂힌 볼펜을 뽑아내고 으르렁거렸다. 샷건을 맞고 떨어졌던 뱀파이어 역시 다시 일어났다. 놀라운 재생력이 그들을 회복시킨다.

"골치 아프군."

한세건은 장비를 회수하고 뒤로 물러났다. 아웃레이지 뱀파이어들의 재생력이 총알을 몸으로 먹어치울 정도로 강력하다는 건 이미 경험했었다. 여기서 총격전으로 싸우게 되면 애써 가져온 장비들이 다 고갈될 터……. 그러나 상대가 총화기가 있고 한세건은 제대로 된 방탄방검복도 갖추지 않았다. 양자 모두 총격전을 벌여야 한다면 이걸 어찌해야 하나?

그런 생각을 할 때였다.

스르르륵…….

공항 로비를 점거하고 있던 뱀파이어들의 발치로 은색 강사가 풀어졌다. 그리고 그들 사이로 한 대의 전동 카트가 질주한다.

"음!"

"뭐냐?!"

놀란 뱀파이어들이 공항 경비대의 기관단총을 들어 전동 카트를 쏘아댔다. 그러나 전동 카트에는 사람 대신 카트의 쇠파이프가 액셀러레이터와 시트 사이에 끼워져 고정되어 있었을 뿐이다. 전동 카트가 총알에 벌집이 되면서 그들 사이를 지나다 로비의 펜스를 받고 지하층으로 떨어지는 순간…….

바닥에 풀어져 있던 강사가 빠른 속도로 감겨… 뱀파이어들을 휘감고 천장으로 들어 올렸다. 천장의 철골에서 불꽃이 튀면서 강사가 한데 모이는 순간 기둥 뒤에 숨어 있던 은발의 신부가 뛰쳐나와 은색 세이버를 휘둘렀다.

거꾸로 매달린 뱀파이어들의 몸을 세이버 일격으로 썰어버린 실베스테르가 지상에 착지했다.

"총탄을 아껴라, 한세건. 아그니를 상대하기 위한 마법 처리는 비싸니까."

"…네, 그러지요."

이미 일본에서 탄약 고갈을 겪은 한세건이다. 이번에도 같은 실수를 범할 생각은 없다.

"빨리 나가자. 건물 안보다 차라리 야외가 너에겐 더 나을 거다."

총격 대신 접근전을 펼쳐야 하는 상황에서 건물 내보다 야외가 더 나을 거라는 건 일견 모순된 이야기 같다. 그러나 한세건은 즉시 바닥에 떨어진 뱀파이어의 육체들을 사방으로 걷어차고 밖으로 뛰쳐나갔다.

"본격적이군요."

항공유 냄새가 진동한다. 뱀파이어 놈들은 철저하게 공항을 파기시킬 셈인지 공항 활주로에서 연료차를 달리게 하며 항공유를 뿌리고 있었다. 항공유 자체는 쉽게 안 타는 물질이지만 그걸 활주로에 대량으로 뿌린 후 일반 차량을 세워두고 함께 불을 지른다면?

불에 탄 차량들이 활주로에 남게 된다. 치우기 전에는 활주로를 쓸 수 없을 테지. 그리 생각한 한세건은 공항 앞의 주차장을 보고 혀를 찼다.

주차장에도 죄 폭탄이 설치되어 있었다. 마치 철거 예정 건물처럼 건물 기둥마다 휘발유 통이 쌓여 있고 전기신관들이 연결되어 있다. 철골을 세우고 플레이트를 붙여서 만드는 주차장 건물까지 날리려 하다니, 공항 기능을 제거하기 위한 타격보다 더한 악의가 느껴진다.

"하긴 공항 기능은 이미 마비인가."

관제탑을 부수기만 해도 공항의 기능 상당수를 잃어버리게 된다. 거기에 활주로 위에 남아 있는 다른 비행기들의 잔해는 어떻게 치울 것인가? 그런 생각을 하며 한세건은 나이프를 뽑아 들어 가장 가까운 전기신관의 케이블을 잘라보았다. 급하게 폭약을 설치하느라 신관을 해체하는 작업을 방해하기 위한 어떤 장치도 되어 있지 않다. 이 선을 자르는 것만으로도 선 밑의 많은 폭약은 무용지물이 될 터.

그러나 지금 한세건은 이걸 할 때가 아니다.

급한 대로 한세건은 가까이에 서 있는 바이크 중 하나를 잡았다.

"…마힌드라 센츄로냐… 인도제 바이크? 처음 타보는 브랜드인데?"

한세건은 자신이 잡은 바이크를 보고 기겁했다. 마힌드라는 레이싱 팀도 운영하는 대형 모터 그룹이지만 100cc 정도의 생활용 오토바이와 스쿠터만 라인업에 있다. 이 센츄로도 카뷰레터식 100cc 바이크이다.

"생긴 건 옛날 VF 같네… 괜찮을까?"

한세건이 그걸 타고 키박스를 뜯어 배터리의 배선을 직접 엔진 점화플러그와 연결하니 과연 시동이 걸린다.

"음… 완전 아날로그로군. 가볍긴 가볍네. 프레임이 버틸까?"

한세건은 주차장에서 시동을 걸며 조심스럽게 앞바퀴를 들어 보았다. 윌리 후 내려서자… 스프링 코일로 된 앞바퀴 서스펜션이 끝까지 들어가서 축이 닿는 느낌이 났다.

"아, 음… 뭐 없는 것보단 낫지."

한세건은 투덜거리며 바이크를 타고 주차장 밖으로 뛰쳐나왔다.

하타 수카르노 공항의 관제탑을 중심으로 아직도 총성이 울려 퍼지고 있었다. 공항 경비대가 관제탑까지 밀린 모양이었다.

여기서 만약 관제탑을 점거당하면 공항의 기능은 절대 단기간에 수복할 수 없었다.

"관제탑은 지켜줘야 하나……."

국제수배된 테러범이 공항 경비대를 구조하기 위해 뱀파이어와 싸워야 할 판이다.

6

뱀파이어들은 신이 나 있었다.

처음에 그들은 존 보탁에게서 군경을 공격하라는 명령을 받았을 때 자신들의 귀를 의심했었다. 지금까지 존 보탁은 그동안 범죄를 통해 벌어들인 돈과 인맥으로 어떻게든 정계에 줄을 대고 자신의 안전을 획책하려 했다. 아무리 범죄자로 2만 명 이상의 조직을 운영하고 있다고 해도 존 보탁의 목숨은 진정한 권력 앞에서는 파리 목숨이나 다를 게 없었다.

이탈리아 마피아들은 자신들을 공격하던 검사의 차량을 폭파시키는 등의 행동으로 자신들의 세력을 자신했지만… 말라카 해협에 위치한 인도네시아의 불안정을 원하는 국가는 어디에도 없다. 즉 만약 범죄 조직이 혼란을 불러일으킨다면 열강들은 언제든지 인도네시아에 개입할 것이다. 특히 말라카 해협을 통해서 석유를 수입하는 나라들의 반격이 거셀 터.

존 보탁은 그것을 눈치채고 있었기에 2만이라는 대규모 폭력 조직의 두목으로 성장할 수 있었던 것이다. 그런데 그걸 존 보탁이 직접 깬다고?

그러나 존 보탁은 진심이었다.

"형제들, 우리 범인도네시아 청년연대는 지금까지 많은 범죄를 저질러 왔다."

범인도네시아 청년연대, 보탁 연합의 진정한 이름이다. 참고로 보탁 연합이라는 건 인도네시아 당국이 폭력 조직을 서류에 적어 넣을 때 쓴 이름이고 보탁 연합의 조직원들도 스스로를 보탁 연합이라 부르고 있었지만 그 연합의 수장인 존 보탁이 자신의 입으로 보탁 연합이라고 말할 수는 없는 것 아닌가.

"하지만 우리는 어디까지나 우리들 자신을 지키기 위해서 할 수 없이 이런 일을 해야 했었다. 그렇지 않나? 좋은 일자리, 안정적인 주거, 식사, 치안, 그리고 우리들의 삶! 그 모든 게 전혀 보장되지 않는데 어째서 저 외국인들은 근사한 콘도에서 우리의 딸과 아내를 메이드로 부리면서 살고 있나? 왜 우리들은 수십 년 된 외국산 버스에 몸을 싣고 고단하게 일자리를 찾아 배회하는데 길거리에 고가의 외제차들이 돌아다니는가?!"

존 보탁은 탁자를 내려쳤다. 전국 각지에 있는 조직원들에게 전하기 위해서 캠코더로 녹화되고 있는 와중이지만 박력 있는 행동이었다.

"우리는 범죄자가 아니다! 진짜 범죄는 바로 우리들에게 범죄를 저지르게 만든 정부 수반이고 그들에게 우리는 이 그릇된 사회를 파괴할 권리를 가진 채권자이지! 이제 우리가 그 채권을 인수할 때가 왔다! 무장해라! 그리고 이 약을 먹어라!"

존 보탁은 직접적으로 무장봉기를 요구하고 있었다. 이는 사형이 확정된 행동이었지만 존 보탁은 이미 죽은 목숨. 사형 선고 따위를 두려워할 처지가 아니었다. 하지만 그 내막을 모르는 사람들에게는 충분히 마음을 움직이는 이야기였다.

보탁 연합의 조직원들은 언제나 고통받고 있었다. 대부분의 조직원은 싸구려 공갈, 청부 폭력, 채권 회수 등의 일에 투입되면서 저임금 고노동에 시달리고 있었다. 일자리가 없어서 먹고 살기 위해 폭력 조직에 들어온 이들이 거기에서조차 저임금과 고노동에 시달리고 있는 것이다.

이미 자리를 차지한 조직 보스들은 자신들의 자리를 굳혔다. 폭력 조직이 이 사회에서 벌어들일 수 있는 돈이 한정되어 있는 이상 모두가 풍족하게 쓸 수는 없었다. 당연히 조직원들은 열악한 환경에 내몰리고 그들의 불만은 더더욱 쌓여 있었다.

존 보탁은 그것을 정부를 향해, 사회를 향해 돌리라고 공식적으로 요구했다. 막연한 폭동의 요구가 아니라 자세한 작전 계획과 무장, 그리고 약을 제공하면서……

이 얼마나 무서운 일인가. 당연히 대부분의 조직원은 보스가 미쳤다고 생각했지만…….

"우선 간부부터, 약을 먹어서 충성을 증명해라."

일종의 충성 서약으로 바로 약을 먹으라고 하는데 먹지 않을 수 없었다. 먹지 않으면 그 자리에서 살해당할 게 뻔했기 때문이었다. 아니, 이 영상을 본 순간 이미 조직에서의 이탈은 곧 죽음이었다. 존 보탁을 검거하고도 남을 증거 영상이 온 조직에 뿌려졌는데 탈주자를 살려둘 리가 없다. 물론 그 전부터는 죽음이 아니었냐면 그건 아니지만…….

그렇게 약을 먹자 모든 게 변했다.

처음엔 반신반의하던 존 보탁의 조직원들이었지만 정말 그들이 봉기하고 작전대로 움직이자 모든 게 잘 굴러갔다.

이미 아그니가 경찰들의 주의를 끌고 도시 곳곳을 파괴했다.

그 뒤를 따라 일어난 보탁 연합의 무장봉기는 막강한 힘으로 주위를 쓸어버렸다. 이미 경찰들은 이 상황을 통제할 수 없었고 도시 곳곳에서 약탈과 살인, 강간과 방화가 뒤따랐다.

그리고 자카르타의 두 공항, 하타 수카르노 공항과 할림 페르다나쿠수마 공항, 고속도로와 기차에 대한 파괴 공작이 시행되었다.

하타 수카르노 공항에 도착한 이들은 그중 정예라 할 수 있는 이들이었다. 물론 진짜 최정예부대들, 그러니까 각국 특수부대를 전전하거나 보안업자, 인도네시아와 말레이시아의 무술 '실랏'의 고수 같은 이들은 존 보탁과 함께 행동하고 있지만 공항 공격대는 그래도 정예라는 자부심을 가지고 있었다.

그들은 순식간에 공항 경비대를 무력화시켰고 이제 남은 것은 관제탑뿐이었다. 남아 있는 공항 경비대도 관제탑을 지키기 위해 바리케이드와 무장 장갑차를 가져와 그들과 대치하고 있는 중이었다.

뱀파이어들은 계속된 승리로 충분히 고무되어 있었지만… 기관총 진지와 장갑차의 방어는 여전히 두꺼워 보였다.

그때 뱀파이어 중 한 놈이 선두에 섰다. 공항 돌파 작전을 지휘한 지휘관이 공항 경비대에서 빼앗은 방탄복을 입고 몸을 풀고 있었다.

"저, 저걸 어떻게 뚫지요?"

승리에 고무되었으나 기관총 진지에 겁을 먹은 이들이 그렇게 물어보았다. 그러자 그가 으쓱해 보였다.

"내가 보여주지."

뜨거운 햇살이 활주로를 가열시켜 공기가 이글이글 끓어오르고 있었다. 그 안에서 그는 몸을 펴며 기지개를 켰다.

그리고 그다음 순간, 그가 위로 날아올랐다.

깜짝 놀란 것은 공항 경비대 측이었다.

"윽!"

"으아아아!"

"어떻게 하라는 거야!"

기관총 사수가 깜짝 놀라서 총구를 위로 겨누고 난사했지만 갑작스러운 상식 이상의 공중 도약은 그들의 허를 찌르는 행동이었다. 총을 쏴도 맞는 기미도 없이… 허공을 날아 간격을 좁힌 뱀파이어가 지상에 착지하는 순간 옆으로 몸을 날렸다. 좌우로 지그재그로 뛰면서 간격을 좁혀오는데 한 번 뛸 때마다 눈에 띄게 가까워진다.

특히 장갑차 위의 기총사수는 완전히 혼이 나가 버렸다. 뱀파이어의 운동 능력과 접근 속도가 그의 생존 본능을 자극하고 있었다. 이미 다른 이들이 뱀파이어에게 어떻게 찢겨 죽고 피를 빨려 죽었는지 알고 있는 그로서는 저자의 접근은 죽음, 아니, 그 이상의 문제였다.

"피를 빠는 괴물! 아, 안 돼! 알라는 위대하시다!"

공항 경비대는 패닉을 일으켜서 기관총을 난사했다. 시뻘겋게 총열이 달아오르고 달아오른 총열 때문에 탄이 계속 격발되는 쿡오프가 일어나고 있는데 사수도 부사수도 그 상황을 통제할 생각이 없었다. 이성을 잃은 그들의 총격은 오히려 더욱더 부정확해지고 그 틈을 타서 무장한 뱀파이어들이 공항 경비대에게 총알을 퍼부어대었다. 선두에서 총격을 유도하고 있는 뱀파이어도 이제 곧 장갑차 위로 뛰어든다.

그때 한 발의 총성이 울려 퍼졌다.

현란하게 움직이던 뱀파이어의 머리가 터져 나가고 옆으로 쓰러졌다. 옆쪽에서 총격이 가해진 것이었는데… 단 한 발로 사람 머리가 터져 나가다니 모두 깜짝 놀랄 위력이었다.

"윽?!"

공항 경비대를 향해 접근해 오던 뱀파이어들이 고개를 돌리니 여객터미널에서 여객기까지 승객을 나르는 버스 위에 한 남자가 엎드려 있었다. 뜨거운 열기를 머금은 버스 위에서 여기까지 거리는 약 800미터, 열기로 달궈져 있는 공항 일대에서 이정도로 정확한 저격을 가하다니 상당히 뛰어난 인물임에 틀림없다.

"으와아아!"

흥분한 뱀파이어들이 응사했다. 하지만 그들이 가진 기관단총의 유효사거리로는 어림도 없다.

또 한 발의 총성이 울려 퍼지고 그때마다 뱀파이어들은 착실히 쓰러졌다. 처음에 기관총 진지로 돌격한 놈 외에는 그렇게 잘 피해 다니는 놈도 없어서 공항 경비대의 사격도 뱀파이어들을 괴롭혔다.

그러나 아웃레이지의 뱀파이어들은 진마에 근접하는 재생 능력을 가지고 있었다. 설사 펄펄 끓는 용광로나 멜트다운하는 원자로에 던져 넣어도 살아 나올 수 있는 말도 안 되는 존재구성력, 존재 그 자체를 현세에 각인시키는 구속력을 가지고 있는 이들이 일반적인 총탄에 죽을 리가 없다.

"억……."

하지만 이 저격만은 달랐다.

"돈이 많이 들었거든."

저격수, 실베스테르는 새로운 탄창을 끼우면서 누가 묻지도 않았는데 혼자 중얼거렸다. 아웃레이지의 마법을 완전히 분석하지는 못했지만 실베스테르는 역발상으로 저것들에게 아주 효과적인 탄을 만들어내었다.

그것은 바로 사멸한 커럽티드의 가루를 넣은 탄자를 쏘는 것이었다. 이것은 불안정한 상태에 놓여 있는 아웃레이지 뱀파이어들에게는 그들의 중구난방인 구속력을 파괴하고 그들을 폭주 상태로 밀어 넣기에 좋은 수단이었다. 물론 잘못해서 커럽티드가 되어버리면 피해를 확대시킬 뿐이지만… 과하지만 않으면 뱀파이어를 소진시키는 데 매우 효과적이었다. 이걸로 죽어버리면 커럽티드가 되겠지만 그렇지 않으면 약해질 뿐이다.

"널 죽이지 않는 모든 것은 널 강하게 만드는 게 아니라 소진시키지. 자, 공평하게 한 발씩 먹여볼까?"

실베스테르는 빈정거리며 커럽티드 탄을 공평하게 뱀파이어들에게 꽂아주었다. 과연 그렇게 실베스테르의 커럽티드 탄을 맞은 뱀파이어들은 눈에 띄게 느려졌다.

"젠장!"

"너무 멀고 탁 트여 있어!"

공항 활주로를 육안으로 잘 보고 상황에 대응하기 위해 만들어진 관제탑은 당연히 탁 트인 곳에 있게 마련, 그 관제탑을 장악하려는 시도는 당연히 저격수에게는 차려둔 밥상이나 다름없다.

"무시해라! 우리의 목표는 관제탑을 장악하는 것이다!"

처음에 실베스테르의 공격을 받은 이가 아무래도 지휘관인 것 같았다. 하긴, 아무리 아웃레이지로 대량의 뱀파이어를 만들 수 있다고 해도, 뱀파이어로서 전투에 익숙한 놈이 없으면 아무 생각 없이 움직이는 폭도에 불과하다.

처음에 기관총에게 미스디렉션을 걸면서 접근하는 것도 이제 막 뱀파이어가 된 놈들에겐 불가능한 일이다. 인간이다가 뱀파이어가 되면 갑자기 발달한 신체 능력 대비 낮은 체중으로 헤매게 된다. 그런 점을 감안해 보면 처음에 기관총을 유도했던 놈이 이 그룹의 지휘관임에 틀림없다.

퍽!

그런 지휘관에게 실베스테르는 한 발 더 선물을 주었다. 아무래도 지휘관급이라면 커럽티드 탄을 한 대 더 맞아도 되겠지.

"으아아악!"

커럽티드 탄 두 발째에 뱀파이어의 몸이 우드드득 소리를 내며 뒤틀리고 변화한다. 뱀파이어의 몸에 혈관이 돋아나고 그 육신이 세제 한 통 쏟은 세탁기가 거품을 뿜어내듯 전신의 모공에서 거품을 쏟아내었다. 그 거품만큼 몸이 커지고 부풀어 오른다.

하지만 이 뱀파이어는 그런 상황에서 구속력을 발휘해 자신의 몸을 통제하고 있었다. 커럽티드화하려는 몸이 다시 가라앉으면서 원상태로 돌아온다. 그때까지 약 15초 정도, 커럽티드탄을 한 발 더 꽂아 넣으면 완전히 커럽티드로 바꿀 수 있겠지만 관제탑에 가까운 놈들을 커럽티드로 만들면 결과적으로 관제탑을 잃게 된다.

실베스테르는 쯥 하고 혀를 차면서 다른 뱀파이어들을 저격했다.

"자, 관제탑과 나로 시선이 분산되었다. 할 수 있겠지, 한세건?"

실베스테르는 저격총의 방아쇠를 당기며 한세건에게 말을 걸었다.

과연 기다렸다는 듯… 뱀파이어들의 뒤로 한 대의 모터사이클이 질주하는 게 보였다.

모터사이클은 여객터미널과 활주로 사이 막혀 있는 장애물들을 간단히 뛰어넘고 달려든다. 뱀파이어들이 놀라서 뒤돌아보았을 때는 이미 2층 높이에서 뛰어내린 바이크가 뱀파이어 한 놈을 찍으며 착지한 뒤였다.

"이건 또 뭐야?!"

뱀파이어들이 기겁하며 반격하려 했지만 공항 경비대와 저격수, 그리고 후방에서 나타난 라이더까지 3면 포위를 당한 셈이라 제대로 대응할 수 없었다. 그사이에 모터사이클을 타고 나타난 침입자, 한세건은 바이크를 달리게 하면서 미리 잘라낸 도폭선을 휘둘렀다. 살아 있는 생물처럼 도폭선의 끝이 자유자재로 휘어서 뱀파이어들을 휘감았다.

"어……."

뱀파이어들은 자신들의 몸에 감긴 도폭선에 놀라서 그걸 끊어내려 했지만 도폭선으로부터 검은 정보가 흘러들어 와 그들을 마비시켰다. 혼팅이 그들의 몸을 침범하고 있었다.

"굿 나잇, 셀라맛 페탕, 엿이나 처먹어."

한세건의 무뚝뚝한 인사와 함께 도폭선이 폭발해 뱀파이어들을 산산조각 냈다.

"와아!"

"우린 살았어!"

방금 전까지 관제탑 앞에서 뱀파이어들과 싸우던 이들이 환호성을 내지르기 시작했다. 그들의 눈앞에서 뱀파이어를 토막 낸 이가 국제적으로 수배된 범죄자라는 사실을 안다면 어떤 표정을 지을지 모르지만 지금 이 순간은 그들에게 있어서 한세건은 영웅이나 다름없었다.

얄궂은 일이다. 한세건은 쓴웃음을 지으며 바닥에 떨궈진 뱀파이어들의 파편들을 타이어로 짓밟았다. 도폭선으로 쪼갠 정도로 이 뱀파이어들은 죽지 않는다.

"계속 쏘고 있어! 병신들아! 이 정도로 완전히 안 죽으니까!"

한세건은 환호하고 있는 경비대에 그렇게 말했지만 그때 갑자기 기묘한 느낌을 받았다. 본능적으로 뭔가 일어날 것 같은 예감이 들었다. 그러나 어떻게? 지금 이 뱀파이어들은 확실히 무력화되어 있다. 죽지는 않았지만 위협이 될 것 같지는 않다. 그런데 어째서 갑자기 배 속에 유리 조각을 삼킨 것 같은 불쾌한 통증이 감도는 걸까?

그런 의문을 품었을 때였다.

무엇인가가 북쪽 하늘에서부터 날아오는 게 보였다. 작은 점이 그보다 훨씬 더 긴 불꽃 꼬리를 달고 하늘을 날아오고 있었다. 탁 트인 공항 하늘에 한 개의 점은 그렇게 빨라 보이지 않는다. 하지만 그 실제 속도는 거의 초음속일 것이다.

"…오, 맙소사!"

한세건은 그것을 보고 대뜸 무엇인지 알아차렸다.

"크루즈미사일! 피해!"

스스로 그렇게 말하고 한세건은 자조했다. 음속으로 날아오는 미사일이 피하란다고 피해질 것인가? 한세건은 바이크를 돌려서 관제탑으로부터 멀어지려 했다. 아니… 북에서 날아오니 운동에너지 때문에 충격파가 남쪽으로 퍼질 터… 선회해야 한다!

한세건이 바이크를 돌려 최대한 관제탑으로부터 멀어지는 것과 동시에… 정확하게 미사일이 관제탑에 수평으로 꽂혀 폭발했다.

랩탑에서 GPS 신호가 하나, 둘… 원하는 위치에서 꺼졌다. 명중이든 실패든 일단 목적지까지 날아간 것을 확인한 순간 장칵라이는 너무 기뻐서 어쩔 줄 몰라 했다.

"해냈어! 젠장! 봤냐! 봤어!"

그는 자신과 함께 있는 쿠루빌리슈난에게 외치며 주먹을 휘둘러 대었다.

"신났구려. 그냥 랩탑에 점이 사라진 것뿐인데 그렇게 좋소?"

쿠루빌리슈난은 기뻐하는 장칵라이를 보며 투덜거렸다.

"진작에 발사하라고 할 땐 이러니저러니 핑계 대면서 시간 끌더니만 자기네 보스가 연락하면 거침없이 쏴버리는구려. 내가 짖은 건 옆집 돼지가 짖은 것같이 들렸나 보군."

검은 피부를 가진 이 남자는 코를 파면서 발전기에 가솔린을 넣고 있었다. 장칵라이는 그런 쿠루빌리슈난의 태도에 불쾌감을 느꼈다. 지금 자신이 얼마나 대단한 일을 했는지 모르는 건가? 뭐, 지성의 파편조차 찾을 수 없는 이 작자에게 뭘 바랄 수 있겠냐마는…….

"표적 근처에서 마지막으로 GPS 신호가 날아왔고 전기신관의 작동도 확인되었습니다. 전기신관 작동 시 신호를 보내게 되어 있고 일단 그 전기신관 작동 신호는 5V 배터리로 작동하는데 신뢰도가 매우 높습니다. 터진 게 분명해요! 무엇보다 지금 이 로켓 재조립의 난제는 과연 십 년 넘게 창고에서 굴러다니던 미사일이 유효사거리만큼 날아가는지가 문제였는데 성공한 것 아닙니까?"

장칵라이는 그렇게 말하고 다시금 스스로의 재능에 감격했다.

"아… 진짜 인도네시아에서 차별만 안 받았어도 어디 나사나 그런 데 취직했을지도 모르는데 대학을 제대로 다니지 못해서 진짜……."

"정말 인도네시아를 싫어하시나 보구려? 흠. 내가 보기엔 자신의 불행을 괜히 전 세계적인 규모로 키워서 확대해석 하고 싶어 하는 것처럼 보입니다만."

쿠루빌리슈난은 그런 장칵라이의 태도를 보고 어깨를 으쓱해 보였다. 장칵라이로서는 자신의 혼잣말에 끼어든 쿠루빌리슈난이 마음에 들지 않았다.

"당신들이 그런 말 할 자격이 됩니까? 확대해석은 어쨌든 뭔가 당한 사람이나 불만이 있는 사람이 일으키는 방어기제, 그러나 당신은 용병이잖습니까? 사람을 돈 받고 죽이는?"

"…자, 미사일을 발사했으니 슬슬 이동하지요. 테트라 아낙스의 움직임이 곧……."

그렇게 말할 때 쿠루빌리슈난의 무전기가 울리기 시작했다.

—쿠루빌리슈난! 테트라 아낙스의 정찰기들이 개떼같이 떠올랐어! 그뿐 아니라 민간 수송기가 떠올랐는데… 나이트워커와 헬하운드들이 그쪽으로 가고 있다! 즉시 미사일 사이트에서 남은 모든 미사일을 회수하고 철수해!

"알았다. 라저."

쿠루빌리슈난은 그렇게 답하고 무전기를 껐다.

"미사일을 쏘면 역추적당할 위험이 있다고 들었지만… 이렇게 빨리도 반응할 줄이야……."

미사일 발사 성공의 흥분도 어느새 싹 사라졌다. 장칵라이는 벌벌 떨면서 주위를 두리번거렸다. 미사일을 발사한 것만으로 바로 적들의 역추적이 시작되다니… 괜찮을까?

그때 그의 눈앞에서 쿠루빌리슈난이 씩 웃었다. 검은 피부에 새하얀 이가 드러나 보이는 게 이상할 정도로 선명하게 보였다.

"방금 전까지 방방 날뛰던 과학자 선생이 이렇게나 빨리 흥분을 가라앉히다니. 역시 배운 자는 좀 놀랍소이다."

"다, 당신이 활약할 차례지요. 나는 미사일을 만들고 당신은 날 지킨다. 그, 그런데 미사일 사이트의 미사일을 철거하라니 무슨 말?"

장칵라이는 이미 설치된 미사일들을 전부 깔끔하게 발사시켰다. 그런데 미사일 사이트의 미사일 남은 걸 회수하라니 무슨 뜻일까?

"그야 우리 외에 더미가 있다는 뜻이오. 그들은 흡사 미사일처럼 보이는 더미를 차량에 싣고 이동할 건데……."

"그, 그럼 우리 대신 공격 대상이 되는 거란 말이오?"

장칵라이는 그렇게 말하다 문득 자신이 안심하고 있다는 걸 깨달았다. 이래서야 안 된다. 그가 미사일을 발사한 것은 자신의 인생을 완전히 망가뜨려 버린 인도네시아 정부에 대한 의분 때문이 아니었나. 그런데 어째서 자신 대신 죽음을 무릅쓰는 미끼가 있다는 사실에 안심하는가. 그 목숨을 버려도 아깝지 않은 비원이 있어서 저지른 일이 아니라면…….

이건 단순한 민간인 살해이자 테러가 아닌가?

그러니 장칵라이는 이 순간 안심하는 자신을 용납할 수가 없었다. 물론 쿠루빌리슈난은 이미 장칵라이가 범부, 그것도 심약한 이에 지나지 않는다는 사실을 잘 알고 있었다.

"무리하지 말고 동지들의 희생을 발판 삼으시지요, 잘나신 학자 나리. 당신 두뇌 안에 있는 게 가치가 있다고 생각하고 우리들이 하는 일이니까. 자, 그럼 갑시다."

쿠루빌리슈난은 미리 준비한 풍선에 전기 펌프로 바람을 넣고 위장망으로 가려져 있던 시설을 걷어내었다. 무수히 많은 더미 미사일 사이트 중 하나로 위장한다. 이것이야말로 허허실실… 그들은 어렵지 않게 진짜 미사일 기지를 가짜 미사일 기지처럼 바꾼 뒤 준비한 오토바이에 올라탔다.

"뱀파이어니까 이건 탈 수 있으시겠지?"

비포장도로, 험한 길에서 모터사이클로 속도를 내는 건 굉장한 반사 신경과 밸런스 감각, 체력을 필요로 한다. 하지만 뱀파이어라면 그 정도는 껌일 것이다. 설령 그동안 쭉 책상물림으로 살아온 자라 하더라도 그 정도는 할 수 있지 않겠느냐는 질문이었다.

"…으, 무, 물론이오."

그렇게 말한 장칵라이가 킥으로 오토바이에 시동을 걸려 했지만… 킥페달이 부서지면서 엔진이 프레임에서 뒤틀려 나온다. 너무 긴장해서 힘 조절을 못 하고 부숴먹은 것도 있지만 제대로 정비를 하지 않아서 부식된 탓도 있다.

"후. 여기 타시오."

쿠루빌리슈난은 자신의 뒷좌석을 가리키고 시동을 걸었다.

그와 동시에 산 능선 너머에서 두 대의 드론이 모습을 드러내었다. 커피나무들 위로 모습을 드러낸 드론은 미사일 발사 각도를 얻기 위해 저공으로 비행하고 있었다.

"헬파이어2로군. 민간인 신분이면서 저런 걸 가지고 있다니……."

쿠루빌리슈난은 드론의 배면에 붙어 있는 미사일을 확인하고 혀를 내둘렀다. 분쟁 지역의 대부분은 정부군이나 반군이나 무장이 빈약하게 마련이다. AGM—114 헬파이어를 장착한 무인기를 운용하는 뱀파이어의 사설 군대라니?

"보고 있으면서도 믿어지지 않는군."

쿠루빌리슈난이 감탄한 그때 드론 한 대가 헬파이어 미사일을 발사했다. 쿠루빌리슈난과 장칵라이가 막 나온 토굴에서 부풀어 오르고 있는 풍선을 향해 미사일이 날아들어 명중했다.

펑!

기화식 열압 탄두가 폭발했다. 폭염과 충격파가 미사일 사이트를 위장하기 위해 부풀어 오르던 풍선을 찢어발기고 지하 토굴 안에도 불꽃의 혀를 쑤셔 박았다.

만약 이들이 미리 빠져나오지 않았다면 저 미사일에 맞을 뻔했다. 그러나 안도할 때가 아니다. 드론에는 헬파이어가 각각 두 발씩 탑재되어 있었기 때문이다.

"헤… 헬파이어를 두 대나 탑재하다니."

장칵라이는 그걸 보고 절망했다. 무인기의 추력, 연료 소모율을 생각할 때 드론이 미사일을 두 발씩 탑재하고 날아왔다는 건

적의 본진이 예상보다 훨씬 가깝다는 것, 적들은 이미 이곳의 위치를 상당히 높은 정확도로 알고 있으며 방금 전의 미사일 발사로 역추적해 사실상 완전히 이곳을 의심하고 있다는 뜻이었다.

저런 압도적인 장비와 권력을 가진 적을 상대로 과연 살아 나갈 수 있을까? 장칵라이가 절망에 빠지는 것도 당연했다. 하지만 쿠루빌리슈난은 외려 웃고 있었다.

"여기로."

쿠루빌리슈난은 장칵라이를 울창한 나무 밑으로 피신시키고 변신을 시작했다.

"월령이 가까우니… 날 자극하지 마시오. 변신 중에는 당신도 찢어발길지 모르니까!"

쿠루빌리슈난의 몸이 부풀어 오른다. 어느새 그는 검은 비늘을 가진 거대한 코브라 머리의 인간으로 변했다. 그 쿠루빌리슈난이 길게 자라난 코브라 머리를 틀고 몸 역시 비틀어 똬리를 틀자… 검은 비늘의 장벽이 흡사 바위처럼 보였다. 나무 틈 사이로 봐서는 도저히 알아보기 힘들고 체온이 낮아서 열영상 카메라로도 알아보기 힘들 것이다.

과연 두 대의 드론은 이 일대를 배회하면서 나머지 헬파이어를 꽂아 넣을 상대를 찾아 헤맸지만 더 이상 발견하지 못한 것 같다. 드론들이 다시 능선을 넘어 귀환하는 걸 본 쿠루빌리슈난이 똬리를 풀고 일어났다.

"젠장! 어떻게 벌써 발견된 거야?! 게다가 미사일을 두 발씩이나 탑재하고 왔다면 이미 지척에 있다는 뜻인데……."

장칵라이는 너무나 빨리 나타난 적들의 손길에 질려 버렸다.

　"테트라 아낙스와 싸운다는 게 뭔지 그쪽이 이해하지 못했나 보구려. 그래, 이제 이해하셨소? 먼 거리에서 로켓 발사해서 쏴 부순다고 해서 당신을 괴롭히던 것들이 변하지 않는다오. 오히려 더 큰 힘의 개입을 불러들일 뿐이지."

　쿠루빌리슈난은 놀라고 있는 장칵라이의 반응을 비웃었다. 하지만 장칵라이 입장에서는 입이 열 개라도 할 말이 없었다.

　"…아마도 당신은 인도네시아에서 자신의 뜻을 펼 수 없어서 분노했을 거요. 하지만 역으로 인도네시아계도 화교계에 비해 딱히 행복하진 않았을 텐데 자신만 생각하다니 우습지 않소?"

　"그야… 나도 잘못했다고 생각하고는 있소만, 아무리 그래도 용병에게 들을 이야기라고는……."

　장칵라이도 정말 자신의 몸이 위험해지자 자신이 한 짓이 무엇인지 알게 되었다. 미사일을 발사해서 민간인을 죽인다는 것을, 그전까지는 자신의 꿈을 좌절시킨 이 사회에 대한 복수라고 생각했지 전혀 깊게 생각하지 않았었다.

　하지만 일단 자기 목숨이 위험에 처하게 되자 자신이 한 짓이 사실 죽어 마땅한 일이라는 걸 알겠다. 그런데 그걸 용병인 쿠루빌리슈난에게 듣고 싶지는 않았다.

　"하하하하."

　쿠루빌리슈난은 웃으며 바이크에 시동을 걸었다.

　"드론은 빠졌지만 이제 시작이오. 곧… 테트라 아낙스의 처형 부대가 이 일대를 뒤지겠지. 저기 보시오."

과연 이번엔 능선 위에서 민간 수송선이 한 대 나타났다. 다목적 수송선으로 오지에 화물을 실어 나르거나 스카이다이버들을 위한 임대용으로 쓰이는 것이다. 그런 수송선이 날아다니는 건 그리 대수로운 일이 아니지만…….

수송선의 옆면으로부터 사람들이 뛰어내리는 게 보인다. 일반적인 스카이다이버가 아니라 전투 장비를 갖춘 군인들이다.

장각라이는 자신의 눈을 후벼 파고 싶다는 생각이 들었다. 뱀파이어가 되어서 쓸데없이 시력이 좋아지니 이게 문제다. 차라리 그냥 스카이다이버라고 생각했으면 좋았을 걸…….

"고, 공수부대라니! 이놈들은 대체 인도네시아 정부를 뭘로 보고 이런 대담한 짓을……."

"당신이 때려 부순 나라에 대해서 애국심을 느끼나 보구려?"

"거 그만합시다… 이 상황에서 날 괴롭혀서 기쁘십니까?"

"안심하시오. 내 임무는 당신을 경호하는 거니까. 테트라 아낙스가 월야의 왕으로 이 세계의 수호자라면 우리는… 베오울프는 이 세상의 재앙이오."

쿠루빌리슈난은 하늘에서 활강하는 테트라 아낙스의 처형 부대를 바라보며 혀를 날름거렸다.

7

용병 회사 베오울프는 자카르타의 닛코 호텔 맞은편의 상업 건물에 자신들의 인도네시아 쿼터를 설립했다. 본격적인 회사라기보다는 연락소에 가까운 규모이지만 이곳엔 이미 그들의 정예가 모여 있었다.

"하하하. 이거 참, 대성공이군요."

공항에 크루즈미사일이 꽂혔다는 사실은 빠르게 베오울프에 전해졌다. 그러자 현 인도네시아 헤드쿼터의 팀장인 아타왈리 바제는 만족스러운 표정을 지어 보이고 앙리 유이에게 손을 내밀었다.

"제가 아시아 헤드쿼터 팀장인 아타왈리 바제입니다. 처음 뵙겠습니다, 미스터⋯ 앙리?"

"⋯편하실 대로."

앙리 유이는 아타왈리와 손을 맞잡았다. 아타왈리는 30대 후반쯤 되어 보이는 짙은 눈썹을 가진 인도인이었는데 눈이 깊고 항상 웃는 낯을 하고 있어서 호감을 갖게 해주었다. 물론 앙리 유이는 남에게 이유도 없이 호감을 가지는 인물이 아니라 오히려 혐오감을 느끼고 있었지만 베오울프는 현재 앙리 유이에게 있어서 매우 중요한 거래처 중 하나였다. 여기서 개인적인 감정을 앞세울 수는 없었다.

"우리 용병업자들에게 인도네시아라는 건 참 매력적이면서 별로 소득이 없는 시장이지요. 하지만 이번 미사일 공격으로 정부군의 압도적인 위상이 훼손된다면 이곳은 멋진 시장이 될 수 있겠지요. 그래서 이번 미사일 공격은 정말 뜻깊은 일입니다. 정말⋯ 훌륭한 일을 해주신 겁니다."

아타왈리는 새로운 시장을 열어준 앙리 유이에게 진심으로 감사하고 있었다. 하지만 그의 말을 곱씹어보면 이게 얼마나 무서운 소리인지 알 수 있었다.

인도네시아는 식민지에서 독립한 국가. 민족도 다르고 문화도, 풍습도, 언어도 다른 이들이 한 나라라는 거대한 테두리 안에 묶여 있다. 그러나 어마어마한 인구와 규모로 인해서 정부의 힘은 막강하다. 사회가 불안하고 많은 젊은이가 자신의 뜻을 펼치지 못하고 고통받고 있지만 그럼에도 불구하고 인도네시아 정부의 위상은 확고했다.

하지만 이 미사일 공격으로 인해서 인도네시아 정부의 위상은 무너졌다. 이제 분리독립주의자들이 움직일 발판이 만들어졌고 이로 인해서 내전이 일어난다면? 용병 회사에게는 그야말로 새로운 시장이 열리는 셈이다.

즉 이 아타왈리라는 자는 사람들의 목숨이 얼마가 날아가든 말든 자신들의 사업 확장에만 열을 올리고 있는 것이다.

'아니면 그렇게 보여서 나를 방심시키는 것일지도 모르지.'

앙리 유이는 아타왈리라는 자를 믿지 않았다. 그가 이렇게 과도하게 좋아하는 척 시늉하는 것이 진짜 자기네 사업의 확장이 즐거워서인지 아니면 베오울프의 진의를 숨기기 위해서인지 모르겠다.

"핵탄두로 싱가포르를 날려 버렸다면 더 좋았을 텐데 말이지요."

"그건 할 수 없었습니다. 구하려고 노력은 했지만 역시 핵탄두라는 게 쉽게 구해지지 않더군요. 통상 탄으로도 싱가포르에는 상당히 큰 타격을 주었을 텐데요?"

앙리 유이는 그렇게 답했다. 뱀파이어의 귀족이며 사법사의 수장인 그라 해도 역시 핵탄두를 구하는 건 쉬운 일이 아니었다. 그럼에도 불구하고 그냥 통상 탄두를 장착하고 발사하게 한 것은 그만큼 앙리 유이도 몰랐다는 뜻이다. 하긴, 그렇지 않았으면 진마의 오만한 성품에 베오울프 같은 수상한 집단과 손잡았을 리가 없다.

"그래서, 앞으로 어쩌실 겁니까?"

아타왈리는 앙리 유이에게 노골적으로 물어보았다. 비록 지금 손을 잡고 있다고는 하지만 앞으로 함께할지 어떨지 모르는 이들이 앙리 유이에게 이렇게 노골적으로 물어보다니?

하지만 앙리 유이는 가만히 있었다. 그보다 비등점이 낮은 헥토르가 먼저 끓어오를 게 분명했기 때문이었다.

과연 헥토르가 중얼거렸다.

"이건 무슨 농담인가, 앙리. 하인의 일족인 것도 모자라 짐승 냄새가 나는 무리와 손을 잡다니? 게다가 이놈들은 나와 그대를 존중하지도 않는군."

헥토르의 말은 명백한 도발이자 멸시였지만 아타왈리는 얼굴색 하나 바뀌지 않았다. 그러나 아타왈리의 곁에 서 있던 젊은 이들은 안색이 확 바뀌었다.

"존중하고 있잖아, 이 다리 짧은 원시 종족아?"

아타왈리의 곁에 있던 젊은 청년이 헥토르를 비웃었다. 헥토

르는 고대시대엔 그야말로 기골이 장대한 무인이었지만 지금
현대에서는 그냥저냥한 신장을 가지고 있었고 반면 골족 출신
인 앙리나 팬텀은 현대에서도 꽤 큰 체격을 가지고 있었다. 그
가 그 점을 가지고 헥토르를 비웃은 것이다.

"노예가 어울리는 종족의 입에 재갈을 물려두지 않으니 아무
데나 막 짖어대는군."

"헥토르."

"아니, 미안하군, 앙리. 나는 이런 짓을 참을 만큼 인내심이
강하지 못해서……."

모욕에 익숙지 않은 헥토르가 자리에서 일어나는 것과 동시
에 젊은 용병도 손을 변이시켰다. 벵골 호랑이의 날카로운 앞발
이 날을 번뜩이자 순식간에 흉흉한 살기가 이 오피스 안을 가득
메웠다.

그러나 그때 그들의 뒤에서 한 남자가 문을 열었다. 사무실의
문을 열고 들어오는 이를 본 순간 호랑이의 손을 가진 청년이
기겁하며 표정을 바꾸고 경례를 붙였다. 그뿐만이 아니다. 아타
왈리 바제와 다른 이들 모두가 경례를 붙였다.

"…사무실 안에서 뭐 하는 짓이지?"

의외로 젊은 목소리가 울려 퍼졌다. 깜짝 놀란 헥토르가 뒤를
돌아보니 그곳에는… 신장 2미터에 달하는 기이한 모습의 청년
이 있었다. 거구에 머리는 반은 백발, 반은 흑발인 이 청년의 머
리칼 사이에는 뇌 수술의 흔적인 긴 흉터가 남아 있었다. 물론
머리칼 사이에 있는 흉터라 보통 사람은 알아보기 힘들겠지

만… 육신의 상처에 민감한 사람들은 금세 알 수 있었다.

이자는 죽지 않은 게 이상할 정도로 몸 여기저기가 기워져 있었다. 마치 프랑켄슈타인 박사가 만들어낸 괴물 같다. 전신에 피부 이식을 시행했는지 피부는 파랗게 보이는 부분, 검게 보이는 부분이 있었기에 인종조차 짐작하기 힘들었다. 하지만 전체적으로는 놀라울 정도로 미남이었다. 흑백사진으로 본다면 어디 영화배우라고 해도 믿을 정도로 매끈한 용모인 게 오히려 더 기분 나빴다.

"음?!"

헥토르는 그 모습을 보고 깜짝 놀랐다. 남자의 기괴한 모습 때문만은 아니다. 진마인 그가 이렇게 가까이 사람이 다가올 때까지 몰랐던 것도 의아한 일인데… 놀랍게도 이자는 완전한 인간이었다. 거칠기로 유명한 라이칸스로프 용병 집단이 인간에게 경례를 붙이다니?

"손님에겐 친절해야지. 우리의 모토가 '우린 세상의 재앙'이지만 그럼에도 불구하고 용병업이란 어디까지나 서비스업이라는 사실을 잊지 말도록. 홈페이지 등에 악플을 달면 곤란하잖아? 응?"

그는 이 더운 날씨에도 얇지만 긴 트렌치코트를 망토처럼 어깨에 걸치고 저벅저벅 걸어왔다. 아타왈리가 자리를 비우자 그는 대뜸 그 의자에 앉고 빙글 몸을 돌려 앙리 유이와 헥토르를 바라보았다.

"제가 바로 베오울프의 CEO 한니발입니다. 이렇게 먼 길 찾아와 주셔서 감사합니다.”

“한니발?”

헥토르의 눈썹이 일그러졌다.

“설마… 베오울프의 CEO께서 직접 올 줄은 몰랐소.”

앙리 유이의 목소리에는 눈앞에 있는 상대에 대한 존중이 배어 나왔다. 평소 앙리 유이가 팬텀을 제외한 다른 진마들조차 우습게 보고 있다는 걸 감안하면 이게 얼마나 이례적인 일인지 알 수 있으리라.

“전 언제나 현장에서 직접 뛰며 지고선을 행하고 있거든요. 그리고 저희 사이에 뭘 격식을 그리 차리십니까?”

한니발이란 청년은 그렇게 말하고 웃었다. 용병 회사의 CEO라는 작자가 자신의 입으로 ‘지고선’을 실천하고 있다고 말하다니 무슨 광기인가? 하지만 헥토르는 그런 한니발이란 청년의 말을 무시했다.

“CEO가 직접 마중을 나오니 약간 기분이 풀리긴 했지만 저 친구는 나와 처리해야 할 감정이 남아 있는 것 같은데?”

그는 자신의 도발에 분개했던 젊은 라이칸스로프 청년을 가리켰다. 베오울프 CEO의 출몰로 일이 무난하게 해결될 거라고 생각했던 이들 사이에 찬물이 끼얹어진 것 같은 적막이 감돌았다. 지목당한 라이칸스로프의 청년은 움찔했지만… 한니발의 눈치를 보느라 감히 나서지 못하고 있었다.

라이칸스로프가 아무리 거구라 해도 한주먹감인 인간을 두려워하다니?

"그 감정은 어린 친구에 대한 배려로 넘어가 주시지요. 나중에 실컷 풀 기회를 드릴 테니까."

한니발이 그렇게 말한 순간… 웩 하고 구토하는 소리가 들려왔다. 놀랍게도 아담이 참지 못하고 토하고 있었다.

"으웩… 마… 마스터… 저, 저 남자는…?"

"청소해."

한니발은 계속 구토하는 아담을 가리켰다. 그러자 방금 전 헥토르에게 덤벼들었던 라이칸스로프 청년이 군말 없이 밖으로 달려가 청소용구를 가져와 소년이 토해놓은 토사물들을 치우기 시작했다. 기세등등하던 라이칸스로프가 꼬리를 내리고 청소를 시작하는 모습을 본 헥토르는 흥 하고 코웃음 칠 뿐 입을 다물었다.

"대… 대체 뭔가요? 이자는… 으윽……."

강아담은 여전히 속의 걸 게워내고 있었다.

이미 동경도 전체를 죽음의 도시로 바꾸면서 사령을 끌어모은 사술의 결정체, 강아담이 단지 한 명의 인간을 혐오해서 토악질을 참지 못하고 있다니…….

"그는… 이 세상의 그늘이지."

앙리 유이는 그렇게 답했다. 수천 년간 사악한 마법사들의 정점에 섰던 자가 고작 한 인간에게 이런 평가를 내린 것은 매우 드문 일이었기에 무표정한 헥토르조차 낯빛이 변했다.

第19夜

아라한

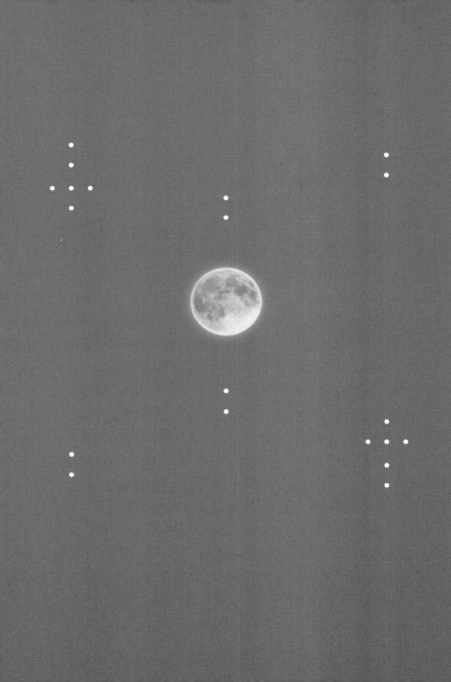

1

라이칸스로프는 뱀파이어처럼 긴 수명을 가지지 못하지만 대신 시대의 요청에 의해 영웅적인 존재가 출몰한다.

매 세대… 자연 출몰 하는 라이칸스로프 중 유달리 강력한 힘을 가진 자는 세상을 바꾸는 거대한 힘을 발휘한다. 진마들조차 직접 대결하길 꺼려 하는 그런 영웅적인 라이칸스로프는 매 세대별로 하나, 혹은 둘씩 태어나곤 했다.

'그리스인 조르바'라고 불리는 라이칸스로프가 그러했다. 그는 베오울프라 불리는 라이칸 용병 집단을 결성하고 무력을 세일즈하면서 막강한 힘을 구사했었다. 볼코프의 뒤를 잇는 새로운 라이칸스로프의 우두머리… 다들 그의 출현을 그렇게 여기고 있었다.

하지만 그 '그리스인 조르바'가 고작 한 인간의 손에 살해당했다.

당시 겨우 10대 소년이던 그는 조르바의 시체 위에서 그의 심장을 껌처럼 씹으며 시체의 산 위에 앉아 있었다.

'이능살해자 한니발.'

소년은 스스로를 그렇게 칭했다.

베오울프의 CEO 교체였다. 형식상 주식회사인 베오울프의 이사회도 만장일치로 한니발을 새로운 CEO로 인정했다.

2

"이게 마지막이구려."

코브라의 머리를 가진 라이칸스로프, 쿠루빌리슈난은 혀를 날름거리며 변신을 풀었다. 그의 앞에는 대량의 독액을 주입당해 몸이 풍선처럼 부풀어 오른 뱀파이어가 허우적거리며 쓰러지고 있었다.

"……."

장칵라이는 자신의 눈앞에서 벌어진 일을 믿을 수가 없었다. 항공기를 통해 투입된 병력은 약 20여 명, 뱀파이어와 라이칸스로프로 이뤄진 이 부대는 전 세계 어떤 정규군보다 더 압도적인 장비로 무장하고 있었다.

테트라 아낙스의 처형 부대는 지금까지 이 세계의 룰을 지키기 위해 암약해 온 실제적인 무력이었다. 그런 이들이 쿠루빌리슈난, 단 한 명을 이기지 못하고 몰살당한 것이다.

쿠루빌리슈난, 이 코브라 인간은 딱히 베오울프에서 높은 지위를 차지하고 있는 것도 아니다. 그런데 어떻게 이럴 수가 있을까?

장칼라이는 야수화를 풀고 다시 인간의 모습으로 돌아온 쿠루빌리슈난을 바라보았다.

"너무 놀라지 마시게. 베오울프라면 누구나 이 정도는 하니까. 그보다 이 친구들… 진마도 아닌 것 같은데 어떻게 태양광을 버티지? 아웃레이지를 먹진 않았을 테고."

쿠루빌리슈난은 자신의 독액이 주입되어 전신이 녹아들어 가는 뱀파이어의 몸을 짓누르고 그의 몸을 뒤져보았다. 잠시 후그는 약병을 하나 찾아내었다.

"이거로군."

"원래… 테트라 아낙스는 벌써 예전에 일광을 버티는 약을 개발했는데 그걸 거요. 이전의 아낙스는 뱀파이어들을 그렇게 잘챙겨주는 인물이 아니었으니까……."

귀족 뱀파이어들, 테트라 아낙스가 인정한 클랜의 멤버들은에스프리를 제외하고는 부와 권력을 누리며 부족함 없는 삶을살고 있었지만 그렇지 않은 이들은 고통받고 있었다. 하지만 테트라 아낙스는 자신의 권력을 확고히 하기 위해서 '일광 차단제'를 공급하지 않았다.

하긴, 클랜 멤버와 아웃로들의 격차가 크면 클수록 테트라 아낙스의 권위와 권력은 강해지는 것이다. 일광 차단제를 뿌려봤자 사고 치는 뱀파이어들이 더 늘어날 뿐이라 테트라 아낙스의 입장에서는 득보다 실이 크다.

"그렇다고는 해도 이들은 꽤 강력한 흡혈귀들과 라이칸스로 프일 텐데 어떻게?"

"아, 내 독은 상대 VT인자와 동조해서 스스로를 혈액으로 위장하지. 이물질이라는 걸 이해하지 못하면 배출시킬 수도 없으니까."

"……."

그가 말하는 걸 다 믿을 수는 없다. 그러나 장칵라이도 뱀파이어라 그런지 그의 말이 맞는다 해도 진마급의 뱀파이어들이라면 어떤 수를 써서든 독소를 해결할 수 있을 거라고 아무 근거 없이, 감정적으로 그렇게 믿었다. 그렇다고는 해도 쿠루빌리슈난이 이룬 전과는 엄청난 것임에는 분명했다.

'과연 마스터는 이자들의 능력을 감안하고 손을 잡은 것일까?'

장칵라이는 문득 베오울프들의 능력에 두려움을 느꼈다. 고작 한 명의 베오울프가 이 정도로 강력하다면 그들의 상층부에는 대체 얼마나 무시무시한 괴물들이 포진되어 있을까?

3

인도네시아 자바 섬 북쪽 상선항로에서 남으로 1해리 정도 떨어진 곳에서 대형 컨테이너선이 해상에서 작업 중이었다. 멀찍이서 보더라도 용접 불꽃이 튀어 오르고 있는 게 마치 부서진 배를 긴급히 수리하는 것처럼 보였다.

"선적은 파나마. 하지만 실소유주는 베이런입니다. 4개의 뱀 머리 중 하나지요."

배의 관련 서류를 검토한 젊은 여성 군인이 경례를 붙였다. 그녀의 맞은편에는 선장 모자를 쓴 거구의 노인이 파이프 담배를 입에 물고 있었다.

"괜한 배를 공격한 게 아니라서 다행이군."

"이스라엘제 LAHAT과 헬파이어 미사일을 장착한 드론들을 날릴 수 있는 드론 항모였습니다. 일반 상선일 리가 없지요."

여군인이 그렇게 보고했다. 사실 이 노인, 볼코프는 이 배의 본모습을 모른다. 그녀와 그녀의 부하들이 이미 배를 점거하고 난 뒤에 위의 컨테이너를 개조해서 만든 드론 전용 활주로를 파괴했기에 일반 상선처럼 보이는 것이다.

컨테이너 상선은 위장, 그 실체는 드론 항모. 당연히 항모인 이 상선을 지키기 위해서 주위에는 무장한 고속정들이 배치되어 있었다. 말라카 해협과 인도네시아 항로 인근의 해적들로서는 감히 손댈 수 없는 과잉 무장… 그러나 정규군 출신의 라이칸스로프들 앞에서는 종이 인형이나 다름없었다.

"그런데 괜찮겠습니까? 지금 테트라 아낙스는 장군님의 손자일 텐데요."

"내 손자긴 하지. 내 딸의 몸을 악귀가 빼앗고 난 뒤 멍청한 일본인 놈이 살을 섞어서 태어난 것도 자식의 범주에 들어간다면 말이지만……."

"…한국인입니다."

한국과 일본, 중국, 서구권에서는 동아시아인이 다 거기서 거기로 보이긴 하겠지만… 당사자들에게는 매우 불쾌한 혼동일 것이다. 물론 볼코프는 일부러 저런 소리를 하는 것이다. 혈연 관계만으로 얻어지는 아이덴티티를 곧이곧대로 인정하기에는 그와 손주들 간의 간격이 너무 컸다. 이사카는 그래도 볼코프에게 화해의 제스처를 취했지만… 볼코프는 이빨 빠진 채로 시들어 죽길 바라는 인물은 아니었다.

"뭐가 되었든 좋아. 이 정도로 당하는 녀석을 내 혈육이라고 인정할 수는 없다. 나도 외조부로서 제대로 해준 게 없으니까 이제 와서 혈육으로 대접받고 싶지도 않고. 슬프게도 나는 좋은 아버지가 못 되었어. 그러니까 이런 식으로 교육할 수밖에 없는 거지."

"……."

"베오울프에 연락해. 테트라 아낙스의 드론 항모를 무력화시켰다고."

"예. 알겠습니다."

여군인은 볼코프에게 경례를 붙였다.

4

"착착 진행되고 있는데. 현재까진 일이 너무 잘 풀리고 있군."

베오울프의 사장 한니발은 손에 만화책을 들고 읽는 둥 마는 둥 하다가 인도네시아에 개입하기 위해 접근한 테트라 아낙스의 드론 항모가 볼코프에 의해 점거되었다는 보고를 듣고 외려 얼굴을 찌푸렸다.

"일이 잘 풀리고 있는데 외려 기분이 안 좋아 보이십니다?"

아타왈리 바제가 그렇게 물어보자 한니발은 창가에 섰다. 불타고 있는 자카르타 시내가 한눈에 들어오는 명당자리였다. 이곳이 마음에 들어서 인도네시아 헤드쿼터를 이쪽 건물로 정한 한니발은 쓴웃음을 지었다.

"내가 하는 일이 잘 풀리는 게 너무 기분 나빠."

그는 만화책을 내려놓았다. 이 만화책은 놀랍게도 인도네시아어로 번역된 일본 소녀 만화였다.

"역시 난 소녀 만화가 안 맞는다니까."

"네?"

"이런 만화는 말이야, 대부분의 화를 자기들이 자초한다고. 자신들의 마음이 나약하니까, 의심하고 시기하고, 자신을 지키기 위해서, 쪽팔리지 않기 위해서 오해를 부풀리고 그런단 말이야."

"드, 등장인물들이 어린아이니까 말이지요."

아타왈리 바제는 뜬금없이 만화책에 대해서 논하는 자신의 사장을 보고 식은땀을 흘리며 그렇게 말했다.

그러자 한니발이 혀를 찼다.

"옆집 석가모니는 태어난 그 순간 천상천하유아독존이라고 했다는데 요즘 애들은 태어나자마자 걸음마도 못 떼다니. 언제 다 자랄 때까지 기다려 줘야 하는 거야?"

"……."

"이래서 난 에픽 판타지가 마음에 든다니까. 인간이 자신의 나약함으로 화를 자초하는 걸 보면 내가 나서서 그놈들에게 이보다 훨씬 더 끔찍한 고통을 안겨주고 싶어서 견딜 수가 없어. 반면 에픽 판타지는 인간 개개인이 어찌할 수 없는 역사와 운명, 거대한 힘이 인간을 후려치기 때문에 동정의 여지가 있지."

"아, 네… 그럼 지금 일이 잘 풀려서 기분이 불쾌하신 건 거대한 힘이 사장님을 후려갈기지 않아서로군요."

이 무슨 배부른 소리인가? 남들은 피해 다니려고 애쓰는 고난과 역경을 양 문 활짝 열고 환영하다니. 베오울프의 사장씩이나 되는 인물이 고난과 역경을 겪으려면 얼마나 끔찍한 일이 벌어져야 한단 말인가?

애초에 석가모니 운운하는 것도 말도 안 되는 일이다. 인간의 기준을 석가모니에 맞춰서 이야기하고 있는데 세계 4대 성인의 반열에 드는 석가모니다. 기준보다 월등히 뛰어나니까 추앙받는 것인데 그걸 기준으로 삼으면 어쩌자는 건가?

'만약 소녀 만화의 등장인물들이 모두 석가모니급이라고 치자. 여성 등장인물은 관세음보살이고, 남자 등장인물들은 잘생긴 석가모니1, 잘생긴 석가모니2 이런 식으로 배치해서 부처님이 한가득? 꽃보다 열반? 연꽃 바구니? 어떤 소녀 만화도 끝에 가면 결국 연애 따윈 부질없는 피륙에 불과하니 해탈하여 삶의

고통과 번뇌를 벗어나는 해탈 엔딩을 맞이하겠지? 오, 맙소사.'

아타왈리 바제는 그런 상상을 하다 속이 메스꺼워져서 상상을 멈추었다.

"지금 뭔가 굉장히 불경한 생각을 하지 않았나?"

한니발은 독심술이라도 익혔는지 아타왈리를 보고 그렇게 물어보았다. 아타왈리는 고개를 도리도리 저을 수밖에 없었다.

그때 헥토르에게 시비를 걸었던 젊은 라이칸스로프가 방에 들어왔다.

"쿠루빌리슈난에게서의 연락입니다. 장칵라이는 무사히 확보했고 테트라 아낙스의 추격자들도 무사히 격퇴했다고 합니다."

"아, 그래? 야매긴 해도 미사일 기술자는 소중한 법이지. 잘 살려서 데려오라고 해. 음… 하지만 장칵라이라는 놈은 앙리 유이의 추종자라고 했지?"

"어린 시절부터 앙리 유이의 손길이 닿은 놈입니다."

"그 음험해 보이는 패션 센스 떨어지는 남자가 뭐 좋다고 난리지? 아, 하긴 그래서 주로 어린 시절부터 건드리는 건가. 자아가 성립된 사람들에게는 자신이 매력적인 존재가 될 수 없다는 걸 잘 아니까 아직 미성숙할 때부터 은혜를 입혀서 자기 사람으로 만드는 건가. 이건 뭐 은원의 페도필리아라고 볼 수 있겠군. 미성숙할 때 덮친다는 점에선 정말 페도필리아랑 똑같아."

한니발은 앙리 유이를 마음껏 매도했다. 비록 업무상 협력 관계긴 하지만 역시 그는 앙리 유이 자체를 마음에 들어 하진 않는 듯했다.

'그야… 앙리 유이가 없었다면 그는 평범하게 살았을 테니까. 오히려 이 정도로 미적지근한 게 이해가 되지 않는군.'

아타왈리는 앙리 유이를 고작 매도하는 정도로 끝내는 한니발을 이해할 수가 없었다.

"그럼 어떻게 할까요, 장칵라이는?"

"앙리 유이가 그를 버리게 해야지. 앙리 유이 입장에서는 그 꼬마애가 완성되면 장칵라이나 다른 녀석들이 필요 없어질 테니까."

"완성시켜 주실 겁니까?"

아타왈리 바제는 그 소년, 강아담을 떠올리며 몸서리를 쳤다. 그날 두 진마와 그 부하들이 접촉해 왔을 때 진마보다 훨씬 흉흉한 기운을 풍기고 있던 건 바로 강아담이라는 소년이었다. 앙리 유이가 오랜 세월 준비한 사술의 결정체… 그 사이함의 결정체를 완성시키기 위해서 앙리 유이는 무수히 많은 사람을 죽이며 아웃레이지를 여기저기 퍼뜨리고 있는 것이었다.

'그 끔찍한 괴물이 우리 사장을 보고 토를 할 정도면 대체 이 인간은 얼마나 엿 같은 거야?

5

"…젠장. 차라리 보트를 타고 노 저어서 가는 게 빨랐겠다."

서현은 싱가포르 창이 공항의 입국 심사대에서 쪼그려 앉아서 TV를 보고 있었다. 만다린과 말레이어, 영어가 혼용되어 나오고 있는 TV 뉴스에서는 불타오르고 있는 하타 수카르노 공항과 자카르타 시내가 방송되고 있었다.

"이렇게 되면 톰 행크스 신세가 되겠군. 터미널에서 한 반년 살아야 하는 거 아냐?"

서현이 탄 비행기는 자카르타의 하타 수카르노 공항의 사태를 보고 도중이 회항해 싱가포르의 창이 국제공항에 내렸다. 단지 몇 시간 차이 때문에 일행과 떨어진 서현으로서는 기가 막히고 코가 막힐 노릇이었지만 연거푸 쏟아져 나오는 뉴스들은 곧 그를 체념하게 했다.

인도네시아에서 다시 일본 때와 똑같은 아웃레이지가 벌어지고 있었다. 뱀파이어나 구울들이 넘쳐나면서 도시 시스템이 마비되고 치안이 무너지고 말 것이다. 인도네시아의 경우는 일본과 달리 국가 전체가 하나라는 아이덴티티가 없기 때문에 중앙정부가 무너지기만 하면 각지에서 알아서 소란이 일어날 것이다.

'인도네시아 정부로서는 난감하겠군. 중앙의 자카르타 상황을 정리하고 싶어도 자리를 비우면 언제 독립군이 일어날지 모르고. 열강들이 편의대로 만들어놓은 나라는 이게 문제야. 자신들이 막 짓이겨 놓아서 나중에 곪아 터지게 되어 있는 상처를 만들어놓고 그게 곪아 터지면 알량한 적선이나 해대지. 뭐, 그래도 이쪽은 아프리카보다는 낫나?'

서현은 TV에서 소란이 벌어지는 걸 보며 한숨을 내쉬었다.

"앙리인지 헨리인지 하는 녀석, 기왕 할 거면 좀 선진국에서 일을 벌일 것이지 왜 가뜩이나 고통받는 나라 사람들을 조지는 거람? 아, 일본은 선진국 맞지? 그나저나 정말 나 이대로 공항 에서 터미널 찍고 있어야 하나? 뭔가 방법이 없나? 정말 스포츠 보트 하나 구해서 노라도 저을까……."

서현이 그렇게 허우적거릴 때였다.

"저기… 실례합니다만."

"네, 실례하세요. 응?"

서현은 상대가 창백한 피부의 소녀인 걸 보고 깜짝 놀랐다. 분명히 서린이 함께 데리고 다니던 뱀파이어 아닌가?

"…하긴 이제 막 첫날부터 꼬이는 인연이라면 당연히 뭔가 있 게 마련이지. 내가 톰 행크스도 아닌데. 아, 스팅레이라고 했던 가? 네가 왜 여기 있지?"

"서린이 보고 싶어 해. 따라와."

스팅레이는 어깨를 으쓱해 보였다.

"서린도 와 있나? 아, 하긴 당연한가?"

앙리 유이는 싱가포르에 있는 테트라 아낙스 관련 건물들을 공격할 예정일 테니… 그걸 알고 있다면 서린이 직접 와서 뭔가 행동을 취하는 것도 당연하다. 서현은 몸을 일으켜서 캐리어를 끌고 걸어갔다.

창이 공항은 전 세계 제일의 공항으로 이름이 드높았지만 역 시 새로 지어진 인천 공항에 익숙해진 자들이 보기엔 작다.

그래도 공항 라운지는 깔끔하게 잘되어 있었는데 각 항공사의 퍼스트 클래스를 위해 라운지의 일부를 파티션으로 분리한 사설 라운지에 서린과 그의 측근들, 석세서인 조반니와 스팅레이, 그리고 역시 아낙스의 일원인 베이런이 있다. 그야말로 테트라 아낙스의 최정예라고 할 수 있는 인물들이 모여 있는 걸 본 서현은 어깨를 으쓱해 보였다.

"이야, 바쁘시네. 역시 뱀파이어의 왕은 달라. 전 세계를 자기 집처럼 이랬다저랬다 돌아다니는구만."

서현은 간만에 얼굴을 마주한 동생을 보고 빈정거렸다. 테트라 아낙스라는 아이덴티티를 받아들인 서린은 아무래도 예전과 다를 테고 그런 서린이 서현에게 도움을 청하고 의지하고 있는 것은 잘 알고 있다. 하지만 머리로 알고 있는 것과 감정은 다르게 움직인다. 서현 입장에서는 아무래도 서린을 대할 때 곱게 대할 수는 없었다. 그래도 서현 정도면 구김살 없이 대하는 것이리라. 한세건이라면 머리에 총구를 들이밀겠지.

아니, 지금 서현과 서린이 마주하고 있는 장면을 보면 둘 다 한꺼번에 휘말려 들도록 폭탄 같은 걸 던져오지 않을까? 그렇게 생각한 서현이 피식 웃었다. 결국 서린은 서현에게 도움을 청할 수밖에 없다. 한세건은 워낙 자기 룰이 엄정하니까. 바꿔 말하면 서현이 그만큼 말랑말랑하다는 뜻도 된다.

실제로 서린은 서현의 공격권 안에서도 축 늘어져서 의자에 파묻혀 쉬고 있었으니까.

"아, 형 왔어? 난 지금 클랜원과 민간인 중 비전투 요원들은 대피시키고 있는 중이야. 솔직히 말해서 매우 번거롭고 짜증 나는 작업이지. 피곤해 죽겠어."

서린은 그렇게 말한다. 마치 오랫동안 얼굴을 마주하던 형제 같은 태도다. 서린과 서현, 이들 둘이 실제 형제로서 함께 보낸 시간은 거의 0에 가깝다는 걸 감안하면 참 넉살 좋은 태도다.

"관리해야 할 게 많으니까. 힘들겠지. 게다가 뱀파이어의 왕으로 과거에는 전지전능한 척했는데 요새 여기저기서 많이 깨지고 있으니 이거 참… 주가 폭락이겠어."

서현은 서린의 맞은편 의자에 앉았다. 조반나 스팅레이, 베이런까지 해서 적으로 돌아서면 위험한 것들이 잔뜩 있는 이곳에서 앉는다는 건 꽤 용기를 필요로 하는 일이지만 서현은 그걸 의식하지 않았다.

"난 전지전능하다고 생각한 적 없어. 아낙스는… 좀 그랬을지도 모르겠군."

"네가 아낙스잖아?"

"형, 나도 힘들어. 아이덴티티라는 건 매우 중요한 거라고. 그게 혼재되어 있는 게 얼마나 큰 문제인지는… 알고는 있겠지? 그러니까 확실히 서린이라고 불러줘. 아낙스라고 부르지 말고."

"……."

"'러블리 브라더' 라고 불러줘도 좋고."

"무슨 생각이냐?"

서현은 서린의 넉살 좋음에도 아무렇지도 않게 라운지에 준비된 음료를 마셨다. 적진 한복판에서 음식을 섭취하다니 자살 행위지만 마셔본 결과 역시 아무것도 없었다. 하긴 서린이 정말 서현을 제거하려 한다면 이런 조잡한 짓 따윈 하지 않을 것이다.

"머리론 알고 있지만 가슴으로 받아들이긴 힘들군. 테트라 아낙스가 가지는 상징성은 그만큼 거대하니까."

서현은 동생을 바라보고 그렇게 중얼거렸다. 확실히 지금 테트라 아낙스의 평판은 수직 하강 중이다. 앙리 유이가 일을 벌이면 벌일수록 그걸 막지 못하는 테트라 아낙스의 무능함이 부각되고 있다.

문제는 기존의 질서가 테트라 아낙스에 대한 경외심하에서 잘 굴러갔다는 것이다. 지금에 와서 그 경외심이 무너지면?

물론 앙리 유이가 원하는 파멸은 지금보다 더욱더 큰 것이다. 아마 앙리가 하고 싶은 대로 저지르고 나면 그다음에는 아웃로니 클랜이니 하는 분류 따윈 의미가 없어질 것이다.

"그래서 테트라 아낙스와 관련된 사람들을 빼내고 있다?"

"공격 목표가 될 건물의 사람들도 가급적 최대한 퇴거시키고 있는 중이야. 테트라 아낙스 클랜만이 아니라 일반인들도, 죽으면 슬프겠지? 대신 저 건물들은 공격받겠지만 뭐… 이 기회에 새로 지어주는 게 건설 경기 부양에도 도움이 되겠지. 테트라 아낙스만이 아니라 무고한 민간인도 빼내기 위해서 노력 중이라고."

"애초에 네가 앙리 유이를 막으면 해결될 문제 아닌가?"

서현은 앙리 유이의 타격을 이미 손익계산서에 올려둔 서린의 태도에 의문을 품었다.

"애석하게도 나로서는 현재 앙리 유이를 막을 방법이 없어. 헬하운드와 나이트워커가 열심히 그들을 추격 중이긴 하지만 예상치 못한 강적이 그들 편에 붙었거든?"

"아낙스가 예상치 못한 강적이라고 하면 영 믿기지 않는데."

"혹시 한니발이라고 알아?"

서린이 그렇게 묻자 서현은 잠시 고개를 갸웃거리며 기억을 뒤져보았다.

"모르겠는데?"

"머리 반백인데… 이렇게 이렇게……."

"아, 옛날에 어릴 적에 한 번 붙었지. 별거 아닌 용병이었는데 너무 어린 녀석이라 안 죽이고 살려 보내줬지. 그게 왜?"

서현은 과거의 기억을 떠올리며 대수롭지 않게 생각했다. 당시의 한니발은 그에게 전혀 위협도 되지 않았고, 너무 어린 녀석이라 죽이기도 뭐해서 살려서 보냈었다. 그런데 왜 그게 테트라 아낙스의 입에서 언급되는 걸까?

"그자가 지금은 베오울프의 사장이야. '그리스인 조르바'를 죽였고 모습도 바뀌었어."

서린이 사진을 꺼내 보이자 그걸 본 서현의 표정이 일그러졌다. 그가 기억하던 녀석은 아직 어린 소년이었는데 서린이 보인 사진은 거구의 괴물이었다.

"…커졌네?"

"형이랑 접촉했을 때는 고작 13살이었으니까?"

"…그럼 이 녀석 지금 이 모습으로……."

"그래, 19세지."

"허. 나도 과하게 고생해서 겉늙었다고 생각했는데… 그래서 이 녀석이 왜?"

"이 녀석 일파가 볼코프와 접촉하고 있어. 아마도 그는… 이 쪽에 회유되겠지."

"뭐?"

"베오울프와, 볼코프 레보스키의 라이칸스로프 여단, 이들은 내 적이 될 거야."

서린은 그렇게 선언했다.

6

스콜이 쏟아지고 있었다. 자카르타 시내 곳곳에서 타오르던 불길과 검은 연기가 잦아들고 있었다.

함석 슬레이트 지붕에 빗줄기가 떨어지면서 요란한 소리가 들리고 있었다. 아그니는 노랗게 염색한 머리를 쓸어 올리고 테이블에 앉아서 그 소리를 듣고 있었다.

"점점 강해지고 있군."

아그니는 손을 들어 보였다. VT는 그리 많이 늘지 않았다. 뱀파이어는 인간의 혈액을 흡수함으로써 능력이 활성화된다. 라이칸스로프가 자신들의 상태를 아나볼릭, 카타볼릭에 빗대어 설명하듯 뱀파이어 역시 그렇다. 인간의 피가 원활하게 공급되기 시작하면 VT인자는 빠르게 늘어나고, 그렇지 않으면 있던 VT인자를 소모하면서 점차적으로 줄여 나간다.

이 시스템의 문제는 향상성이다. 일정 VT인자 수준을 몸이 유지하려고 하기 때문에 억지로 피를 많이 빨아들여도 VT인자를 늘리기 위해서는 그보다 더한 무리를 해야 한다.

아그니는 언제나 그 무리를 기꺼이 행하는 타입이었다. 그래서 단기간에 힘을 늘릴 수 있었지만 그에 따른 부작용도 함께 겪고 있었다. 그런데…….

'그럼에도 불구하고 힘이 늘어나는 속도가 지나치게 빨라.'

VT인자의 증가량보다 힘의 증가 속도가 빠르다. 말하자면 혈인 능력이 좀 더 효과적으로 변화하고 있었다.

"좋지 않아."

아그니는 시체를 뒤져 담배를 찾아보면서 그렇게 중얼거렸다.

마법이라는 힘은 사람들이 의심암귀에 사로잡힐 때 더더욱 강해진다. 그리고 앙리 유이와 그의 활약은 이 세상을 의심과 공포로 뒤덮기에 충분한 것이었다. 애초에 앙리 유이는 그렇게 의심을 흩뿌려 마법의 힘을 강화하고 그 힘으로 신을 창조하려고 이 일을 시작했다.

아그니의 혈인 능력도 그 영향을 받아 강해지고 있다면… 얼마 지나지 않아서 앙리 유이는 그 목적을 달성할지도 모른다.

"…완전히 성공하는 건 내키지 않는데."

편의상 앙리 유이의 편에 서긴 했지만 아그니는 앙리 유이가 이 일을 성공해 버리는 걸 바라지 않았다. 테트라 아낙스의 지배를 싫어하는 아그니지만 그 자리를 앙리 유이가 대신하는 것 역시 좋지 않다. 어느 쪽이냐면 차라리 테트라 아낙스가 낫다. 그럼에도 불구하고 앙리 유이의 편에 선 것은 앙리 유이가 테트라 아낙스보다 열세라는 확신이 있었기 때문이었다.

아그니 입장에서는 열세인 쪽을 도와서 앙리 유이와 테트라 아낙스 둘 다 사이좋게 굴러떨어지길 원했던 것이다.

그런데 이렇게 쉽게 앙리 유이 쪽이 우세를 점하다니?

기묘한 위화감이 들었다. 테트라 아낙스의 처형 부대, 헬하운드와 나이트워커의 일본 지부를 직접 격파하긴 했지만……

저 헬하운드와 나이트워커는 어디까지나 일반적인 아웃로 뱀파이어를 상대하기 위해서 투입되는 부대였다. 그런데 왜 진마나 에스콰이어급이 깔려 있는 앙리 유이 세력에 대항해서 헬하운드나 나이트워커를 투입하는 걸까?

'마치 뱀파이어가 죽든 말든 관심을 안 보이는 것 같군. 뭐, 그건 아니겠지?'

아그니가 그런 생각을 할 때였다.

부르르릉!

푸드 코트 앞에 있는 차량 중 한 대가 시동이 걸렸다. 깜짝 놀란 아그니가 그쪽을 보니 이제 열 살쯤 되었을까 싶은 어린 여자애가 차에 시동을 걸고 운전대를 잡고 있었다. 차량 페달에 발이 닿긴 닿을까 의심스러운 작은 여자애가 운전대를 잡고 있으니 그 모습이 어이없다.

아그니가 보고 있자니 과연 여자애는 차를 후진시키면서 풀

액셀을 밟았다. 뒤에 있던 차량을 꽝 들이받고 도난 경보기가 울자 아이는 눈에 띄게 당혹스러워하고 있었다. 아이는 그럼에도 불구하고 포기하지 않고 계속 차를 움직였다. 차가 삐뚤빼뚤하게 움직이면서 주위의 차량들에 쿵쿵 들이받는다. 만약 이런 혼란기가 아니라 평시였다면 보험사나 차량 수리 공장이 꽤 재미 볼 일이 아닐까? 어디 유튜브 같은 데 올라갈 만한 영상이다.

아그니가 왠지 재미있어서 그걸 보고 있는데 그때 옆의 담벼락 너머에서 아웃레이지에 중독된 젊은 뱀파이어들, 심지어는 10대 소년으로 보이는 아이들까지 우르르 쏟아져 나왔다.

아마도 아웃레이지 뱀파이어일 것이다.

'저런. 끝장이군.'

아그니는 여태 주차장에서 꼼지락거리는 여자애를 보고 한숨을 내쉬었다. 아마도 순수한 인간일 텐데 아웃레이지 놈들에게 주지 않고 자신이 잡아먹을까 하는 생각도 들었지만 저 아웃레이지 뱀파이어들이 위아래를 알아볼까?

'괜히 충돌할 필요는 없겠지?'

아그니는 그리 생각하고 그냥 얌전히 담배를 입에 물고 있었다. 과연, 뱀파이어들은 소녀가 타고 있는 챠량으로 달려와 단번에 차의 앞뒤를 잡고 번쩍 들어버렸다.

"꺄!"

"시끄러워!"

"입 다물어! 흐⋯⋯."

10살짜리 소녀가 타고 있는 차량의 문이 뜯어지고 여자아이가 뱀파이어의 손에 끌려 나왔다. 하지만 그 모습을 보면서도 아그니는 아무런 감흥이 없었다. 인간이 살해당하고 능욕당하는 거야 인류 역사가 시작된 이래 흔히 있었던 일. 이제 와서 뭐 새삼스럽게…….

그런 생각을 하고 담배를 물고 있던 아그니지만 무심코 소리를 냈다.

"쯧."

"응?"

"뭐냐?!"

그제야 아그니의 존재를 눈치챈 뱀파이어들이 아그니 쪽을 돌아보았다.

"난 괜찮아. 하던 일 해봐."

아그니가 그렇게 말했지만 뱀파이어들은 불쾌한 표정을 지으며 아그니를 에워쌌다.

"얌전히 숨어 있을 것이지……."

"죽여 버리자구."

뱀파이어들이 아그니를 에워싸자 아그니는 어이가 없어서 허탈한 웃음을 지었다.

"아니, 너희들 뭔가 오해하고 있는 모양인데 나도 뱀파이어야. 응? 아… 더 말하기 귀찮다."

아그니는 손가락을 딱 튕겼다. 그러자 그 순간 아그니를 에워싸고 있는 놈들의 목 주위로 황금색 불꽃이 빙글 돌았다.

펑!

피부가 자체의 지방으로 튀겨지면서 뱀파이어들의 목이 일제히 떨어져 나갔다. 물론 아웃레이지에 중독된 뱀파이어들이 이 정도로 죽지는 않겠지만……

"이 새끼가!"

"죽여!"

다른 뱀파이어들은 아직도 정신 못 차렸는지 아그니에게 덤벼들었다. 아그니는 그들의 공격을 피하고 어퍼컷으로 달려든 뱀파이어의 턱을 후려갈겼다. 아래턱이 깨지고 이빨이 천장으로 튀어 올라 푸드 코트에 붙어 있던 실링 팬에 그대로 후드득 박혔다.

"비키라고 했지만 걸어온 싸움을 피할 정도로 유순하진 못하거든? 뭐, 좋아. 그렇게 덤벼온다면 간만에 운동 좀 하지."

아그니는 덤벼드는 뱀파이어들이 물러나지 않는 걸 보고 박장대소를 터뜨리며 킥을 날렸다. 전신의 탄력을 이용해 후려차는 킥이 뱀파이어의 몸에 꽂히자 놀랍게도 척추와 척주기립근, 몸통 근육이 찢어지며 뱀파이어의 몸이 으깨진다. 거기에 아그니 특유의 발화 능력까지 전해져 전신이 순식간에 튀겨지니 인간 형상이었던 것이 킥 한 발에 으깨진 튀김 같은 걸로 변해 버린다.

"무… 무에타이인가?"

"렛웨이(Lethwei:버마복싱이라고도 불리는 미얀마 무술. 무에타이와 비슷함)다."

아그니는 그렇게 대답하고 달려드는 놈의 나이프를 피하고 녀석의 팔을 얽어맨 다음 로우킥으로 뒷발을 후리고 니킥으로 척추를 쑤셔 박아 이 녀석도 단번에 튀김처럼 만들어 버렸다.

그동안 뱀파이어의 힘을 얻고 승승장구하던 폭력배들은 자신들을 가지고 노는 아그니의 기괴한 힘에 놀라서 물러났다.

"…뭐지?"

"뭐긴 뭐야. 너희들 상급자지. 나에게 시비 걸지 말고 도시나 부수라고. 저 여자애도 데려가서 먹든 말든 알아서 하……."

그러나 아그니가 말하는 순간 다른 한 놈이 다트를 아그니의 얼굴 정면으로 던졌다. 이 멍청한 폭력배들은 보탁 연합을 통해서 내려오는 지시가 아니면 자신들의 편이라고 생각하지 않는 듯했다. 아그니는 날아드는 다트를 손으로 잡았지만 뱀파이어가 던진 다트를 과소평가해서일까? 살짝 아래에서 위로 날아드는 다트를 받아 쥔 것만으로 위로 붕 뜬 아그니의 머리가 푸드코트 천장에 부딪혔다.

"칵……."

아그니가 짜증 섞인 비명을 지르자 뱀파이어들이 달려들었다. 그러나 그들을 향해 수직으로 오렌지색 불길이 달렸다.

"마음이 바뀌었다. 짜증 나니까 너희들 다 죽어. 역시 나에게 단체 활동은 안 맞는다니까."

아그니가 짜증 내며 달려드는 뱀파이어들을 공격하기 시작했다.

잠시 후… 무슨 튀김집 영업 준비하려고 미리 튀겨놓은 것처럼 무수한 고기 튀김으로 변한 뱀파이어들을 사방팔방으로 흩

뿌린 아그니는 코웃음 쳤다.

"아, 짜증 나. 요즘 놈들은 왜 위아래도 없냐? 물론 나도 나보다 위로 대접해 주는 놈은 없지만 내 밑의 놈들이 날 대접하지 않는 건 짜증 나는군."

아그니는 목을 까딱이며 방금 전까지 뱀파이어에게 잡혀 있던 여자아이에게 다가가 보았다. 아이는 뱀파이어들에게 잡힐 때 이미 긁혀서 피라도 흘리고 있었는지 기분 좋은 피 냄새를 풍기고 있었다.

"흠… 뭐 간식 정도지만 내가 먹을까? 저 바보 녀석들 상대하느라 힘도 썼고. VT인자가 요동치긴 하지만 괜찮겠지."

아그니는 그렇게 말하며 여자아이에게 접근했다. 그때 여자아이가 깜짝 놀라서 말했다.

"저… 저기… 고맙습니다!"

"…응?"

아그니는 어깨를 으쓱해 보였다.

"이봐. 뭔가 오해하는 모양인데 나는 그렇게 좋은 사람이 아니라고. 널 살려주려고 한 게 아니라……."

아그니는 여자애를 보면서 어이없어했다. 이 여자애는 아그니가 뱀파이어들을 초자연적인 힘으로 도륙 내는 걸 보고도 아그니가 자신을 도와서 구해주려 한 것으로 착각하는 모양이었다.

아니면 알면서 능청을 떠는 걸까?

그러나 아그니는 이 여자애를 살려둘 생각이 없었다.

"웃기지 마. 나는 내추럴 본 악당이다. 이런 어린것 먹어봤자 간에 기별도 안 가겠지만 여기 죽어 있는 무수히 많은 시체에게 미안하지도 않냐? 누군 죽이고 누군 안 죽이게? 난 공평하게 악을 행사할 거다. 그러니까 허튼짓하지 말고……."

아그니는 빠르게 중얼거리며 여자아이에게 손을 뻗어왔지만 여자아이는 고개를 갸웃거렸다.

"발음이 너무 엉망이라 잘 못 알아듣겠어요."

"…야, 절대 아니거든?"

아그니는 자신의 영어 발음에 트집 잡는 소녀를 보고 기막혀 했다.

"나야말로 영국식 악센트를 자랑하는 끝내주는 발음의 소유자인데."

"전 영국인 가정교사 밑에서 배웠는걸요?"

"…그, 그런가?"

"뭐, 알겠어요."

소녀가 불쌍하다는 듯 아그니를 바라보았다.

"그보다 저는 지금 어떻게든 어머니랑 다시 만나기로 했는데……."

소녀는 그렇게 말하며 다시금 차에 올라타서 시동을 걸려 했다. 그러나 뱀파이어들이 들었다 놓는 과정에서 섀시에서 엔진이 뒤틀려져 연료가 새고 있던 차다.

"이봐!"

깜짝 놀란 아그니는 반사적으로 앞 유리창을 깨고 소녀를 끄

집어내었다. 그와 동시에 플러그가 점화, 차가 폭발했지만 아그니는 소녀와 함께 무사히 한 걸음 뒤로 빠져나왔다.

"원, 세상에. 프로톤(Proton:말레이시아 자동차 회사) 진짜 차 개판으로 만드네."

아그니는 차의 모델을 확인해 보고 제조사인 프로톤을 욕했다. 물론 뱀파이어들이 한차례 들었다 났다 해서 부숴놓은 차이긴 하지만 연료가 이렇게 쉽게 외부 연소 되다니… 아마 전기 배선도 뒤틀려서 노출된 게 아닐까?

"나 참… 이 꼬맹이가 무슨 엉뚱한 짓을 하는 거야? 죽여 버린다?"

아그니는 새 담배를 입에 물고 담배 끝을 손으로 비벼 불을 붙였다. 그러나 소녀는 무표정하게 차를 바라보고 한숨을 내쉬었다.

"아버님이 충격 먹겠군요. 중고로 산 지 얼마 안 되는 물건인데."

"저런 다 썩은 차를 중고로 살 정도면 그렇게 부잣집 집안은 아닌 것 같은데 영국인 가정교사를 뒀어? 네 뇌 내 망상이 여기서 발각되는군. 쯧쯧. 뭐 어린 시절에 중2병이나 망상은 누구나 겪는 거니까."

아그니는 앞뒤가 안 맞는 말에 비웃었지만 소녀가 묵묵히 고개를 끄덕이는 걸 보았다.

"우리 집은 진짜 부자예요. 아버지가 저 차 파는 사장일 뿐이지요."

"흠… 너희 집이 어딘데?"

아그니가 물어보자 소녀는 손을 들어서 저 멀리 보이는 콘도미니엄을 가리켰다. 20층 정도의 고층 건물로 한국으로 말하자면 거대한 아파트였다.

"절 저기까지 데려다주시면 부모님이 사례해 주실 거예요. 그게 아니더라도 지금 도와주신 것만으로 고맙습니다."

소녀가 아그니에게 인사를 하자 아그니는 어이없어서 피식 웃었다. 지금 이 여자애는 아그니가 그녀를 살려주었다고 생각하는 모양인데 웃기는 소리다. 아그니는 지금 여기 있는 인간 대부분을 죽인 장본인이다. 그런 그를 향해 고마워하다니 이 무슨 촌극인가?

"도와준 거 아니라니까 그러네. 너 내 말 알아들으면서 일부러 그러고 있는 거지? 뭐, 좋아. 네 부모네 집이 저기라고? 그다지 할 짓도 없는데 함께 가볼까?"

어쩌면 아웃레이지에 오염되지 않은 새로운 생존자들을 찾을 수 있을지도 모르고. 아그니는 그리 생각하면서 소녀를 바라보았다.

'배가 부르니까 지금 당장 과식을 하기보다는 좀 더 사람을 찾아두는 것도 괜찮겠지. 나중에 이 여자애가 보는 앞에서 온 가족을 먹어치우면 아주 볼만하겠군.'

음흉하고 사디스틱한 상상을 하면서 아그니는 내심 낄낄 웃었다.

7

장칵라이와 쿠루빌리슈난은 정글을 빠져나와 무사히 해안에 도착했다.

그사이에 습격해 온 테트라 아낙스의 뱀파이어 군대가 있었지만 그들은 아무렇지도 않게 그 뱀파이어 군대를 처단했다. 아니, 정확히 말하면 쿠루빌리슈난이 혼자서 처리했다.

"테트라 아낙스의 처형 부대라는 것들이 무섭다고는 들었는데 별거 아닌 것 같군……."

장칵라이는 쿠루빌리슈난이 혼자 정글로 사라졌다 나타나면 여지없이 줄어드는 테트라 아낙스의 추적 부대를 보며 중얼거렸다. 물론 그도 사실은 쿠루빌리슈난이 대단한 거라는 걸 알고 있었다. 저 정도 무장된 병력이면 뱀파이어가 아니라 인간이라도 위협적일 텐데… 쿠루빌리슈난은 코브라 인간으로 변해서 정글 사이로 스며들었다가 기습하는 데 특화되어 있었다.

그렇게 수차례 추격자들을 몰살시키는 걸 거듭하니 이제 더이상 테트라 아낙스의 추격자들이 보이지 않았다. 하긴 테트라 아낙스가 대단하다고 해도 전 세계 곳곳에 병력을 투사하는 일은 쉬운 일이 아니다. 이렇게 빨리 병력을 보낸 걸 오히려 칭찬해야겠지.

어쨌거나 그동안 미사일 쏘라고 보채던 쿠루빌리슈난에게 장칵라이는 새로운 시선을 가지게 되었다. 그동안 막연히 그가 라이칸스로프지만 자신도 뱀파이어니 괜찮지 않을까 생각하던 장칵라이였는데 이제 보니 이거… 자신으로서는 상대가 안 되겠다. 책상물림인 그로서는 싸움이 시작되자마자 쿠루빌리슈난에게 손가락 하나 대지 못하고 살해당할 판이다. 그리 생각하니 자연히 그를 대하는 태도가 조심스러워졌다.

장칵라이의 태도가 얌전해지자 쿠루빌리슈난도 장칵라이에게 온화해졌다.

"이제 곧 해안의 약속 장소에 도착할 거요. 나야 잘 모르겠지만 당신의 기술을 우리 보스에게 전했더니 매우 감탄하던데… 앙리 유이에게 충성하지 말고 우리 베오울프에 들어오는 건 어떻겠소?"

쿠루빌리슈난은 장칵라이를 뒤에 태우고 털털거리는 오토바이로 해안을 따라 움직이면서 그렇게 물어보았다. 대뜸 베오울프로 전향하라는 건가?

"아웃레이지라면 평생 쓸 정도를 준비해 줄 수 있소."

"처음엔 되게 평가절하 하더니만 어째서 갑자기 그렇게 바뀌었습니까?"

비록 쿠루빌리슈난의 무력이 무섭긴 하지만 그가 자신을 밍기적거리면서 조직의 돈과 역량만 까먹는 소심이로 취급했던 것은 잘 기억하고 있다. 장칵라이는 쪼잔한 인간이라 그런 걸 잊을 수 없었다.

"아니, 그게… 처음엔 우리 보스도 그 이미 있는 미사일을 재조립하는 거라 별로 신경을 안 쓴 모양이오. 그런데 그 안의 고체 연료를 빼내고 새로 연료를 만들어 넣었다는 이야기를 듣더니만 그게 꽤 어려운 일이라고, 당신을 헤드헌팅하고 싶다지 뭐요?"

'그동안 까삼 로켓 만들던 하마스 취급 했으면서 뭘······.'

장칵라이는 내심 울화가 치밀었지만 이 친구에게 까삼 로켓과 크루즈미사일의 차이를 이해해달라는 게 무리겠지. 그래도 알고 있는데도 괜히 앓는 소리가 나온다.

"아니, 이치를 알면 자명한 일 아닙니까? 수 킬로미터 나가는 놈은 그냥 막 만들면 되겠지만 수십, 수백 날아가는 미사일이면 그 제작 난도는 수백 배로 뛰어오릅니다. 비단 로켓이나 미사일에 해당되는 게 아니라 어디든 마찬가지라구요. 생각해 보세요. 한 명이 혼자 시내를 돌아다니면 뭐 계획을 세우고 관리하고 할 필요가 없지만 백 명이 함께 움직이게 되면 관리해야 하고 신경 써야 할 게 얼마나 많습니까?"

"워워. 아직 주행 중이니 진정하시오. 이놈의 오토바이가 낡아서."

쿠루빌리슈난은 흥분해서 언성을 높이는 장칵라이의 태도를 너털웃음으로 받아넘겼다. 그게 더 자극해서일까? 장칵라이는 더더욱 열성적으로 설명을 시작했다

"예컨대 연료만 해도 그렇지요! 단순 고체로켓이라고 해도 안의 연료가 산화되면서 공동화 현상이 일어나게 됩니다. 그냥 연료를 균등히 넣으면 고체 연료가 중력과 대류 때문에 변화하면서 추력 편향이 발생하고··· 자세제어용 연료도 비행 중 과열되는 것으로 인해······."

"아, 그렇게 말해도 난 모르오. 그냥 대단한가 보지. 그래서 베오울프에 들어올 거요?"

자신의 업적이 얼마나 대단한지 막 열불 올리며 해설하려던 장칵라이는 입을 한일자로 굳게 다물었다. 어쨌거나 베오울프 측에서 장칵라이가 단순한 놈이 아니라 장래성 있는 기술자라는 걸 이해해 준 것만으로도 다행이라고 해야겠지.

'기분 나쁜데.'

장칵라이는 쿠루빌리슈난의 태도에 짜증을 냈지만… 그가 테트라 아낙스의 처형 부대를 몰살시키는 걸 보니 화를 낼 수가 없었다. 그는 쿠루빌리슈난을 적당히 칭찬하면서 거리를 두었다.

"다, 당신도 테트라 아낙스의 군대를 혼자서 간단히 물리쳤으니 인정해 주겠소. 뭐, 미사일 발사에 대해서 아무것도 모른다 해도 훌륭한 전사라는 건 인정할 수밖에… 하지만 베오울프에 들어가는 건 내가 결정할 일이 아니오."

"음?! 아직 모르고 있는 건가? 아, 다 왔군."

그때 쿠루빌리슈난이 타고 있던 오토바이를 멈춰 세웠다. 해안을 따라 마을이 형성되어 있는데 그 마을 어귀 쪽, 작은 어선들만 겨우 들어올 곳에 크레인 달린 대형 어선 한 척이 들어와 있었다.

"저 배입니까? 어선이군요."

"아니?!"

그때 쿠루빌리슈난이 놀랐다. 장칵라이는 괜히 혼자 놀라고 있는 쿠루빌리슈난을 보고 의아하게 여겼다.

"뭘?"

하지만 그가 뭐냐고 물어보기도 전에 이변이 벌어졌다.

갑자기 어선의 상공에서 빛의 기둥이 나타나 어선을 강타했다.

우오오오오…….

그리고 무수한 사람이 일제히 지르는 비명 같은 것이 어선을 중심으로 사방으로 퍼져 나갔다. 강력한 텔레파시 충격파가 영육을 가진 존재를 모두 갈기갈기 찢어발기려 한 것이다. 뱀파이어나 라이칸스로프는 인간에 비해 월등한 신체 능력을 가지고 있지만 그들의 영적인 면이 인간보다 딱히 나을 건 없다. 특히 이런 공격에 대한 저항력 면에서는 더더욱 그렇다.

"악!"

"크윽!"

직격당하지 않은 장칵라이와 쿠루빌리슈난도 허우적거렸다. 장칵라이는 바이크에서 뛰어내려 지상에 엎드렸는데 갑자기 둔중한 소리가 울려 퍼졌다. 그게 자신의 척추가 부러지면서 나는 소리라는 걸 깨달았을 땐 이미 장칵라이의 몸이 으깨져 있었다.

후두부에서 가해진 강한 일격에 목뼈가 부러지고 머리가 몸통 안으로 파고들면서 척추가 부러졌다. 그럼에도 불구하고 의식은 완전히 끊기지 않아서, 장칵라이는 자신을 덮친 이를 직접 눈으로 볼 수 있었다.

스테로이드를 잔뜩 빤 말기의 배리 본즈같이 생긴… 메스티

조계 남자가 서 있었다. 앞머리는 탈모인지 면도를 했는지 바짝 쳐올렸지만 뒤쪽은 드레드를 한 기괴한 모습의 남자는 놀랍게도 이 열대에 어울리지 않게 조끼에 와이셔츠 차림을 하고 손에는 가짜 다이아몬드가 박힌 엽기적인 너클을 끼고 있었다.

"석세서가 직접 투입?"

쿠루빌리슈난은 눈앞의 상대를 알아보았다. 조반니 반테로, 테트라 아낙스가 만든 인공적인 진마다. 능력상으로는 손색이 없지만 다른 뱀파이어들이 인정하지 않아서 진마라기보다는 테트라 아낙스의 용역쯤으로 여겨지고 있는 그가 직접 투입되다니. 역시 테트라 아낙스의 병사를 너무 많이 죽여서 이목을 끈 것일까?

쿠루빌리슈난은 즉시 변신했다. 장칵라이가 미사일 기술자로 테러범이나 용병들 사이에서는 쓸 만할지 모르지만 테트라 아낙스 입장에서는 그렇게 중요한 인물도 아니다.

드론에 헬파이어나 LAHAT 미사일을 실어서 운용할 수 있는 놈들에게 독학으로 미사일 기술을 터득한 장칵라이는 살려두기보다 얼른 죽여서 후환을 없애는 게 이득이다.

지금 이 순간 공격해서 상대를 몰아붙이지 않으면 장칵라이를 잃게 된다. 그렇게 걱정한 쿠루빌리슈난은 코브라 인간으로 변신하면서 한 손으로 총격을 퍼부었다. AK—47의 중국 복제판인 56식 소총이 불을 뿜었지만 조반니는 쓰러진 장칵라이를 쳐올려서 총구를 향해 던지고 롱 훅을 날렸다.

쉭!

이미 코브라로 변한 쿠루빌리슈난의 목은 유연하고 **빠르게** 조반니의 훅을 피해내고 되레 독니를 세워 조반니의 팔뚝을 물어뜯으려 했다. 독사처럼 **빠르다는** 관용구가 있는데 정말 그 말대로, 뱀파이어로서 신체 능력의 정점에 가까운 조반니의 공격도 쿠루빌리슈난의 반사 신경에 비하면 느렸다.

이런 반사 신경의 차이로 쿠루빌리슈난은 무수히 많은 뱀파이어 군인을 정글에 사장시켰다. 조반니도 별반 다를 바 없다…고 생각했는데.

조반니의 팔은 이미 없어져 있었다. 쿠루빌리슈난의 독니가 허공을 무는 것과 동시에 어퍼컷이 놀랍게도 쿠루빌리슈난의 사타구니 아래쪽에서 위로, 남성기를 강타하는 형태로 꽂혔다.

조반니가 자신의 훅을 텔레포트시켜서 이런 노골적인 공격으로 바꾼 것이다.

"컥!"

예상외의 타격에 쿠루빌리슈난이 비명을 질렀다. 그러나 이 쿠루빌리슈난의 물기는 조반니조차 간담이 서늘하게 하는 것이었다. 쿠루빌리슈난의 사타구니를 강타하고 싶다는 치기 어린 생각이 아니었다면 물렸을 것이다.

"안 되겠군."

조반니는 이 코브라 인간과의 근접전은 굉장히 위험하다는 걸 단번에 깨닫고 장칼라이를 붙잡고 미련 없이 텔레포트해 그 자리를 떠났다.

"이런 개자식! 치고 도망가?"

쿠루빌리슈난은 조반니가 텔레포트하기 전에 잡으려 했지만 텔레포터가 작정하고 도망치면 아무리 라이칸스로프라고 해도 쫓을 방법이 없다.

8

아그니는 소녀를 데리고 고급 콘도미니엄으로 향했다. 확실히 이 소녀는 원래 이곳의 주민인지 콘도미니엄의 카드키로 콘도미니엄 보안 문을 열었다.

"이쪽에… 부모님이 와계실 거야. 여기로……."

소녀가 아그니를 손짓으로 부른다. 아그니는 그런 소녀의 모습을 보고 쓴웃음을 지었다.

"과연 그럴까?"

아그니는 콘도미니엄의 수영장을 바라보았다. 25미터 레인 풀의 안에는 토막 난 사람들의 시체가 떠다니고 있었고 열대의 수목이 가득한 정원 인근에는 이성을 잃은 구울들이 배회하고 있었다. 이미 이 콘도미니엄은 뱀파이어의 습격을 받았을 것이다.

그리고 아그니라 해도 먼저 이 콘도를 공격했겠지. 이곳은 고급스러운 건물이다. 보안 시스템으로 일반적인 인도네시아인들과 거리를 둔 부자들만의 성채. 한 달에 200달러에서 300달러로 하우스 메이드를 거느리고 살아가는 외국 회사의 주재원이

나 인도네시아 부자들의 성. 깨끗하고 주위와 격리된 이런 환경은 보탁 연합의 폭력배들에게는 갈망의 대상이면서 동시에 증오의 대상일 것이다.

폭동이 일어나면 먼저 습격당하는 게 당연하다. 하지만 소녀는 일부러 피와 시체를 외면하고 콘도미니엄 쪽으로 걸어갔다. 피가 묻어 있는 엘리베이터 도어는 얄궂게도 이런 상황에서도 정상적으로 작동되고 있었다.

"이거 내가 손을 쓸 필요가 없겠군."

아그니는 쓴웃음을 지으며 소녀를 뒤따랐다. 소녀의 상태가 어째 이상하다 싶었는데 역시… 이미 이 소녀는 망가져 있던 건가? 하기야 어린아이가 제정신을 유지하기엔 너무나 큰 충격적인 일들이 일어났을 것이다. 이 미쳐 버린 폭동의 도시에서 힘없고 연약한 소녀가 아주 멀쩡할 수는 없겠지. 설령 그 몸에 상처 하나 없더라도 영혼은 이미 죽기 직전의 중상을 입었을 것이다.

그런 아이의 육신마저 죽음에 이르게 해서 차라리 그 고통에서 벗어나게 해주는 것이 자비이겠지. 그렇다면 아그니는 그 자비를 지금 당장 베풀지는 않을 것이다.

소녀와 함께 그 집을 확인하고 이 아이에게 더욱더 깊은 절망과 고통을 안겨준 뒤에 목숨을 빼앗겠다. 그렇게 정한 아그니는 기꺼이 소녀와 함께 엘리베이터에 탑승했다. 잠깐의 시간과 수고를 들여서 더 맛있는 음식을 먹는다. 아그니에겐 고작 그 정도의 일일 뿐이었다.

엘리베이터는 13층에 멈추었다.

13층 복도에는 이미 피와 살점이 가득했다. 경찰 특공대인지 보안업체의 경비병인지 방탄조끼를 입은 말레이반도 사람이 쓰러져 있었고 그의 몸에는 혈액 한 방울 남아 있지 않았다. 육즙을 다 뽑아낸 가죽 부대같이 변한 시체들이 널려 있는 걸로 보아서 이곳에는 이미 흡혈귀의 손길이 닿았다.

하지만 아그니는 묵묵히 소녀가 문을 열게 내버려 두었다. 소녀는 전자 키로 잠겨 있는 현관문에 달라붙어서 고사리 같은 손으로 꼼꼼하게 암호를 누르고 힐끔 아그니를 돌아보았다.

"방금 우리 집 번호를 봤지요? 기억에서 지우세요."

"아니, 지우라고 그게 지워지나."

아그니는 그렇게 넉살을 떨면서 안으로 들어와 보았다. 입구에는 신발이 한쪽으로 치워져 쌓여 있고 핏방울을 밟은 흔적이 있는 운동화 발자국이 점점이 찍혀 있었다. 현관 맞은편 식당에는 15~6세쯤 되어 보이는 소녀가 적갈색의 메이드복, 그러니까 세탁소 직원 유니폼과 별반 다를 바 없는 바지와 짧은 셔츠 차림으로 죽어 있었다. 살해당하기 전에 강간을 당했는지 바지가 찢겨 있고 피와 정액으로 범벅된 하복부를 그대로 노출하고 있었다.

아그니를 이곳으로 인도한 소녀는 분명히 그 여성을 발견했지만 고개를 가로저었다.

"비키는 어딜 간 거람? 보이질 않네."

아마도 죽어 있는 저 여자아이가 '비키'이리라. 아그니는 미소를 지으며 소녀의 뒤를 따라 걸었다.

이 층, 바로 이 집 안에 인기척이 있다. 상대는 자신의 존재를 숨기려 하지 않고 있었다. 금수가 그르렁거리는 듯한 소리가 들리는 걸 보니… 아마도 재미있는 걸 볼 수 있을 것이다.

아그니는 그런 기대를 하며 어흠 하고 헛기침을 했다.

쓸데없는 짓이었다. 상대는 문이 열린 순간 이미 아그니와 소녀의 도착을 알고 있었다. 과연 복도 쪽 문이 열리고 그곳에는 젊은 여성의 팔을 질질 끌고 걸어오는 뱀파이어가 있었다.

"응? 너희들은 뭐야?"

"미안하지만……."

아그니가 손가락을 튕겼다. 그러자 황금색 불길이 일어나며 뱀파이어의 팔과 목을 동시에 끊어버렸다. 물론 이 뱀파이어도 아웃레이지로 활성화된 육신을 가지고 있어서 그 정도로는 죽지 않았다. 그러나…….

아그니는 입에 담배를 물고 훌쩍 뛰어들어 뱀파이어의 몸을 발로 걷어찼다. 아그니의 발차기에 맞은 부위와 그 안쪽을 통해서 뜨거운 열기가 관통하고 단번에 뱀파이어의 피부를 바짝 튀겨 버렸다.

"크억!"

갑자기 날벼락을 맞은 뱀파이어가 허우적거리며 뒤로 물러섰지만 그 동작만으로도 몸의 피부가 바삭바삭 부서져 내렸다.

"베이징 덕 같군. 아웃레이지에 오염되어서 먹어볼 수 없다는 게 유감이야. 살집이 좀 있는 인간은 오리고기 맛이 나던데."

아그니는 그리 중얼거리며 아직도 정신을 못 차린 뱀파이어의 머리통을 하이킥으로 걷어찼다. 상대는 방어를 끌어 올려서 아그니의 공격을 막아내었지만… 역부족이었다.

뿌득!

뼈가 부러지고 뱀파이어의 몸이 부서지면서 끓는 기름이 사방으로 방울방울 튀었다.

그게 자신의 몸에서 튄 지방이라는 걸 깨달은 뱀파이어는 입을 쩍 벌린 채 허망하게 풀썩 쓰러졌다.

"자… 그럼 마저… 방을 볼까? 꼬마 아가씨? 자, 얼른 네 가족을 찾아보자고."

아그니는 그렇게 말하면서 문을 열어보았다. 복도 쪽에는 빈말로도 미인이라고 할 수 없는 50대 백인 여성이 쓰러져 죽어 있었다.

소녀 역시 아그니의 발치 아래 죽어 있는 50대 여성의 시체를 발견했다. 그녀의 눈동자가 크게 흔들렸지만 이내 그녀는 무표정을 가장했다.

"오늘은 피아노 레슨 받는 날이에요. 미세스 그윈은 제 가정교사이시면서 저희 어머니의 은사였대요."

"아, 그래. 정말 부잣집이었구나."

아그니는 소녀의 말을 맞장구쳐 주면서 입에 문 담배에 불을 붙였다.

"너희 집 실내는 금연이던가?"

"아버지도 담배를 피우시긴 하지만 집에서 피우시면 혼나곤 했어요."

"그래?"

아그니는 입에 물고 있던 담배를 빼내서 자신의 혀에 비벼서 끄고 꽁초를 휙 집어 던졌다. 담배꽁초가 매끄러운 타일이 붙어 있는 벽에 찰싹 달라붙었다. 남의 집 벽에 담배꽁초를 붙이다니, 차라리 그냥 피우는 게 덜 민폐이지 않을까 싶지만 소녀는 별말을 하지 않았다.

"무슨 일이야?"

다른 방에서 튀어나온 뱀파이어는 웃기게도 컴퓨터와 작은 금고를 각각 옆구리에 끼고 나오고 있었다. 이런 상황에서 대체 저런 게 무슨 가치가 있다고 약탈을 하는지 모르겠지만 뭐, 폭도들에게 이성적인 생각을 기대하는 것 자체가 어리석은 일일까? 아그니는 가볍게 손을 털어 상대 뱀파이어의 안면에 주먹을 꽂아주고 허리에 니킥을 꽂아 넣어 상대를 불덩이로 만들어 버렸다.

얄궂게도 스프링클러가 작동해 복도에 물이 쏟아지기 시작했다.

"꺅!"

소녀는 처음으로 비명을 질렀다. 시체들과 뱀파이어들을 봐놓고서 무시하다가 스프링클러에 비명을 지르다니… 역시 완전히 무심한 존재를 연기할 수는 없었던 것일까?

"건물이 잘 지어졌군. 비싼 곳이겠어."

아그니는 제대로 작동하는 스프링클러에 대한 감상을 그렇게 토로하고 앞으로 걸어나가 보았다. 서재와 침실 쪽에는 젊은 여성과 좀 나이 든 남자가 죽어 있는 게 보였다. 남자는 벽에 무수히 많은 식칼로 꽂혀 있었고 여성은 역시 뱀파이어들에게 간살당한 흔적이 있다.

"흠. 자, 아가씨 여기 와봐라."

아그니는 본능적으로 이게 아이의 부모임을 깨달았다.

소녀가 다가오자 아그니는 그녀의 눈높이로 무릎을 꿇고 앉아서 시체들을 가리키며 설명했다.

"뱀파이어는 절대 성행위만으로 절정에 도달할 수 없어. 그래도 대부분의 폭도 뱀파이어는 여자를 강간하면서 흡혈한단다. 왜냐면 강간이라는 건 사실 성욕보다 지배욕이 더 크게 작용하는 거거든. 저 상처의 상태를 볼 때 아마도… 남자는 칼에 찔려 몸부림치면서도 살아남아 있었을 것 같군. 바로 숨이 끊어지지 않고 이 모습을 지켜보고 있었을 거야. 어때? 알겠니? 죽기 직전의 상황을?"

"아… 아빠! 엄마?!"

다른 사람들의 죽음은 무시하던 소녀였지만 역시 부모의 시체를 앞에 두고 평온을 유지할 수는 없는 것 같았다. 깜짝 놀란 소녀가 앞으로 뛰어갔지만 그녀는 곧 머리를 감싸 쥐었다.

"윽… 아윽……."

"충격이 너무 과했나?"

아그니는 소녀의 반응을 보고 쓴웃음을 지었다. 어차피 그녀가 처음 자신의 앞에 나타났을 때도 제정신이 아닐 거라고 생각하고 있었다. 이미 미쳐 있는 여자애가 그 단계를 한 걸음 더 나아간다 해서 뭐 다를 게 있을까?

'다만 신경 쓰이는 건 여자애가 처음에는 푸드 코트에 있었는데 그때는 마치 어머니와 바로 헤어진 것처럼 말했다는 거지. 흠, 설마 저 여자가 살기 위해서 자신의 딸을 버리고 도망친 걸까? 그러고 보면 모녀간이라고 하기엔 여자가 젊어 보이는데.'

아그니는 그런 생각을 하다 자신의 입꼬리가 올라가 있다는 걸 자각하고 얼굴을 주물렀다. 웃느라 얼굴에 경련이 생길 지경이다.

'만약 그런 거라면 이거 참, 맛있는 음식에 향신료를 더하는 꼴이겠지만… 진위를 가릴 수는 없을 것 같군. 죽은 시간이, 꽤 된 것 같은데. 에이, 무슨 상관이야. 간식은 역시 이 정도가 적당해. 너무 과하게 공을 들이면 버릇된단 말이지.'

아그니는 시체를 보며 소녀가 충격에서 헤어나길 기다렸다. 소녀가 충격에 망가지든 망가지지 않든, 이제 아그니는 이 소녀를 먹어치울 셈이었다. 식사량으로 따지자면 그리 많지 않은 피지만, 이런 공을 들이고 나면 각별한 맛이 날 것이다.

하지만 그때 아그니가 들어왔던 문 뒤쪽이 열리는 소리가 들려왔다. 누군가가 아그니의 뒤를 따라 이 콘도 안에 들어온 것이다. 호기심을 느끼고 뒤돌아본 아그니는 갑자기 벽을 부수고 자신에게 날아드는 칼날을 느끼고 깜짝 놀랐다.

"읍!"

꼴사납게 지면을 구르며 공격을 피해냈다. 그뿐만이 아니다.

피할 공간이 없어서 몸으로 책상에 충돌했는데 그 책상이 깨지면서 파편과 나뭇조각이 튀어 올라 아그니의 얼굴을 노렸다.

아그니는 자신의 얼굴로 날아드는 파편을 낚아채서 상대의 목을 향해 찔러 넣었다. 그러나 그 상대는 움칫하더니만 몸을 숙여서 피하고 놀랍게도 하단 돌려차기, 수면차기를 펼쳐 보였다. 좁은 공간에서 쓸 기술인가? 싶어서 아그니는 다리를 들어 발차기를 피했지만…….

그다음 순간 아그니의 무릎 아래가 시큰한 느낌을 받았다.

"…크……."

놀랍게도 상대는 아그니의 다리를 잘라 갔다. 그러나 그 대가로 아그니의 화염고리가 상대의 목을 둥그렇게 휘말아 태웠다.

"컥!"

상대는 단숨에 목을 탄화시키는 아그니의 화염고리에 의해 무릎을 꺾고 주저앉았다. 그제야 아그니도 상대를 자세히 볼 수 있었는데 놀랍게도 노란 털을 가진 웨어타이거였다. 칼이라고 생각한 건 놈의 손톱이었는데 일반 호랑이보다 훨씬 길게 자라난 발톱이 마치 거대한 단검 같았다. 그는 저걸로 벽을 뚫고 들어와 아그니의 무릎 아래를 잘라 간 것이다.

'이거 참, 체면 구겼군. 하지만 이 라이칸스로프… 강한데?'

아그니는 잘린 자신의 다리와 라이칸스로프에게 들린 다리를 헤아려 보고 미련 없이 잘린 다리를 포기하고 자신의 육신 안에서 새롭게 다리를 만들어냈다. 상처 절단 부위에서 순식간에 다리가 재생된다. 다행히 지금 아그니는 인간의 피를 잔뜩 먹어둬서 소화가 안 될 지경이기 때문에 다리 하나둘 재생시키는 정도로 큰 손실은 없다.

다만 상처 입은 자존심이 문제다. 라이칸스로프야 원래 뱀파이어들에게 강적이긴 하지만 이렇게 쉽게 육체 손상을 입다니?

그런데 이 웨어타이거도 탄화되어 날아간 머리를 간단하게 재생하는 게 아닌가?

'2세대나 1세대? 순종 라이칸스로프란 말인가?'

아그니는 그리 생각하며 다음 공격을 이으려 했다. 웨어타이거도 반격하려 하지만 서로서로 공격이 엇갈리기 전 웨어타이거의 뒤쪽에서 누군가가 슬쩍 튀어나와 아그니의 손을 맞잡았다.

"크!"

손가락 사이사이로 깍지까지 끼워졌다. 보통 맞잡기라면 손위를 덮어서 잡거나 호구가 맞물리게 잡게 마련인데 손가락을 끼워 잡다니? 완전히 아그니의 움직임을 읽지 않고서는 불가능한 행동이다.

더 놀라운 것은 그것만이 아니다.

'혈인 능력이… 작동하지 않아?'

깜짝 놀란 아그니가 자신을 맞잡은 이를 바라보니 반흑, 반백의 프랑켄슈타인 같은 괴물이 눈앞에 있었다. 그것은 마치 무기질의 유리알처럼 보이는 눈으로 아그니를 뚫어져라 보고 있는데 침전물이 다 가라앉은 흙탕물 같다. 끔찍하게 가라앉은 눈빛이라 아그니는 재차 놀랐다.

"…진마 아그니로군. 싸우지 마라. 고객님이니까."

"네……."

웨어타이거 청년은 고개를 끄덕이고 뒤로 물러났다.

"…너희들이 베오울프인가?"

아그니는 자신을 맞잡고 있는 이의 손을 빼내고 그를 노려보며 조심스럽게 혈인 능력을 발동시켜 보았다. 이 세상이 혼탁해져서 아그니의 혈인 능력은 지속적으로 강화되고 있었는데 어찌 된 일인지 지금은 약해진 것 같다. 마치 방해받고 있는 듯한 느낌이다. 능력을 쓰자고 하면 못 쓸 것도 없지만 발에 추를 달고 풀장에 들어가서 허우적거리는 것 같다. 평소만큼의 역량이 전혀 나오질 않는다.

"안녕하십니까, 베오울프의 CEO 한니발입니다. 존 보탁의 젊은 애인이 이 근처 콘도미니엄에 살고 있다고 해서 확보하려고 왔습니다만. 앙리 유이와 저희가 계약을 체결해서 당신도 저희 고객님인데… 이거 참 오발 사고를 일으켜서 죄송합니다. 뭐 용병들이 실무 단계에서 프랜들리 파이어(Friendly fire:아군 오발 사고)를 일으키는 거야 흔한 일이긴 한데… 서비스업에 임한 자로서 올바른 자세가 아니겠지요."

사과를 하겠다는 건지 핀잔을 주겠다는 건지 모르겠다. 그러나 아그니는 지금 눈앞의 이 남자와 서비스업의 정신을 논하거나 서비스 이용자로서의 컴플레인을 걸 생각은 없었다.

월야의 세계에서 가장 세속주의적인 자로서 아그니는 심층적인 영능력의 세계에 관심이 없었다. 그래도 그는 지금 눈앞에 있는 녀석이 영적으로, 그 어떤 악령이나 악귀보다 더 이질적인 존재라는 걸 본능적으로 알 수 있었다. 이런 녀석과 얽히거나 자존심 싸움을 해봤자 소용이 없다.

이건 현세의 법칙과 유리된 이형의 존재다. 돌이나 유리와 자존심 싸움을 하는 사람이 없듯, 무시하고 지나가는 게 좋을 별개의 존재다.

"……."

"저 아이는?"

"내 도시락이다. 신경 끊으시지?"

아그니는 한니발과 여자아이 사이에 섰다.

"흐음… 하긴 아웃레이지가 번지고 있으니 오염되지 않은 인간을 구하는 것도 힘든 일이겠지요. 하지만 아웃레이지의 컨트롤을 빼앗고 싶은 마음은 없습니까?"

"뭐?"

"아웃레이지의 컨트롤을 빼앗을 수만 있다면 이 아웃레이지 증식은 오히려 좋은 기회일 텐데요? 빠르게 VT인자를 늘리는 것과 비슷한 효과를 낼 수 있을 겁니다만?"

"……."

앙리 유이와 아그니를 이간질할 셈일까? 원래부터 아그니는 앙리 유이를 그다지 좋아하지 않기도 했고 아웃레이지의 컨트롤을 빼앗을 수 있다면 설령 아웃레이지에 오염당한다 하더라도 괜찮다.

그러나 지금 아그니는 결코 좋아지지 않는 앙리 유이보다 눈앞의 이 남자가 더 싫었다.

"헛소리로군. 못 들은 셈 치지."

"…아, 네. 제가 좀 지나쳤군요."

한니발은 어깨를 으쓱해 보였다. 짜증 나는 놈이다. 심상치 않은 헛소리로 사람을 들쑤셔 놓고 아닌 척하다니.

"그럼 난 가겠어. 야, 가자!"

아그니는 어린 소녀를 재촉했다. 하지만 이 소녀는 제자리에 서서 뭔가를 중얼중얼거리고 있을 뿐 아그니나 눈앞에서 벌어지는 일들을 이해하지 못하고 있었다.

"하긴… 부모의 시체를 눈앞에서 확인했었지? 넋이 나갈 만도 하지. 아니, 만날 때부터 이미 제정신이 아니었나?"

그리고 그걸 가지고 빈정거린 것은 아그니 자신이다. 저 여자아이가 아그니를 따를 이유는 어디에도 없다.

아그니는 담배를 입에 물고 다시 불을 붙였다. 폐부 가득히 담배 연기를 빨아들인 아그니가 쓴웃음을 지었다.

"어쨌든 지금까지 들인 공이 있으니… 여기에 널 놔두고 갈 수는 없다. 가자, 꼬마야."

아그니는 소녀의 손을 잡았다. 억지로라도 이곳에서 빠져나가야 한다. 왜냐면 방금 전부터 이 라이칸스로프 놈들의 시선이 심상치 않기 때문이었다. 이 베오울프라는 놈들은 전부 라이칸스로프로만 되어 있는 건 아니고 인간들도 섞여 있는 그룹이지만, 그 인간이란 것들도 죄다 사이코패스 살인마다. 그리고 사이코패스 살인마에게 가장 흥분되는 진수성찬이 바로 어린 여자아이다.

살인과 강간을 즐기는 변태들이 어린 여자아이를 얼마나 좋아하는지는 잘 알고 있으니까. 아그니 자신도 이 여자아이를 정신적으로 괴롭히고 난 뒤에는 잡아먹으려 하지 않았던가?

그러나 내가 하면 로맨스, 남이 하면 불륜이라는 건 아그니의 인생철학이나 다름없어서 여기서 이놈들에게 이 여자아이를 넘겨줄 생각은 없었다.

하지만 아그니가 여자아이의 손목을 잡아끌었을 때…….

푸학…….

피가 튀어 올랐다. 소녀의 팔이 어깨부터 절단되어서 잘려 나간 것이다.

그리고 그 뒤에는 대머리에 살집이 좀 있는 슬라브계 라이칸스로프가 흠칫하고 놀라고 있었다.

자신도 의식하지 못한 사이에 손이 나가 버린 모양이다. 라이칸스로프에 비하면 인간은 워낙 약한 존재인지라 그렇게 무의식중에 살인을 할 수도 있겠지만… 아그니가 보고 있는데 공격하다니, 명백하게 도발이다.

"이… 자식들이……!"

아그니의 세계가 시뻘겋게 타오르기 시작했다. 하지만 그다음 순간 놀라운 일이 벌어졌다.

"이거 죄송."

한니발이 손을 움직여 가볍게 손가락으로 그 대머리 라이칸스로프의 후두부를 파냈다.

"너희들 데리고 서비스업 하는 내 입장도 생각해 봐야지. 이 전쟁 폐인들아, 어서 사과드려."

한니발은 자신에 의해 뇌가 파여 버린 라이칸스로프를 뒤에서 마치 꼭두각시 인형처럼 집어 들었다. 그리고 뇌를 후비적후비적 파며 조작하자 라이칸스로프가 정말 꼭두각시 인형처럼 움직인다.

갑자기 이 라이칸스로프가 엉엉 운다.

"용서해 주십시오. 엉어엉엉어엉어."

"……."

뇌를 조작해서 감정과 몸을 조종하는 건가? 아그니는 기가 막혀서 그 장면을 보고 손을 멈췄다. 한니발이 워낙 거구인지라 그의 손에 들린 라이칸스로프도 적지 않은 풍채인데 정말 인형 같다.

지금은 일단 그것보다 이 소녀다. 아그니는 몸을 돌려서 소녀를 보고 우선 상처 부위를 지혈했다. 하지만 소녀는 방금 출혈만으로 쇼크를 일으키고 있었다. 죽는 건 기정사실… 그렇게 생각한 순간 아그니는 아깝다는 생각이 들었다.

'이것들이 남이 밥 지어서 막 먹으려는데 재를 뿌리다니. 어찌 된 버릇이람. 사과랍시고 하고는 있지만, 아니 뭐, 저 정도면 제대로 된 사과긴 하지만 짜증 나잖아.'

아그니는 짜증을 내며 엄지를 물어뜯어 피를 냈다. 지금까지 단 한 번도 한 적 없는 짓이지만 상황이 너무 급박하게 돌아가니 무의식중에 그만, 아그니는 자신의 피를 소녀에게 먹였다.

"……."

"오 마이 갓."

"씨발, 큰일 났다."

"미친 새끼. 하필이면 사장님 앞에서……."

벵골어, 힌디어, 몽골어 등등 각국의 언어로 한탄이 나왔다. 아그니가 소녀에게 피를 먹이는 모습을 본 베오울프의 라이칸스로프들이 그리 말하고 뒤로 물러났다.

싸늘하게 식어가는 라이칸스로프들 사이에서 혼자 활화산처럼 끓어오르는 게 있었으니 그건 방금 전까지 라이칸스로프를 사과시키던 한니발이었다.

"지금… 무슨 짓을 한 거지?"

"…아……."

아그니도 그제야 자신이 어울리지 않게 여자아이에게 자신의 피를 먹였다는 걸 깨닫고 혀를 찼다. 너무 정신이 없어서 안 하던 짓을 저질러 버렸다. 그건 알겠는데 이 한니발이라는 녀석의 반응이 이상하다.

이슬람교 사원 안에서 코란을 불태우면 저런 시선을 받을 수 있을까? 있을 수 없는 신성모독을 경험한 이처럼 얼굴이 파리해지는 게 아닌가?

"내가 어울리지 않는 짓을 해버렸지만 따지고 보면 애초에……."

아그니가 그렇게 말할 때 한니발은 지금까지 자신의 손아귀에서 연거푸 사과하고 있던 라이칸스로프를 좌우로 찢어 토막 내 버리고 아그니에게 다가왔다.

'쳇, 이미 틀렸군.'

베오울프와 적대 행동을 하면 이후 앙리 유이의 계획이 어떻게 될지 모르겠지만… 그렇다고 여기서 당할 수도 없다. 아그니는 담배를 입에 문 채로 즉시 최대로 힘을 끌어 올렸다.

한니발을 향해 오렌지빛 섬광이 쏘아져 나갔다.

장칵라이가 테트라 아낙스에게 납치당했다는 소식은 쿠루빌리슈난에 의해서 베오울프에, 그리고 다시 앙리 유이에게 전해져 왔다. 장칵라이가 앙리 유이에게 보이는 충성심은 가슴을 열고 심장을 꺼내 줘도 아까워하지 않을 정도였으나 정작 앙리 유이는 시큰둥한 반응을 보이고 있었다.

"이런, 성급하게 미사일을 발사한 게 오히려 독이 되었군."

낡은 교회 건물에서 앙리 유이의 목소리가 울려 퍼졌다. 무전기와 전화기를 들고 앙리 유이의 옆에 대기하고 있던 아담은 그런 앙리 유이의 태도에서 전율을 느꼈다.

앙리 유이가 장칵라이에게 들인 공, 그의 아이들에게 들인 공은 한 치의 거짓도 없는 진실이었다. 앙리 유이는 자신의 아이들, 자신의 마법에 필요한 아이들에게 진심으로 깊은 관심을 기울였고 막대한 자금과 시간, 노력을 들였다. 하지만 그렇다고 그것이 그들을 사랑한다는 뜻은 아니다.

앙리 유이는 마니아였다. 자신이 흥미를 보이는 일이라면 무엇이든 열중해서 반드시 뭔가 성과를 이루려 하고, 그렇게 공을 들일 때는 정말 목숨보다 그것을 더 사랑한다고 해도 과언이 아니었다. 하지만 일단 그의 욕구가 충족되고 나면 그는 방금 전까지 열중하던 것이 거짓말처럼… 순식간에 식어버린다. 장칵라이의 납치를 들은 앙리 유이가 그러했다.

"하지만 좋은 타이밍에 잘 들어왔군요. 막 라이칸스로프 여단이 킬로톤급 핵탄두를 입수한 시점에서 장칵라이의 필요성이 대두될 때 빼앗다니."

아담은 조심스럽게 말했다. 앙리 유이의 감정을 거스르지 않고 아직 장칵라이가 그들에게 필요한 존재라는 걸 어필한 것이다. 실제로 라이칸스로프 여단이, 볼코프가 입수한 핵탄두를 장착하고 원하는 목표로 그것을 날리기 위해서는 장칵라이의 존재가 필요했다. 항법 소프트웨어, 연료 조성법은 이미 다 밝혀져 있다고 해도 그걸 실무 단계에서 처리하기 위해서는 장칵라이 같은 전문가가 필요했다.

그러나 앙리 유이는 이미 심드렁한 상태였다.

"장칵라이를 되찾는 건 많은 자원이 들지. 그런 자원을 들이는 만큼의 효과를 얻을 수 있을까?"

앙리 유이는 장칵라이를 되찾는 것에 딱히 흥미를 느끼지 않고 있었다. 그러자 헥토르가 중얼거렸다.

"그대는 테트라 아낙스에게 너무 집착해."

늘 잠만 자면서 가끔씩 깨어나는 헥토르도 앙리 유이의 본질을 알고 있을 만큼, 앙리 유이는 알기 쉬웠다.

"하아."

앙리 유이는 쓴웃음을 지으며 헥토르를 바라보았다.

그는 교회의 회당에 방수 시트를 깔고 그 위에 피를 뿌려 호사스럽게 목욕을 하고 있었다. 역시 옛날 귀족 출신이라 그런지 피를 마시는 방식이 대단히 퇴폐적이다.

남녀 가리지 않고 알몸으로 술을 잔뜩 먹이고, 아편을 피워둔 뒤 향유 욕조에서 뒹굴며 그때그때 쾌락을 즐긴다.

"정말 고전적이군."

"내가 원래 옛날부터 고전주의를 좋아하긴 했지."

"뱀파이어에게 성적 자극이라는 건 사정 없는 자위와 마찬가지다. 감질만 날 뿐 결코 절정에 도달할 수 없고 흡혈욕을 증대시키기만 할 뿐이지. 지금 하는 짓거리는 도저히 잘하는 짓이라고 공감해 줄 수가 없군. 언제 적이 튀어나올지도 모르고 말이야."

앙리 유이는 헥토르가 '즐기는 방식'에 대해서 핀잔을 늘어놓았다. 그러나 헥토르는 앙리 유이의 말을 귀담아듣지 않았다.

"오. 내 걱정 하는 건가? 염려 말게. 이번 세대에서 아직 잠들려면 시간이 좀 남아 있으니까."

"역시 수면형 뱀파이어는 부럽군."

아무리 강력한 진마라 해도 항상 활동하는 타입은 흡혈욕을 통제해야 한다. 그렇지 않으면 아그니처럼 대량 살상 노선으로 바꾸어 타야 하는데 대단히 소모적이고 비이성적인 행동이다. 그러나 수면형 뱀파이어라면 다르다. 그들은 자고 일어나면 흡혈욕이 리셋된다. 물론 그건 다이어트 중인 사람이 밤에 주린

배를 붙잡고 잠들어도 그다음 날 아침, 허기를 느끼지 않는 것과 같다. 잠깐은 허기를 느끼지 않겠지만 곧 잠에서 깨어나고 몸이 활성화되기 시작하면 그보다 더한 허기를 느끼겠지만… 이 수면형 뱀파이어는 그때가 되면 또 잠들어 버린다.

그런 점에서 수면형 뱀파이어는 지극히 효과적인 존재다. 앙리 유이의 눈이 헥토르를 흥미 깊게 지켜본다.

"나도 자네들이 부럽지. 잠들다 깨어날 때마다 나 자신이 점점 세상에서 뒤처지는 기분이 들거든. 이 잠을 자지 않을 수 있다면 뭐라도 내주고 싶은 심정일세."

헥토르는 그렇게 말하면서 젊은 여인의 목덜미를 깨물었다. 모르핀에 취하고, 빈혈에 시달려 제정신을 차리지 못하고 허우적거린다. 그 모습을 보며 앙리 유이는 다시금 정말 부럽다는 듯 한숨을 내쉬었다.

"그보다 그 장칼라이라는 친구는 구출할 건가?"

"설마… 어차피 저 라이칸스로프 여단은 우리가 확보하려는 핵탄두를 빼앗아두었다가 생색내는 거야. 달라고 하면 그만큼 대가를 요구할걸. 볼코프라는 자는 결코 무골호인이 아니니까. 무엇보다도 그는… 이제 수명이 얼마 남지 않았어. 저런 호걸 타입 놈들은 자신이 죽기 전에 선이든 악이든 하여튼 뭔가 큰일을 저지르고 싶어 하는 법이거든. 내가 또 저런 놈을 잘 알지."

앙리 유이는 그렇게 말하고 손가락을 꼬아서 진담이라는 제스처를 취했다. 하긴 테트라 아낙스에 대한 열등감으로 인공 릴리쓰 제작에 나선 자가 바로 그 아닌가? 뭔가 위업을 이뤄서 자신의 존재를 증명하고 싶다는 그 감정을 모를 리가 없지.

"이제 곧… 아담이 완성될 거다. 그렇게 되면 진마나 태초의 라이칸스로프 같은 존재조차 하찮은, 진짜 '마'가 탄생하는 거지. 릴리쓰보다도 우월하고 강력한 존재가……."

"나로서는 내 품격을 넘어서는 존재가 태어나는 게 마냥 흡족하진 않은데?"

"오, 제발……. 요즘 유행으로는 자기 입으로 자신의 위대함을 설파하는 건 촌스러운 짓이라고, 헥토르. 자신 스스로 품격이 넘쳐난다고 말하다니 얼마나 용감한 거야?"

핏물에서 알몸으로 마약에 취한 것들과 뒹구는 놈이 자신의 품격을 걱정하는 걸 보면 뭐라고 한마디 해주고 싶지 않을 리 없다. 그러나 다른 놈이면 몰라도 앙리 유이가 그런 소리를 하다니? 헥토르도 약간 기분이 상했는지 눈살을 찌푸렸다.

"…그대의 촌스러운 옷차림과 헤어스타일을 볼 때 그대가 요즘 유행을 완전히 이해하고 있다고 말한다면 그거야말로 난센스 같은데? 팬텀이라면 좀 이해하겠다만."

팬텀이 언급되자 앙리 유이의 표정이 구겨졌다.

"하… 왜 아낙스도 그렇고 다들 팬텀만 그렇게 높이 평가하지? 하얀 옷을 입고 다니는 녀석을 매번 나보다 높이 평가하다니 대체 무슨 센스인 거야?"

"아니, 이 경우는 팬텀의 평가가 높다기보다는 그대의 평가가 너무 낮아서 발생하는 문제인데?"

헥토르가 그렇게 말할 때였다. 갑자기 오렌지색 섬광이 창문을 통해서 들어오고…….

쿠르르르르.

대기가 들끓는다. 교회당 지붕이 들썩거리며 흔들린다.

"아그네야스트라?"

아그니 신의 무기를 뜻하는 아그네야스트라가 발동되었다. 아그니가 가진 혈인 능력을 극한까지 끌어 올린 이것은 아그니가 아르곤과 대결할 때도 주위에 다른, 부숴선 안 될 것들을 염려해 함부로 펼치지 못했다고 한다. 그것을 쓰다니…….

"존 보탁의 콘도미니엄 쪽이군. 이거 참……."

앙리 유이는 아그니와 한니발이 충돌했음을 깨닫고 비릿한 미소를 지었다.

콘도미니엄의 외장재가 깨져 밑으로 떨어지고 있었다.

뜨거운 열기가 공기를 확 달구었다. 거대한 콘크리트 구조물에 커다란 구멍이 뻥 뚫리고 그를 통해서 대량의 열이 방출되었다. 아그네야스트라, 아그니가 가진 발화 능력의 극의다.

지금까지 아그니가 사용한 발화 능력은 산화 촉진 계열의 능력이다. 금속이나 물질을 강제로 산소와 결합시키며 폭발적인 열기를 뿜어내게 해서 태워 버린다. 열보다 화학반응이 먼저고, 그다음에 열이 발생하는 방식이라고 할까?

그러나 아그네야스트라는 다르다. 열기 그 자체로 플라스마화한 산소를 때려 박아서 태우는 무식하고 파괴적인 공격이다. 이것은 아그니 자신도 컨트롤하기 힘들어서 어지간하면 쓰지 않는 능력이지만 한니발에게서 느껴지는 위압감이 너무 거세서 저도 모르게 써버리고 말았다. 진마가 인간 상대로 공포감을 느꼈다고 하면 아그니 자신이라도 비웃었을 테지만…….

'이 녀석이 인간 맞나?'

놀랍게도 한니발은 멀쩡하게 서 있었다. 물론 완전히 멀쩡한 것은 아니다. 그의 피부는 열기로 인해 타들어간다. 몸 전신에 물집이 잡히고 지금도 부글부글 몸의 일부가 끓어오르고 있다. 극심한 고통을 동반하고, 이후 세균 감염이 되어 죽을 수밖에 없는 부상이지만 그럼에도 불구하고 한니발은 태연자약하다.

탱크도 태워 폭발시키고 거대한 콘크리트 탑도, 부르즈 할리파 같은 대형 건물도 일격에 철거할 수 있는 공격을 인간이 맞고 버티다니? 있을 수 없는 일이다.

아니… 아마도 뭔가 초상 능력이 있는 거겠지. 생각해 보면 외모도 프랑켄슈타인 같은 데다가 어딘가 이질감을 주는 녀석이다. 저런 게 '그리스인 조르바'를 죽였다면 당연히 그에 따른 뭔가 초능력 같은 게 있어도 이상하지 않지.

'어떤 능력이지? 젠장, 괜히 아그네야스트라를 썼군. 좀 더 확인할 걸 그랬나?'

아그니는 아그네야스트라의 반동으로 몰려오는 피로감을 느끼며 문득 폭소를 터뜨렸다.

"아니, 이 미친… 야, 내가 인간 여자애 하나 때문에 너랑 싸우면 모두 다 비웃을 거다. 나도 내가 그동안 쌓아온 악명이 이런 허망한 방식으로 망가지는 게 싫다고."

아그니는 진짜 어이가 없어서 웃었다. 그 아르곤이 아그니를 도발할 때도 그랬다. 슬픈 과거가 있어서 비뚤어졌다든가 어떤 외부적 영향에 의해서 그 사람의 현재가 결정되었다는 식의 발언은 지금의 자신에게 자부심까지 느끼고 있는 아그니에게는 지나친 모욕이었다.

그런 아그니가 인간 여자애를 놓고 베오울프와 갈라선다면 외부선 대체 아그니를 뭐라고 생각할 것인가?

"우리 여기서 내가 선빵 먹인 걸로 끝내자고. 응?"

아그니는 그런 요청을 하며 의식이 없는 여자아이를 들쳐 업었다. 아그네야스트라는 아그니에게도 소모가 많다. 아그니 자신이 맞아도 살아날 자신이 없을 지경인데 이걸 버텨내는 괴물이라면 진력을 소모한 지금 상대하고 싶지 않겠지. 그렇지만 선제공격을 하고서 이런 뻔뻔스러운 태도라니?

"싫지 않은 친구로군. 유감이야."

한니발은 쓴웃음을 지으며 손을 뻗어왔다. 아그니는 그런 한니발의 태도에 코웃음 쳤다. 무슨 재주로 아그네야스트라를 견뎌냈는지 모르지만 뱀파이어에게 육탄전을 걸어오다니……. 게다가 아그니의 육탄전 능력은 뱀파이어들 사이에서도 특출한 편이었다.

예를 들어서 팬텀 같은 뱀파이어는 흡혈 욕구를 너무 폭주시키지 않을 정도로, 간간이 입술을 축일 정도로만 먹되 꾸준히 마셔서 적은 혈액으로 흡혈 욕구를 안정화시킨다. 그러나 아그니는 VT인자를 늘려 힘을 빨리 키우고 싶다는 욕심에 인간을 닥치는 대로 죽여서 피를 마셔왔다. 그만큼 흡혈 욕구도 강해지지만 또 그만큼 아그니는 활동적이고 강력하다. 게다가 아그니는 렛웨이 등의 무술에도 일가견이 있었다.

"싫지 않은 정도론 곤란하지."

아그니는 즉각 한니발의 팔을 감아 차도록 킥을 날렸다. 인간의 팔뚝 따위는 간단히 절단할 수 있는 공격이지만 그 순간 한니발이 반대 방향으로 회전하며 아그니의 킥을 피해냈다.

'백스핀 너클?'

아그니가 몸을 숙이며 백스핀 너클을 피하는 것과 동시에 한니발의 발차기가 아그니의 몸통에 꽂혔다.

"…이런!"

격통 이전에 당혹감이 아그니를 엄습했다. 이런 걸 이렇게 쉽게 맞다니?

아그니는 자신의 등뼈가 부러지는 걸 느꼈다. 앞차기 일격으로 내장이 터지고 등뼈가 부러지다니……. 놀란 아그니가 몸을 숙이자 머리 위로 철퇴 같은 주먹이 스쳐 지나간다. 거구의 괴물이라 힘은 좀 있을 거라고 생각했는데 속도까지 빠르다.

하지만 아그니가 이런 것에 당할 정도면 진마라고 혼자서 사람들을 죽이며 돌아다니지 않았을 것이다. 아그니는 즉시 상처를 재생시키고 한니발에게 발화 능력을 걸어보았다.

역시… 한니발 주위에서 혈인 능력이 사라진다.

'이 녀석… 이능력을 거부하는 힘이 있군! 그런 데다가 이런 힘… 뭐지?'

그 순간 아그니의 머리를 향해 한니발의 발차기가 날아든다. 아그니가 피하려 하자 발이 공중에서 꺾여서 브라질리언 킥, 도끼처럼 위에서 아래로 급강하해 온다.

"흡!"

아그니는 팔꿈치를 세워서 위에서 급강하해 오는 한니발의 킥에 맞섰다. 막는다기보다는 팔꿈치로 한니발의 다리뼈를 강타하는 격이었다.

으적!

한니발의 다리뼈가 부러지고… 그 대가로 아그니의 팔이 절단, 한니발의 도끼 같은 발차기가 목에 들어와 쇄골을 부수고 상부흉골을 전부 으깨 버렸다. 하지만 아그니가 뒷걸음치는 것만으로 상처는 빠르게 재생된다. 보통 인간이라면 전신이 으깨진 중상이지만 재생력과 신체 능력 모두 활성화되어 있는 아그니로서는 긁힌 상처에 불과하다. 반면 인간인 한니발이라면 다리뼈 골절은 전투력을 갉아먹는 치명상일 터. 살을 베고 뼈를 내준 격이지만 아그니 입장에선 오히려 이득이다.

그러나 아그니는 더 이상의 전투를 포기했다. 그는 한니발의 다리가 골절된 틈을 타서 뒤로 휙 물러나 어린 소녀를 끌어안고 아그네야스트라로 녹아내린 건물 외벽을 통해 밖으로 도약했다.

"저!"

벵골인이 분개해서 뒤쫓으려 했지만 한니발이 그를 멈춰 세웠다.

"그만둬. 쫓지 마라."

"하지만……."

"재미있는 친구로군. 방금 전엔 아주 좋은 판단이었어."

한니발은 부러진 다리뼈를 붙잡아 뼈를 맞추고 아그니를 칭찬했다.

"대부분의 진마라 하는 뱀파이어들이 온실 속의 화초 같은 데 비해서 이 친구는 싸움에 익숙한 모양이야. 괜찮군."

한니발은 아그니에게 호감을 느낀 모양이다. 죽이려 했으면서 호감을 느끼다니 미친놈도 다 있다 싶지만 이미 그의 측근들은 그가 어떤 인물인지 뼈저리게 잘 알고 있었다.

"어떻게 할까요?"

"내버려 두고… 하던 일이나 마저 하지."

한니발은 그렇게 말하며 주사기를 들어 자신의 허벅지에 꽂았다.

"아니, 젠장. 내가 왜 이렇게 되었지?"

정작 그 상황을 탈출한 아그니는 자신이 한 짓이 믿어지지 않았다. 비록 이래저래 내막이 있다지만 사정을 모르는 사람들이 보면 아그니가 여자아이를 구출하기 위해 한니발과 목숨을 걸고 싸운 것처럼 보일 것이다.

게다가 이 여자애를 혈족으로 만들다니…….

지금까지 혈족을 거두지 않았던 아그니로서는 쇼크였다. 너무 당황했었나 보다.

"일단 심호흡 좀 하고. 후우… 아, 전화. 전화, 전파가 잡히나……."

아그니가 휴대폰을 들어보니 과연 전파가 잡힌다. 폭동이 벌어지고 있지만 전력망과 통신망은 건드리지 않는다. 그게 앙리 유이의 철칙이라 한다. 일본에서 전력망을 붕괴시킨 것은 몬주 증식로와 원자력발전소 폭주를 위해서 어쩔 수 없이 한 일이었을 뿐 본의가 아니었다.

왜냐면 앙리 유이가 퍼뜨리고 있는 폭동은 인간들에게 공포와 의심을 확산시키기 위한 것이기 때문이다. 기껏 폭동을 일으키고 그 공포스러운 현장을 전달하지 못한다면 아깝겠지?

"이봐."

―네, 살아계셨군요. 혹시 한니발 씨랑 충돌한 건 아니겠지요?

앙리 유이에게 전화를 걸었는데 받은 녀석은 강아담이다. 왠지 사장 직통전화를 걸었는데 비서가 받은 것 같아서 기분 나쁘지만 아그니는 지금 그런 사소한 자존심보다 정보가 더 급했다.

"충돌이라기보다는… 대체 그 녀석 뭐지?"

―아라한입니다.

순간 아그니는 자신의 귀를 의심했다.

"아라한(阿羅漢)?"

―석가모니나 사리불, 목련존자 같은 존재라고 생각하시면 돼요.

"…저기, 굉장히 기분 나쁜데 말이지."

아그니 자신에게는 종교가 없지만 그는 불교 문화권에서 자라났다. 그런데 저 살인귀가 불교에서 말하는 깨달은 자라니?

—잠시…….

강아담 대신 앙리 유이가 전화에 나왔다.

—무슨 생각이지? 협력 업체의 사장을 공격하다니. 차라리 헥토르랑 치고받았으면 이해했겠는데…….

"아니, 그 녀석이 날 먼저 공격하던데? 뭐야, 그 자식은?"

—아, 그는 '힘사'의 서원(誓願)을 맺은 자라서…….

"힘사?"

아힘사(Ahimsa)는 힌두교도나 자이나교도, 불교도가 지켜야 하는 불살생의 계율이다. 간디가 이 아힘사 운동으로 영국에 대항하는 시위를 이끌었기에… 아그니 역시 잘 알고 있는 것이다. 그에 반해서 힘사는 폭력과 살생을 말한다.

즉 힘사의 서원이라는 건 폭력과 살생의 맹세라는 뜻이다.

"그렇다면 그 녀석은 내가 여자애를 구하는 걸 보고……."

—응? 여자애를 구해?

"아, 아니! 아니야!"

아그니의 얼굴이 새빨갛게 달아올랐다. 살인을 밥 먹듯 저지르는 황폐한 심성을 가진 뱀파이어가 이제 와서 무엇을 부끄러워하겠는가마는 이상하게 부끄럽다.

—하여튼 그는 힘사의 서원을 지키는 동안 이능력의 침해를 받지 않는 능력을 가지고 있지. '이능살해자'라고 불리는 능력인데… 아마 이 세상에서 인간 공동체 의식의 힘으로 릴리쓰를

완전히 죽일 수 있는 유일한 존재일 거다. 검은 영의 사법을 쓰는 나로서도 매우 껄끄러운 상대지. 검은 영과… 릴리쓰는 계통이 같은 존재니까.

"초능력자? 아니면… 마법사인가?"

—초능력이기도 하고 마법이기도 하고 요가 수행자이기도 하지. 죽일 수 있다면 죽여도 좋긴 해. 하지만 쉽지 않지?

"……"

지금 아그니는 상처 하나 없지만 한니발과 격돌하면서 옷이 찢어져 있었다. 아그니는 넝마가 된 옷을 벗어 던지고 길거리에 보이는 상점가로 가서 마네킹의 옷을 벗겨냈다.

—아마도 옛날의 아낙스가 릴리쓰를 통제하기 위해 여러 가지 방안으로 궁리해 본 것 중 하나일 거야. 마법이라는 건 참 곤란하지. 한 생산 라인을 돌려도 그 결과를 보려면 몇 세대, 심지어 몇십 세대 뒤에 결판이 나니까.

"전화 끊지."

아그니는 앙리 유이와 전화를 끊었다. 아그니의 피를 받아 마신 여자애가 몸부림을 치고 있기 때문이었다. 그러고 보면 반응성이나 적성검사를 하지 않고 급한 대로 피를 먹였는데… 과연 올바르게 뱀파이어로 변이될까?

'지금은 해가 떨어져서 다행이군. 뱀파이어가 되자마자 일광에 타버리게 할 수는 없으니……'

그런 생각을 하던 아그니는 깜짝 놀랐다.

아그니 입장에서는 잠깐 분위기 타서 이 여자애를 흡혈귀로 만들었지만… 결국 죽여야 한다. 차라리 뱀파이어가 되지 못하고 죽는 게 여자애 입장에서나 아그니 입장에서나 좋다.

'아니, 그건 아니지. 뱀파이어가 되고 난 뒤에 내가 잡아먹으면 되잖아? 훨씬 더 효과적이고 좋네. 그렇지. VT인자를 빠르게 늘리기 위해선 그런 방법도 있겠네?'

아그니가 그렇게 생각할 때 여자애가 눈을 떴다. 호박색으로 반짝이는 눈이 어둠 속에서도 빛을 발한다. 뱀파이어화는 완전히 성공한 것 같다. 잘려 있던 팔도 어느새 재생되었으니까.

"이… 이건?"

여자아이는 자신의 잘린 팔이 붙어 있는 걸 보고 놀라며 몸을 일으켜 세웠다. 아그니는 마네킹에게서 빼앗은 옷을 입으며 그녀에게 설명해 주었다.

"놀랐나? 넌 지금 내 피를 입으로 먹어서… 뱀파이어가 되었다."

"뱀파이어? 아, 아저씨 어디 많이 아프진 않고? 혹시 모기에 많이 물려서 그런 거야?"

소녀가 아그니를 말라리아로 정신착란 일으키는 사람 취급을 했다.

"아픈 건 너겠지! 그리고 아저씨라니!"

"그럼 오빠? 으… 정말 끔찍하다. 왜 남자들은 어린 여자에게 친근감을 표시해 달라고 요청하는 거지?"

이번에는 이 소녀가 벌레 씹은 표정으로 그렇게 말했다. 아마도 무수히 많은 변태가 이 소녀에게 자신을 오빠라고 불러달라고 요청, 혹은 강요했던 모양이다. 부잣집 딸내미인 건 확실한데 여성 차별이 심한 문화권에서는 부잣집 딸내미여도 이런 꼴을 많이 당하는 모양이다.

"아니, 아저씨로 불러라… 가 아니라 부르지 마! 아니, 젠장. 내가 왜…….."

지금 당장 이 계집의 목덜미를 물어뜯어서 피를 빨아야겠다. 흘린 피 이상 회수하기! 그렇게 하면 이 여자애를 구했다고 하는 오해도 일소할 수 있을 거고 아그니는 다시 원래의 악랄하고 비열한 살인마로서의 위상을 회복할 수 있을 것이다.

그 베오울프의 한니발 녀석도 자신의 오해를 깨닫게 되리라.

'하지만 내가 한니발 놈이 뭐라 생각하든 왜 신경 쓴담. 남들이 보면 내가 그 녀석에게 겁을 집어먹은 것처럼 보일지도?'

아그니는 자신이 악인인 것을 사랑했고 자부심을 느꼈다. 그래서 역으로 자신을 좋은 사람이라고 착각하는 것에 민감했다. 그러나 한니발과 맞붙게 된 계기가 이 여자애인데 지금 여자애를 죽이게 되면 무슨 일이 벌어지나?

한니발이 두려워서 자기가 살린 어린애를 처분했다.

이렇게 보진 않을까?

'남의 시선에 구애받으면 지는 건데… 그런데도 만에 하나 그렇게 생각하는 놈이 나오면 그것도 짜증 나는군.'

아그니가 그런 생각을 하고 있을 때였다.

"…아……."

어린 소녀가 배를 부여잡고 앞으로 주저앉았다. 거부반응인가? 인간이 뱀파이어가 되는 건 그 확률이 그렇게 높지 않다. 여기서 커럽티드로 변해 버리나? 아그니가 그런 의문을 품었을 때였다.

"배고파."

소녀가 울상을 짓고 그렇게 말했다. 가족의 죽음, 처참한 시체를 직접 봤음에도 불구하고 충격으로 기억장애를 일으키고 있는 걸까? 아니면 뱀파이어 변이의 충격으로? 어느 쪽이든 간에 지금 이 소녀가 가족의 죽음보다 갑자기 다가온 허기에 정신을 더 쏟고 있음은 분명했다.

"쳇. 이거 어떻게 한다? 아… 가만!"

아그니는 손뼉을 딱 쳤다. 생각해 보니까 VT인자는 로그함수를 그리며 증가한다. 즉 점점 증가폭이 낮아지는 것이다. 반면 이제 막 뱀파이어가 된 자는 사람 피를 좀 먹고 휴식을 취하는 것만으로 VT인자가 쑥쑥 빠르게 자란다.

"기왕 먹을 거라면 그게 낫겠군."

아그니는 이 소녀를 키워서 어엿한 뱀파이어로 만들어야겠다는 생각을 품었다.

이렇게 발화 능력의 진마, 아그니는 처음으로 자신의 혈족을 만들었다.

第20夜

늑대 VS 늑대

1

　저 멀리 동이 터오는 장면을 바라보며 서현은 귀를 막고 있었다. 공기를 압축시켜 사람에게 휘두르는 폭력이라고 불러도 좋을 폭음이 비행기 엔진에서 뿜어져 나오고 있다.

　동이 터옴에 따라 시시각각 색이 변하는 인도네시아의 바다가 발아래 펼쳐져 있지만 그 풍광을 즐기기보다는 우선… 이 고통스러운 폭음에서 해방되고 싶었다.

　"안토노프—2, 아주 훌륭한 고막 분쇄기지……."

　안토노프—2, 2차 세계대전 때 만들어진 프로펠러기지만 구조 자체가 워낙 훌륭해서 현재로서도 민수용으로 팔리고 있다…….

　라는 건 제조사의 욕망일 뿐이고 사실 대부분 민수용 스포츠 비행기는 이탈리아와 미국 브랜드가 석권하고 있다. 그래도 스카이다이빙은 값싸게 제공되기만 한다면 시도해 보려는 잠재적 고객이 많은 시장이고, 인도네시아나 말레이시아의 리조트에서 값싸게 그걸 제공할 수 있다면 훌륭한 관광 상품이 될 것이다.

그걸 위해서 안토노프—2의 폭음쯤을 견딜 수 있다면 그 또한 나쁘지 않을 것이다. 사실 안토노프—2의 소음을 비난하기엔 다른 경비행기도 결코 조용하다고 할 수는 없었다.

저렴하게 비행기를 구할 수만 있다면 이것도 나쁘지 않으리라.

나쁘지는 않으리라, 지금 이 순간 이 비행기에 서현과 동승한 이가 테트라 아낙스가 아니라면 말이다.

덜컹덜컹.

누덕누덕 기운 기체의 곳곳에서 뒤틀림 소리가 들리고 바람 소리가 들려온다. 비행기 안쪽에 '스카이다이빙 중 촬영은 20RMB'이라는 간판이 간질 환자처럼 발작한다.

"가진 거라곤 돈밖에 없는 테트라 아낙스가 왜 이런 걸……."

"설마 형이 테트라 아낙스가 제공하는 향응을 마음껏 누릴 준비가 되어 있는 줄은 몰랐는걸?"

서현의 구시렁거림에 서린이 빈정거림으로 답했다. 놀랍게도 서린은 지금 비행기의 조종간을 잡고 있었다. 대체 언제 경비행기 조작을 배운 걸까?

"나에게 그 정도 투자한다고 해서 손해 볼 일은 없을 텐데. 그런데 너도 직접 여기에 오나?"

"혹시 반도체 제조 과정에 대해서 알고 있어?"

"무슨?"

"나노미터 단위로 공정이 올라간 반도체는 극자외선이나 경 X선을 이용해서 세라믹 웨이퍼를 원하는 방향으로 깎는데… 그렇게 해서 만들어진 것은 완전할 수가 없어. 필연적으로 불량품과 결손이 발생하고 그걸 솎아내고 만들어진 양품의 반도체를 총 웨이퍼로 나눈 수치가 수율이라고 하지. 마법도 그와 마찬가지야."

"그래서?"

서현은 시큰둥했다. 그도 마법이 다루는 힘이 인간이 직접 통제하기 힘든 극미한 힘이라서 그 결과물은 어디까지나 추정 확률로 표현하지 완전히 이루어진다고 할 수 없다는 것을 안다.

그런 걸 왜 이제 와서 말하는 걸까?

"앙리 유이가 만든 마법은 일단 그릇을 만들고 그 그릇을 향해 대량의 영적 에너지를 쏘아내어서 그릇을 채워 넣는 방식이라고 할 수 있어. 문제는 이 대량의 영적 에너지라는 게 일종의 번개와 같아서, 가장 높은 피뢰침을 향해 돌진한다는 게 문제지."

"그래, 아마 그 의사 양반의 배다른 동생이 그릇이겠지. 그런데?"

"세건 형이 그것보다 더 높은 피뢰침이야."

"……."

서현은 그 말을 듣고 자신의 표정이 웃는 것도, 우는 것도 아닌 어색한 표정으로 일그러지는 걸 느낄 수 있었다. 뱀파이어 헌터인 한세건이 뱀파이어가 아니라 릴리쓰와 유사한 존재가 된다는 건 본인에게도, 그 주변 사람에게도, 아니, 억조창생에게도 끔찍한 비극이 될 것이다.

"그것참 걸작이로군."

"사이키델릭 문도 따지고 보면 앙리 유이의 소산이거든. 그가 만들어낸 비약이지만… 당시에는 실패했다고 생각하고 아낙스에 의해서 세상에 뿌려졌어."

서린은 아낙스의 음흉한 심보를 숨기지 않는다.

"아낙스는 뱀파이어를 줄이고 싶어 해. 사실상 그 혼자만 남는 게 좋겠지. 참 모순된 일이야. 대부분의 아웃로 뱀파이어들은 고독을 견디지 못하고 혈족을 만들어. 자신의 처지를 이해하고 같은 시간대를 공유하는 존재를 절실하게 필요로 하거든? 그런데 한때 그들의 보호자였고 지금도 보호는 하고 있는 아낙스가 그들의 존재를 껄끄러워하고 죽이고 멸절시키고 싶어 하다니."

"그게 뱀파이어들에게 미남미녀가 많은 이유지. 백 년간의 고독도 외모 지상주의에 종속되는지라."

서현은 뱀파이어들을 비웃었다. 아낙스가 뱀파이어들의 수를 줄이고 싶어 한다는 것은 이미 알고 있던 사실. 이제 와서 새삼스럽게 놀랄 것도 없다.

"그래서, 네가 왜 여기 와 있는데."

"가장 높은 피뢰침이 여기 있거든."

서린이 '여기'라고 말할 때 그가 가리킨 것은 자신의 관자놀이였다.

그걸 본 서현이 흠칫 놀랐다

"…제정신이냐?"

"물론 나도 그 이상한 것을 받아들일 생각은 없어. 이미 내 아이덴티티는 위태로워. 아낙스와 나의 결합은 서린이란 너무나도 러블리 큐트 차밍 보이의 영혼을 담보로 아낙스의 타락을 중화시키고 있지만, 어디까지나 임시방편일 뿐이지. 여기에 다른 걸 더 받아들이면 끝장이야."

"말하는 게 엉망진창이로군……. 너는 이다지도 **뻔뻔한** 존재였구나."

피가 섞여 있지만 결코 혈육 간의 우애를 다질 수 없었던 동생에 대해서 조금씩 알아나간다. 알아나갈 때마다 혈육의 정이 샘솟는 대신 짜증이 샘솟는다는 게 문제다.

"하지만… 난 너무나도 쏘 러블리 큐트 차밍 보이이기 때문에 그런 위험을 감수하고… 앙리 유이의 주문을 방해하기 위해 이 몸을 희생할 수도 있지. 아, 이 얼마나……."

"스톱. 거기까지. 차라리 이 헤드폰을 **빼버리겠어**."

헤드폰을 **뺄** 경우 안토노프제 프롭 엔진의 우렁찬 소음에 두 들겨 맞아야 하지만 서린의 개소리에 고통받느니 그쪽이 더 나을 것 같다. 하지만 서린은 대신 텔레파시로 서현에게 말을 걸어왔다. 헤드폰을 **뺐**자 소용없다.

[러블리 큐트 차밍한지! 러! 블! 리!]

"…아오, 닥쳐!"

참다못한 서현이 비행기에서 뛰어내렸다. 아직 인도네시아 자카르타까지 50킬로미터는 남아 있는 상황이었다.

"헉! 형? 아무리 그래도 낙하산도 없이?"

장난을 치던 서린은 설마 서현이 이 정도 장난을 못 견디고 망망대해에서 뛰어내릴 줄은 몰랐다.

"필요 없어!"

분자구조에 전자기력에 의한 응집력을 더더욱 강화시켜 물질의 강도나 형태를 자유롭게 조절 가능한 서현은 방탄복 대신 얇은 판초우의 한 장이면 기관총도 막을 수 있었다. 물론 기관총을 난사할 경우 전부 다 방어하는 건 어려워지며 이것도 섬유구조 위에 방수재를 바른 구형 방수포 스타일 판초우의여야 한다. 그래도 그런 능력을 활용해서 판초우의를 글라이더처럼 만들어내는 건 그리 어렵지 않은 일이다.

날다람쥐 슈트라고도 불리는 윙 슈트가 보통 2~2.5의 전진계수를 갖는데 이는 1미터 낙하에 2.5미터 전진한다는 뜻. 글라이더는 그보다 훨씬 높은 전진계수를 가지기에 적에게 요격당하지 않는 한 이대로 자카르타 시내까지 날아가는 건 이론상 충분하다.

그렇다고는 해도 맨몸으로 50여 킬로미터를 날아가는 걸 택하다니 어지간히 서린의 헛소리가 듣기 싫었나 보다. 하지만 서현은 하나 간과한 게 있으니…….

[나 테트라 아낙스라서 지구 어디서든 텔레파시를 걸 수 있

는데?]

"……."

그의 동생이 테트라 아낙스의 수장이라는 사실을 간과해서는 안 되겠다.

상공에서 바라보는 자카르타 시내는 인적이 드문 것을 제외하면 평상시와 다를 것이 없었다. 이는 뱀파이어를 통제하는 앙리 유이가 방화를 금지했기 때문이었다. 방화가 금지되면 도시의 겉모습은 적어도 며칠 동안은 놀랍도록 평화로워 보인다.

하지만 그것도 시 외곽의, 낮은 건물들일 때 가능한 일이다. 고층 건물이 늘어서 있는 시가지로 들어서자 경치가 일변한다.

거대한 철근 콘크리트 건물의 외벽에⋯ 버스와 외제 수입 차량들, 주로 폭스바겐 차량들이 마치 거대한 거미줄에 걸린 먹이들처럼 널려 있었다.

평상시 부유층이 고가의 차량들을 타고 다니는 걸 지켜볼 수밖에 없던 청년들이 뱀파이어의 힘을 얻었을 때 그들은 약탈자로 돌변했다. 하지만 이내 그들은 약탈이 일상화된 공간에서 자동차는 아무 의미가 없다는 걸 깨닫게 되었다. 거리에 차가 버려져 길목이 막혀 있고⋯ 어지간한 건물 2~3층은 단번에 뛰어오를 수 있는 뱀파이어들에게 좁은 길목, 무수히 방치된 차량으로 가득 찬 곳은 차로 달리느니 차라리 두 다리로 뛰는 게 빨랐다.

그렇게 되자 이들은 자신이 한때 동경했던 부의 상징을 보다 더 부자들만이 할 수 있는 무의미한 방법으로 소비했다. 전리품으로 건물에 걸어놓은 것이다. 고가의 수입 명품 브랜드가 입점한 쇼핑센터의 외벽에 곤충표본처럼 꽂힌 수입 차량들을 보며 서현은 쓴웃음을 지었다.

서현은 판초우의로 만든 거대한 윙 슈트를 이용해 고속으로 50킬로미터 이상을 날아 자카르타 상공을 날고 있었다. 50여 킬로미터를 날아왔음에도 불구하고 AGL(Above Ground Level)이 800미터 정도… 현재 속도는 210km/h에 달한다. 하지만 더 이상의 비행을 포기한 서현은 펼쳐진 판초우의를 거두고 공중에서 몸을 반전시켜 추락했다.

자카르타 시내로 급강하하는 서현의 몸을 향해… 총탄이 날아들었다.

고층 건물의 최상층에 배치된 저격수, 관측병들이 서현의 존재를 알아차린 것이다. 아직 AGL 800미터… 비행기도 아니고 210km/h로 지나는 인체를 발견한 것을 보면 상대의 능력은 인간의 그것을 초월하고 있다. 아마도 라이칸스로프 용병들일 것이다.

'베오울프인가?'

서현은 상대를 가늠하며 조심스럽게 판초우의를 펼쳐 방벽을 만들었다. 날아드는 총탄의 에너지를 받아서 분자구조의 전자기력으로 바꾼다. 절대 끊어지지 않는 섬유 코일로 변한 판초우의는 가볍게 총탄의 운동에너지를 흡수해서 무력화시켰다.

하지만 분명히 무력화시켰음에도 불구하고 끔찍한 힘이 서현의 판초우의를 관통했다. 깜짝 놀란 서현은 몸을 움직여 공중에서 그 공격을 피해냈다. 날아든 탄환의 운동에너지는 전부 상쇄시킬 수 있었다 그렇지만… 이 탄에는 사법사들이 쓰는 강력한 사법이 담겨 있었다.

이건 아무리 강력한 재생 능력을 가진 생명이라 해도 무시할 수 없는 무기다.

사법사들이 즐겨 쓰는 금지된 마법 탄환 '블랙 셸'이다.

'어째서 이놈들이 블랙 셸을? 아, 생각해 보니 당연한 일인가? 앙리 유이와 동맹 중일 테니… 이걸 계속 맞으면 좋지 않아!'

그렇게 판단한 서현은 그 순간 피격을 연출했다. 적도 블랙 셸을 넉넉하게 가지고 있을 리 없다. 탄환을 아끼고 싶다면 사격 후 추락하는 자에게 추가 사격을 가하기보다는 상황을 확인하고 싶어 하겠지.

서현은 총알을 맞아서 추락하는 모습을 연기하면서 조심스럽게 판초우의의 형태를 변형시켰다. 혹시 이어질 추가 공격을 받아낼 준비를 하면서 너풀거리며 추락해 바로 인근, 오피스 건물에 떨어졌다. 떨어지는 순간 판초우의로 충격을 흡수시켜 부드럽게 착지한 것은 물론이다.

"음… 글라이더나 윙 슈트 같았는데……."

"그런 걸로 도시로 날아든단 말이야? 미친 거 아냐? 건물에 들이받으면 그것만으로도 보통 사람은, 아니, 라이칸스로프래도 골절&실신&추락 풀 세트를 처먹을 거라고."

저격수와 관측병, 두 용병은 고층 건물의 위를 점한 채 껌을 씹고 있었다.

저격수는 카멜레온의 것 같은 긴 혀로 M14 소총을 휘감아 쥐고 있고 그의 몸은 주위의 빛을 받아들여 시시각각 색이 변하는 카멜레온 인간이었다.

그리고 관측병은 눈이 커다랗고 날개가 돋아난 부엉이 인간… 이들 둘이 콤비를 이루어 고층 건물의 전파탑에 매달린 채 도시 전역을 굽어보고 있었다.

"그래서 일격에 잡았나? 블랙 셸이니까 맞으면 라이칸스로프래도 치명적일 텐데?"

카멜레온 인간은 혀를 날름거리며 노리쇠를 당겨서 약실에 남아 있던 탄피를 배출시켰다. 강력한 마법 문양이 새겨져 있는 탄피가 튀어나오는데 아직도 탄피에 남아 있는 사악한 영적인 힘이 꿈틀거린다. 카멜레온 인간은 조심해서 그 탄피를 철망으로 받아내고 혀를 찼다.

이런 독한 저주가 담긴 탄환, 블랙 셸이라면 그 어떤 뱀파이어나 라이칸스로프라고 해도 무사를 장담하지 못할 것이다.

"모르겠다. 아무리 그래도 테트라 아낙스의 자객인 것 같은데 일격에 죽을 만큼 허약한 놈을 보내진 않을 것 같은데?"

"에이, 쏜 내 입장에서는 별다른 위화감 없이 떨어졌어. 명중이라고 확신한다."

카멜레온 인간은 그렇게 투덜거리며 스코프를 바라보았다.

"지금은 저놈보다… 원래 표적을 더 찾아보자고."

"알겠다. 하지만 내가 회의적인 태도를 견지했다는 건 잊지 말도록."

부엉이 인간은 투덜거리면서 그렇게 말했다. 어차피 카멜레온 인간의 뜻에 따를 거면서 저런 헛소리를 해대는 게 매우 기분 나쁘다. 만약의 사건이 발생했을 때 책임을 남에게 돌릴 준비를 하는 녀석이 곱게 보일 리가 없다.

"…이런."

하지만 카멜레온 인간이 부엉이 인간에게 불만을 품는 그 순간… 부엉이 인간이 카멜레온을 짓눌렀다. 무슨 짓인가 싶은 순간…….

그들의 머리를 향해 40㎜ 유탄이 날아들었다. 정확히는 그들의 머리 위에 있는 철탑을 노린 것이다. 하지만 부엉이 인간이 날개를 펼쳐서 유탄을 공중에서 받아냈다.

"힉!"

카멜레온 인간은 그 순간 놀라서 자기 혀를 깨물 뻔했다. 유탄을 받아내다니? 이런 어리석은 짓을 성공할 줄이야?

대부분의 유탄은 촉발신관을 장착하고 있다. 즉 탄두의 끝에 충격이 가해지면 그 순간 터지는 것이다. 그러니 촉발신관을 건드리지 않고 공중에서 잡아낼 수 있다면… 유탄을 터뜨리지 않고 잡는 건 이론상 가능하다. 하지만 아무리 느린 볼이라 해도 글러브의 호구에 닿지 않게, 손가락만으로 잡아내라고 하면 대부분의 인간이 실패한다. 하물며 유탄 발사기로 발사된 유탄이다. 이걸 촉발신관을 건드리지 않고 잡아내는 건 인간보다 반사 신경이 뛰어난 라이칸스로프라고 해도 어려운 일이다.

보통 갓 뱀파이어나 라이칸스로프가 된 놈들은 자신의 놀라운 신체 능력에 취해서 자신의 한계를 모르고 무모한 짓을 하곤 하지만 뱀파이어도 라이칸스로프도 근본은 인간이다. 즉 그들은 보통 생물에 비해서 훨씬 더 깊은 사고 파이프라인을 가지고 있다.

이 파이프라인이 깊고 정교할수록 보다 더 깊고 고차원적인 생각을 할 수 있지만 그 대신 반사 신경이 떨어지게 된다.

인간이 고양이나 독사보다 반사 신경이 둔한 것은 그 때문이다. 더 깊은 사고, 더 다양한 사고를 할 수 있는 대신 분기 예측 실패 시 흥분했던 신경을 다시 정상화시키는 데 많은 시간이 필요하다. 결국 높은 지능을 위해서 행동 반사 속도를 희생한 것이다.

물론 뱀파이어나 라이칸스로프는 그럼에도 불구하고 인간보다 훨씬 민첩하다. 그들의 재생력이 신경세포에도 작용해 쉬이 피로해지는 신경세포를 활성화시키는 것이다. 그 결과 이들은 보통 인간보다 훨씬 빠른 행동 반사 속도, 독사를 희롱하는 라텔(Ratel:아프리카 꿀오소리)마저 능가하는 반사 속도를 지닐 수 있다.

그럼에도 불구하고 행동 반사 속도가 그들의 능력 중 가장 떨어지는 것임은 분명하다. 유탄을 받아내는 건 라이칸스로프들 사이에서도 힘든 일이고 그걸 수월하게 해낸 부엉이 인간은 분명히 카멜레온 인간보다 훨씬 상급의 능력자다.

"오 쉿……."

하지만 그 어려운 작업을 해낸 부엉이 인간이 욕설을 내뱉었다. 왜냐면 유탄에 투명한 피아노 줄이 감겨 있었기 때문이었다.

"씨발. 하지 말랬지."

카멜레온 인간이 욕설을 내뱉는 것과 동시에 부엉이 인간의 날개에서 유탄이 폭발했다.

"먹혔나."

실베스테르는 끊어진 피아노 줄을 확인하고 실을 되감았다. 그가 실을 되감는 것과 동시에 한세건이 건물 외벽, 유리와 철골로 만들어진 거대한 유리 박스 위를 오른다. 아침 동을 반사하는 철근, 유리, 콘크리트 구조의 건물은 마치 거대한 빛의 덩어리 같았다. 세건은 그 외벽을 기어올라 저격수들이 미처 대응하기 전에 옥상에 올라섰다.

"수고하는군."

하지만 한세건이 막 옥상에 올라섰을 때는 이미… 적들이 건물을 옮기는 중이었다. 부엉이 인간이 날개를 펼치고 저격수인 카멜레온을 붙잡고 날아올라 인근 건물 옥상으로 이동한다. 한세건이 분노해서 총기를 겨누려 했지만 그 옥상에 안전핀 풀린 수류탄들이 굴러다니고 있다. 저 녀석들을 추격하기보단 일단 피해야 한다.

마침 옥상에는 에어컨디셔너 시스템의 라디에이터가 설치되어 있었다. 한세건이 라디에이터 뒤로 몸을 날리는 것과 동시에 수류탄이 폭발하며 파편과 폭연이 사방으로 흩날렸다.

"젠장!"

타이밍을 놓쳤다. 그사이 부엉이와 카멜레온은 인근 건물로 이동해 완전히 자취를 감추었다. 저 카멜레온 놈은 자신만 은신할 수 있는 게 아니라 부엉이도 같이 은신시킬 능력이 있다. 저렇게 저 두 놈이 자취를 감추었다가 다시 고층 건물에서 저격을 시작하면 골치 아프다. 계속 소모전에 휘말리게 되는 것이다.

'이 자식들, 만만치 않군. 과연 용병 출신들이라 그런가?'

동경도에서 아웃레이지가 번졌을 때 길거리의 좀비나 뱀파이어를 처단하는 건 쓸데없는 탄약 소모일 뿐이라는 걸 한세건은 뼈저리게 깨달았다. 그는 고가의 마법 부적에 무기와 탄약을 잔뜩 담아 왔지만 이런 상황에서 탄약은 아무리 많아도 부족하다.

무의미한 하급 뱀파이어들을 죽여봤자 저들은 멀쩡한 인간들을 뱀파이어로 만들어 계속해서 병력을 충원할 뿐이다. 그렇다면 간부를 죽여야겠지. 그러나 저 라이칸스로프 놈들은 그야말로 전투에 특화된 괴물이다.

지금까지 한세건이 싸워온 상대 중 뱀파이어들은 비교적 쉬운 상대였다. 자신의 강함을 과신하고 흡혈 욕구에 지배당하는 존재들은 아주 쉽다. 간단히 한 개의 수혈 팩을 거리에 던져두면… 상식적으로 생각하면 함정임에 분명한데도 무분별하게 뱀파이어들이 달려 나온다.

그렇지만 라이칸스로프들은 사람을 죽이고 그 육신을 먹어치우는 괴물이면서도 폭력 그 자체를 좋아한다. 천재는 노력하는 자를 이길 수 없고 노력하는 자는 즐기는 자를 이길 수 없다 했던가? 그렇다면 지금 저 라이칸스로프들은 살육의 천재이면서 노력하고 즐기는 자라 할 수 있으리라.

'아웃레이지만으로도 피곤한 판에 중간중간에 이런 프로페셔널들이 있어서 문제란 말이야. 역시 둘이서는 좀 무린가.'

진마사냥꾼 두 명으로 무리라고 하면 그 무슨 사치스러운 소리인가. 하지만 앙리 유이가 현 문명을 파괴하려고 작정한 이상 뱀파이어 헌터 둘이 이 변화의 물결을 막아낼 수는 없다.

적어도 한 명 더… 강력한 존재가 필요했다.

퍽!

그때 한세건의 귀에 둔탁한 소리가 들려왔다.

"이런……."

깜짝 놀란 한세건이 거울을 들어 엄폐물 밖을 보니 그곳에는 M14 라이플을 빼앗은 서현이 유니온 페이 간판 위에 서 있었다.

그의 손에 거대한 카멜레온의 혀가 뭉텅 잘려 있고, 역시 카멜레온 인간의 것으로 보이는 팔이 들려 있는 걸 보면 단번에 기습해서 카멜레온 인간을 중점적으로 노린 모양이었다.

"이게 그 탄환이로군."

서현은 M14의 노리쇠를 후퇴시켜 안에 들어 있던 탄을 빼내 살펴보았다. 끔찍한 마법 문양이 새겨진 탄피와 은으로 봉입했음에도 안에서 스멀스멀 독기가 피어오르는 탄자가 보기만 해도 역겹다. 이런 걸 그에게 쐈다고 생각하자 화가 난다.

"너희들에게 돌려주지."

서현은 은폐, 엄폐도 신경 쓰지 않고 고층 건물 외곽에 붙어 있는 유니온 페이 간판 위를 걸으면서 노리쇠를 전진시켜 다시 블랙 셸을 장전시켰다.

"오, 맙소사. 저거 이사카 베르게네프잖아?!"

"시끄러워. 조용히 하고 피하자! 우리 투명한 거 맞지?"

부엉이 인간은 짜증을 내며 홰를 쳤다. 부엉이류의 깃털은 소리가 잘 안 나긴 하지만 조류와 달리 충분히 체중이 나가는 인간이 하늘을 날기 위해서는 무지막지한 추력이 필요하다. 이사카 베르게네프는 라이칸스로프들 사이에서는 거의 마왕급의 명성을 가지고 있던 존재. 그걸 적으로 대하는 시점에서 홰를 쳐서 소리를 내는 건 지뢰밭을 기어 다니는 것처럼 소름 돋는 일이었다.

"혀랑 팔 좀 잘렸다고 능력을 해제할 정도면 베오울프 못 해 먹지!"

보통 사람이라면 정신이 아득해질 중상이다. 아무리 라이칸스로프라고 해도 평정심이 깨질 만한 중상이지만 이미 산전수전 다 겪은 베오울프의 라이칸스로프들은 이 정도 상처에 동요하지 않았다.

"빠져나간다."

부엉이 인간은 최대한 소리를 죽이고 글라이딩을 하면서 고층 건물들 사이를 날아서 빠져나갔다. 그러나 그때…….

서현이 배낭에 끼고 있던 물통을 열어서 물을 끼얹었다. 그리고…….

펑!

갑자기 새하얀 서릿발이 부엉이 인간과 카멜레온 인간을 뒤덮었다. 급격한 한기가 부엉이 인간과 카멜레온 인간을 얼어붙게 했다.

'윽?!'

놀란 부엉이 인간이 반사적으로 몸을 틀어 카멜레온 인간을 들어 올렸다. 그들이 투명해도 그들을 뒤덮고 있는 새하얀 서릿발 때문에 자취가 드러난다. 상대는 이미 그들의 위치를 알고 있으면서 이 서리를 뿌려서 윤곽선이 선명하게 드러나게 했다. 그렇다면 다음에 올 건 공격, 그것도 아주 치명적인 공격이리라.

과연 총격이 가해졌다. 블랙 셸이 카멜레온 인간의 머리를 관통했다.

"이런 시… 발! 나를 총알받이로 쓰면 죽여 버린다……!"

카멜레온 인간이 덜덜 떨면서 욕설을 퍼부었다. 그의 머리에 박힌 블랙 셸에서 검은 영기가 뿜어져 나오며 카멜레온 인간을 침해한다.

"지금 널 데리고 날고 있는 내가 맞으면 둘이 함께 공멸할 뿐이라고! 참아!"

부엉이 인간은 그렇게 투덜거리며 건물을 선회했다. 서현이 건물과 건물 사이를 폴짝 뛰면서 무려 20여 미터를 단번에 도약하며 공중에서 M14 라이플을 쏘았지만 부엉이 인간은 카멜레온 인간을 방패막이로 삼아서 블랙 셸을 막아내고 빠져나갔다.

"허… 제법이네."

서현은 한 손으로 AIA의 간판을 붙잡고 매달려 있다가 휙 뛰어올라 A 자의 꼭짓점 위에 착지했다.

"베오울프 놈들이라서 그런가, 말단까지 굉장히 강하군. 역시 만만치 않아."

서현은 어깨를 으쓱해 보이고 간판에서 건물 옥상으로 뛰어올랐다. 마천루의 건물과 건물 위를 뛰어올라 단숨에 한세건의 곁으로 돌아온 그는 천 길 낭떠러지나 다름없는 옥상 난간에 쪼그려 앉아서 한세건을 바라보았다.

"그런데 당신들은 대체 나 없는 동안 뭐 한 거야? 저놈들이 강하긴 하지만 저런 말단 병사들이랑 허우적거리다니."

"어떻게 들어온 거냐? 비행기를 못 탔을 텐데?"

한세건은 서현의 말에 대답하는 대신 질문을 던졌다. 서현은 어깨를 으쓱해 보였다.

"인근 말레이시아에서 스카이다이빙용 비행기를 빌려서 공중에서 이걸 글라이더로 바꿔서 침투했지. 재미는 있었지만… 두 번 다시 하고 싶지 않아. 춥더라고."

"테트라 아낙스는?"

"내가 비행기에서 내린 시점에서는 모르겠는걸?"

"그렇다면 적어도 비행기에 같이 타고 있었다는 소리군."

"……."

서현은 별생각 없이 대답했는데 한세건은 그 짧은 문답에서 그 이상의 정보를 끌어낸다.

"대답이 없는 걸 보니 정확한가 보군? 왜? 쓸데없는 이야기를 해서 후회하나?"

"아니, 내가 혼자서 왔다고 하면 믿지도 않을 거잖아?"

"삶의 목표를 잃었다고 찌질찌질 취하지도 않는 술 퍼먹고 방황했었다는 놈이 혼자서 그렇게 잘할 리가 없으니까."

"……"

한세건에게는 그거 이야기 안 했는데 어디서 들은 걸까? 서현은 어깨를 으쓱해 보였다.

"이봐. 따지고 보면 난 소년병이라고. 어린 시절부터 자신이 도구로 태어났다고 믿고 목숨을 노리는 자들을 피해서 전장에서 배회했어. 스트레스 지수로 따지면 성층권 뚫고 나갈 지경인데도 난 내 자존감을 지키기 위해서 오직 독기 하나로 버티고 있었다고. 그런데 그게 꺾였단 말이야. 그 정도면 좀 방황 좀 할 수 있잖아?"

"맞는 말이긴 하지. 누구나 성장하면서 이런저런 실수를 하면서 사니까. 그런데 그건 어디까지나 일반인들이 평화로운 세상에서 살 때의 이야기야. 넌 네 의지로 남의 머리에 총알을 처박아 넣던 전쟁범죄자고 살인마야. 그런 살인마의 델리케이트한 속내까지 이해해 줘야 할 필요가 있을까? 전 인류를 도덕성 기준으로 줄지어놓는다면 넌 틀림없이 상당히 뒷줄에 있을 텐데, 같은 이해심이라면 너보다는 좀 더 앞줄에 있는 사람에게 베푸는 게 인류 전체에게도 이득일걸?"

그렇게 말하던 세건은 아, 하고 입을 벌렸다.

"물론 나 역시 뒷줄에 있겠지."

"잘났어. 그렇게 말하는 너도 어느 날 갑자기 지상의 모든 뱀 파이어가 아, 이제 성불해야지 하고 열반에 들어버린다면 망가지고 말걸? 남 이야기니까 그렇게 막 말할 수 있는 거지."

"인간은 남 이야기에는 막 말해야 할 사명이 있어."

"뭐?"

갑자기 무슨 소리람? 하지만 세건은 마치 성직자가 자기가 믿는 교리에 대해 강론하듯 진지하고 열정적인 태도로 말했다.

"감정이입은 인간의 본능이야. 그 자체는 선도 악도 아니라고. 어떤 목적으로 통제하느냐에 따라 중요한 본능인데 그걸 통제 못 하고 너나 나 같은 인간쓰레기에게 감정이입하고 공감하거나 용서해 버리면 그건 사실상 강간범, 아니, 강간범까진 아니더라도 공연음란죄 정도는 범한 셈이지. 본능을 통제 못 하고 여기저기 싸지르고 다닌다는 점에선 말이지."

악인에게 감정이입하면 설사 동정심을 베풀고 자비를 행한 것이라 해도 죄라는 뜻인가? 서현은 한세건의 높은 도덕적 목표에 다시금 혀를 내둘렀다. 이 녀석은 자신에게나 타인에게나 너무 엄격하다.

"도덕적 허들이 높으신가 본데 당장 너 자신도 그 도덕적 허들을 뛰어넘지 못하면서 허들을 높여봤자 남을 증오하기 위한 명분에 불과해진다고. 보통 그런 놈들이 히틀러 같은 대량학살자가 되는 법이지."

"내가 그런 권력자가 될 것 같지도 않고… 그때가 오면 나와 같은 또 다른 이들이 적극적으로 날 막겠지. 아, 어쨌거나 지금 이런 쓸데없는 소리 할 시간이 없어. 앙리 유이를 찾아야 해."

세건과 서현이 열띤 논쟁을 벌이는 동안 실베스테르 신부는 로사리오를 꺼내서 손에 늘어뜨리고 다우징을 하면서 앙리 유이가 있는 방향을 살펴보고 있었다. 그는 한세건이 서현과 열띤 토론을 하는 걸 보고 의아하다는 듯 중얼거렸다.

"이제 보니까 상당히 사이가 좋은 모양이군. 저렇게 말 많은 한세건은 처음 본다."

"어떤 미친놈이 그런 소리를……."

"……."

서현이 욕설을 퍼부어서 졸지에 실베스테르를 '어떤 미친놈'으로 만들어 버렸다. 실베스테르의 표정이 굳었다. 누가 보더라도 곧 활화산처럼 폭발할 것 같은 분노가 느껴진다.

그러나 그때 마침 실베스테르의 로사리오가 진동했다.

"저쪽이군."

실베스테르는 슬럼화된 구시가지를 가리켰다. 스콜과 적도의 햇살에 구워져 페인트가 다 일어난 옛 아파트들이 줄기차게 늘어서 있는, 흡사 홍콩 영화의 구룡성채 같은 모습의 건물들이다.

"앙리 유이가 저런 쪽에?"

세건은 반신반의했다. 마법사인 앙리 유이는 이렇게 간단한 탐지 마법쯤은 교란시킬 수 있을 것이다. 그런데 이렇게 쉽게 자신의 위치를 노출하는 것도 이상하고, 귀족적인 성격이 많은 진마들이 저런 슬럼화된 건물에서 만족하고 지낼 수 있을 것 같지도 않다. 풀빌라나 그에 가까운 콘도미니엄을 접수해서 수영장에 피를 가득 채우고 핏물을 헤엄치면서 퇴폐와 향락을 즐기고 있다면 모를까…….

"슬럼화된 건물이다. 주거인들이 가져온 각종 폐품으로 안은 미궁같이 변해 있을 거고… 실제 거주민도 엄청나게 많을 거다. 안에서 방어전을 펼치기도 좋겠지. 다만 시가전 중의 시가전이 될 테니까 우리도 탄약을 아낄 수 있을 거다."

실베스테르는 저곳에 앙리 유이가 있다는 걸 확신하고 있었다. 저런 슬럼화된 건물은 안이 미궁처럼 되어 있어서 피난할 곳이 많다. 즉 저런 곳에서 마약 거래나 인신매매, 매춘이 자행된다면 경찰의 단속을 쉽게 피할 수 있다. 게다가 아마 저런 곳은 안에 인간도 많고… 부를 얻은 폭력 조직의 보스들이 자기 살 곳을 개축해 뒀으면 귀족적인 뱀파이어들이 지내기에도 썩 나쁘지 않은 환경일 것이다.

"아아… 베오울프를 믿고 그러나?"

서현은 슬럼화된 구시가지를 바라보며 투덜거렸다.

"베오울프?"

"대부분 접근전의 스페셜리스트들이거든. 라이칸스로프들은 보통 뱀파이어보다 육탄전 능력이 뛰어나니까. 저 안에 들어가면 아마 꽤 매서운 저항이 기다리고 있겠지."

서현은 그렇게 말하고 어깨를 으쓱해 보였다.

"그럼 굳이 이 고층 건물 점거하고 있을 필요 없지?"

"아니, 잠깐만⋯⋯."

한세건은 휴대전화를 뜯어 개조한 일종의 감시 카메라를 설치하고 자신의 태블릿 컴퓨터로 영상을 확인해 보았다.

"아까 전에 그 저격수 놈들이 이곳을 점거해서 지상의 나와 실베스테르에게 총격을 가하는 게 상당히 운신을 방해하고 짜증 나게 굴더라고. 여길 다시 점거당하면 똑같은 일이 반복될 거야. 미리 감시 카메라를 설치해 두지 않으면⋯⋯."

"안 될 텐데."

서현이 중얼거렸다. 과연, 한세건의 태블릿 PC에서는 영상이 제대로 뜨지 않았다. 인도네시아 통신 회사의 회선은 느려서 영상을 실시간으로 전송하는 데 애로 사항이 꽃피는 것이었다.

"⋯한국인은 이래서 문제라니까. 온 세상 인터넷이 자기네들 것처럼 빠른 줄 알아."

"스펙상 속도는 한국 못지않던데? 지금 같은 상황에선 회선 사용자도 적을 텐데 속도가 이것밖에 안 나오나."

한세건은 공갈 스펙을 자랑하던 인도네시아 통신 회사들에 대한 분노를 느끼며 무선 감시 카메라 설치를 포기했다.

2

보탁 연합의 뱀파이어들은 현재 고삐가 풀린 망아지처럼 날뛰고 있었다.

정부가 무력화되고 그들에게 뱀파이어의 힘이 주어진 순간 그들은 무제한의 폭도가 되었다. 각종 가전제품 숍이나 귀금속상, 기타 상점들이 털리고 가져갈 수 없는 커다란 물건들은 아무렇지도 않게 길거리에 버려졌다. 길가에 서 있는 차 중 좀 비싸다 싶은 건 뭐가 먼저라고 할 것 없이 부서졌고 폭도들이 거리를 질주하며 움직이는 모든 것을 공격한다.

당연히 같은 뱀파이어, 같은 조직원들끼리의 사투도 벌어졌다. 존 보탁이란 카리스마형 리더를 중심으로 만들어진 보탁 연합은 조직원의 수만 일만 칠천이 넘는 거대한 폭력 조직이지만 그 조직 구성은 따지고 보면 점조직이나 다를 바 없다. 조직원끼리 서로 위계질서가 확실히 잡혀 있는 게 아니라서 날뛰고 약탈하다가 폭력에 취해서 자기들끼리 치고받는다.

그런 주제에 전력과 통신에 관여된 것은 건드리지 않는다. 존 보탁의 엄명이 떨어진 것도 있고 그들도 정보 통신이나 전기가 끊기면 고통스럽기 때문이었다.

"원 참… 나도 인간이라 그런지 금이 쌓여 있는 걸 보니 신나긴 하네. 근본적으로 금이 사람들에게 뭔가 수집욕을 자극시키나 봐."

한니발은 자신의 앞에 쌓여 있는 금괴의 산을 보며 혀를 내둘렀다. 무정부 상태가 된 자카르타 중앙은행과 각 은행의 금고를 열어서 금괴만 가져온 것인데도 엄청난 양이다.

"인도인 상점들도 털어 오고 있습니다. 더 많이 쌓일 테지요."

한니발의 라이칸스로프 부하들은 그렇게 말하고 있었다. 물론 인도인들나 중국인들이 은행 계좌에 돈을 쌓아두기보다는 금을 선호한다는 거야 만인이 다 알고 있는 사실. 특히 인도인들은 락슈미제 전후로 금을 잔뜩 사기 때문에 리틀 인디아가 형성된 곳이라면 그 거리에 있는 금의 양도 엄청날 것이다.

아니, 엄청났었다고 해야 하나?

보탁 연합의 양아치들, 뱀파이어들, 그냥 일반 폭도들 모두 다 알고 있는 사실이니 그들이 이미 약탈했을 것이고… 베오울프의 부대원들은 그들에게서 다시 약탈해 올 것이다. 그 과정에서 압도적인 학살이 가해질 것은 자명한 일…….

이미 이 시점에서 이들 베오울프가 벌어들인 돈은 엄청나다. 이 금괴를 무사히 반출하고 평화로운 곳에서 쓸 수 있다면 이야기지만 설령 그 금이 아무짝에 쓸모가 없는 것이라 해도 힘사의 서원을 맺은 한니발 입장에서는 마다할 이유가 없다.

"다 때려죽이고 빼앗도록 해. 그런데 정찰조에 보낸 판프라콘은 왜 연락이 없지? 한세건이라는 작자와 교전 중이라고 하지 않나?"

한니발이 묻자 한니발의 부관격인 아타왈리가 어깨를 으쓱해 보였다.

"글쎄요… 아… 문자가 와 있었네요."

"줘봐."

한니발이 요구하자 아타왈리는 말없이 휴대폰을 건네주었다.

"…이사카 베르게네프가 왔단 말인가?"

한니발은 말없이 폰을 손가락 위에서 빙글빙글 돌리며 아타왈리를 흘겨보았다. 왜 아타왈리가 이런 연락을 받고도 입을 다물고 있었는지 알아차린 것이다.

"사장님께서 신경 쓰실 건 못 됩니다. 그 녀석은 테트라 아낙스와 정면충돌해서 아무것도 얻지 못하고 힘만 낭비해서 폐인이 되었고 반면 사장님은 힘사의 서원을 세워 아라한이 되셨으니까요. 이제 와서 다 죽어가는 폐인 놈을 건드릴 필요는 없잖습니까? 게다가 그는 어쨌든 이쪽 사람입니다. 힘사의 서원 입장에서 보면 남겨두는 게 이득인 녀석일 텐데요. 더 많은 사람을 편하게 죽일 수 있을 테니 말입니다."

"언제부터 날 그렇게 생각해 줬는지 모르겠군. 내가 유모차 안에서 칭얼거리는 애로 보이나? 그리고 난 원래 목표보다 거기까지 가는 과정에서 충실감을 얻는 걸 좋아한다고."

한니발은 투덜거리며 전화를 걸었다.

3

앙리 유이는 지금 상황에 대해서 매우 만족함과 동시에 또한 강한 불만을 느끼고 있었다.

그가 처음 아낙스를 만났을 때 아낙스는 위대한 스승이었다. 뱀파이어와 인간의 공존을 추구하고 그 안에서 어떤 뛰어난 영적 진보를 이루어내어서 마침내 그들을 모든 굴레에서 해방시킬 위대한 마법사이기도 했다.

하지만 뱀파이어들의 탐욕, 그 뒤치다꺼리를 하는 동안 아낙스는 타락했다. 뱀파이어들의 생활을 지키기 위해서 그는 힘을 늘려야 했고 힘을 늘리는 과정에서 아낙스가 지닌 신성은 희석되었다. 뱀파이어와 인류 모두를 구원할 구세주가 어느새 흔한 사이비 종교의 교주가 되거나 아집의 화신으로 타락하는 모습을 보면서도, 앙리 유이야말로 진정한 아낙스의 지지자였다.

그런 그에게 있어서 자신의 우상이던 아낙스의 흔적을 파괴하고 차곡차곡 작전을 성공시켜 나가는 것은 기쁘기도 하고 또한 슬프기도 한 일이었다. 너무나 오래 사는 뱀파이어에게 기억은 무자비하다. 아무리 지능이 뛰어난 자라 해도 삶의 전부를 모조리 기억할 수는 없고… 지금처럼 카메라가 좋은 시대와 달리 과거에는 기록을 그림이나 글로 남기는 수밖에 없었다.

"정말… 슬픈 일이로군."

앙리 유이는 자신의 손가락에서 떠오르는 검은 영기를 반대쪽 손가락을 향해 흘려보냈다.

그가 사용하는 마법, 사법은 이질적인 원시령, 고대의 영적 존재, 원시신이라고 분류되기도 하는 '검은 영'의 힘을 사용하는 것이다. 이것은 시전자의 영적 타락을 부르는 것으로 아무리 뱀파이어라 해도 이 타락에서는 자신을 지킬 방법이 없다.

팬텀은 자신을 지키기 위해서 사법을 분리시켰고 앙리 유이 역시 사법을 가급적 직접 사용하지 않는 방법으로 자신을 지켜왔다.

그러나 마법의 힘이 강해지면서 덩달아 앙리 유이의 몸 안에 잠든 사법의 마도서 역시 강해지고 있었다. 영적인 에너지를 집중시키지 않으면 앙리 유이의 목적인 신의 창조를 달성할 수 없는데… 그 시도 자체가 앙리 유이의 존재를 위협하는 것이다.

뱀파이어의 강력한 생명력, 다른 생명을 착취해서라도 존속하고자 하는 생명력으로도 버티기 힘들어지면 앙리 유이는 사법사들의 말로가 그러하듯, 이형의 존재에게 잡아먹히고 말 것이다.

목숨을 건 일생일대의 모험을 하고 있음에도 불구하고 앙리 유이는 편안한 심정이었다.

"불쾌하군."

그런 앙리 유이에게 헥토르는 불만을 표했다.

"마치 옛 애인을 못 잊고 베갯잇을 눈물로 적시는 애인을 보는 기분이야. 이러니저러니 해도 자네는 아낙스 일편단심이로군."

"왜 그런 소리를 하는데? 닭살 돋게?"

"이곳에서 새로운 테트라 아낙스가 자신을 막아주길 바라고 있잖아."

"무슨 소릴 하는 건가? 나는 내가 가진 모든 것을 동원해서 테트라 아낙스의 능력을 막기 위해 애쓰고 있는데?"

"그렇게 하지 않으면 무의미하기 때문이겠지. 슬픈 일이야."

헥토르는 그리 말하고 앙리 유이의 앞에 섰다.

"그대들, 깨어 있는 자들은 항상 그렇지. 언젠가 반드시… 그 정신이 존재의 영속성을 해쳐. 마음이 결국 그대를 죽게 만든단 말일세. 그런 의미에서 팬텀이 선의 길을 고른 것은 현명한 것일지도 모르겠군."

선은 이루기 어렵고 달성하기 힘든 것이다. 부와 권력을 손에 쥐고, 타고난 초자연적인 능력으로 탐욕과 쾌락을 얼마든지 채울 수 있는 환경은 이내 정신의 붕괴를 불러일으키니… 오래 살아남기 위해서는 조금씩 전진할 수 있으나 결코 끝없는 그런 목표를 가질 필요가 있었다.

팬텀은 그 길을 택했다. 헥토르는 그런 말을 하고 있는 것이리라. 앙리 유이는 그런 헥토르를 보고 쓴웃음을 지었다.

"엄청 신경 써주는군."

"당연하지. 그대가 없으면 난 또 내가 잠들었을 때 날 노릴 놈들을 피해서 전전긍긍해야 하니까. 다른 진마들은 믿을 수가 있어야지."

앙리 유이를 다른 뱀파이어들보다 더 신뢰한다는 건 일견 웃긴 소리로 들릴지 모르나 그게 아니다. 앙리 유이는 사법의 마도서를 몸에 지닌 채 뱀파이어가 되어 있기에 다른 뱀파이어의 혈액을 흡수할 경우 마도서 통제가 힘들어질 수 있었다.

"뭐, 좋아. 그래서 마법을 좀 써야 할 것 같은데."

앙리 유이는 그리 말하고 손을 들어 올렸다.

그의 손에서 농밀한 검은 영기가 피어오르기 시작한다. 아니, 그 정도가 아니다. 전신에서 검은 영기가 피어올라 콘크리트로 이뤄진 벽을 뚫고 하늘로 날아오른다.

"이… 이런."

진마 헥토르, 광기의 헥토르라 불리며 무서울 것 하나 없는 오만불손한 존재가 뒷걸음질 쳤다.

"…저거 뭐야?"

아그니는 하늘을 올려다보고 혀를 찼다.

남중국해나 인도양에서 증발한 수증기가 빠르게 하늘로 올라 응결해 적란운으로 변해 스콜을 뿌리는 건 열대지방에서는 매우 흔한 일이었다. 그러나 저것은 명백하게 그 자체로 검은 영기다. 끔찍한 이형의 힘이 자카르타 상공에 나타나 점차로 넓게 번져가고 있었다.

마치 거대한 접시처럼 영역을 넓혀가는 그 모습에 아그니는 혀를 찼다.

"젠장. 야, 따라와."

아그니는 자신의 혈족이 된 소녀에게 그렇게 말하고 앞으로 걸어갔다. 하지만 소녀는 여전히 멍하니 자리에 서 있을 뿐이었다.

"일광 때문인가? 일단 그늘 사이로 피하고… 음… 이거였던가?"

아그니는 테트라 아낙스가 만들었다고 하는 일광 차단제를 품에서 꺼냈다. 테트라 아낙스의 병사들과 싸우면서 얻은 알약을 쓸데가 있을까 싶어서 가지고 있었는데 여기서 쓰게 될 줄이야.

"가족이 다 죽었어."

소녀는 멍하니 그렇게 말했다.

"나도 가족은 다 죽었어, 멍청아. 그것도 내가 직접 때려죽여야 했다고."

아그니는 그렇게 말하다 어깨를 으쓱해 보였다.

"뭐, 내가 극복했다고 다른 필부, 범부가 그걸 극복할 수 있으리라고 생각하진 않지만. 어쨌거나 넌 지금 빨리 그 약을 먹고… 움직이는 게 좋겠어. 지금 당장 죽어서 부모 곁으로 가고 싶진 않겠지?"

"왜 그렇게 생각하면 안 되는데?"

소녀가 그렇게 말하자 아그니는 한숨을 내쉬고 품 안에서 담배를 꺼내어 입에 물었다.

"생각해도 되지. 되는데."

아그니는 담배에 불을 붙였다.

"싸우지 않는 놈은 좋아하지 않아."

"아저씨의 좋고 나쁨은 내게 아무런 가치가 없어."

"그래?"

그 순간 아그니는 소녀의 앞에 쪼그려 앉은 채로 소녀의 미간을 손가락으로 딱 때렸다. 겉보기는 우습지만 일격에 두개골을 골절시킬 정도의 위력이었다.

"……"

이마가 깨져서 피가 흐르지만 소녀는 울지 않았다. 아그니는 그 소녀의 이마에 흐르는 피를 손으로 쓱 닦아서 마셨다.

"음… 괜찮군. 예상한 대로야. 이렇게 맛있는 피를 가진 애가
허망하게 죽어선 곤란하지."

"……."

"내가 밉냐?"

아그니는 자신을 흘겨보는 소녀를 보며 피식 웃었다.

"미워하고 싸워야 해."

아그니는 담배를 맛있게 빨면서 폐암으로 엉망이 된 사람의
사진이 붙어 있는 담뱃갑을 구겼다가 폈다.

소녀는 그런 아그니를 이상하다는 듯 바라보았다.

"당신을 미워하고 싸워야 한다고?"

"나뿐만 아니라 세상 모든 것에 대해서 말이지. 아, 참고로 지
금 나에게 덤비진 마라. 이 몸은 진마 아그니, 직위로 따지면 꽤
높거든?"

아그니는 그리 말하고 주위를 두리번거렸다. 담배가 또 다 떨
어졌기 때문이다.

"아저씬 날 키워서 잡아먹으려는 거지? 그래서 내가 삶의 의
욕을 잃지 않길 원하는 거잖아? 그렇다면 아저씨의 뜻대로 안
되고 지금 자살하는 게 내가 이기는 길이 아닐까?"

"네 적이 나 하나뿐이라면 그게 옳겠지. 하지만 내가 너희 부
모를 죽인 건 아니잖아? 네 적 중에서 나는 어디까지나 일부일
뿐일 거다. 안 그래?"

아그니는 근처의 잡화 상점의 담배 보관함을 뒤져보았다. 하
지만 이미 약탈꾼들이 털어 갔는지 남아 있는 게 없다. 하긴 담

배와 술은 이런 상황에서 굉장히 약탈하기 쉬운 물건일 테니까.

아그니는 텅 빈 담뱃갑을 버리고 한숨을 내쉬었다.

"이 세상이 고통과 회한의 원흉이라면 우리는 모두 태어날 때부터 이 세상을 증오하고 이 세상과 싸워야 할 자격을 가지고 태어났다. 자살은 그 자격을, 의무와 권리를 방기하는 행위야. 뭐, 그게 정말 필요한 일이라면 나도 말리지 않겠다만… 일단 거기 멍하니 서 있지 말고 빨리 결정하라고. 죽을 거면 빨리 죽고 따라올 거면 빨리 따라와라."

아그니는 그렇게 말하면서… 발걸음을 옮겼다. 하지만 소녀는 한동안 그 자리에 계속 서 있었다.

"가만히 있으면 혹이지. 아, 젠장. 담배, 담배……."

아그니는 주위의 상점들을 뒤져보았다. 하지만 다들 담배가 약탈당해 있었다. 입에 물고 있는 담배가 더 빠르게 타들어가는 기분이었다. 이미 담배를 입에 물고 있지만 이건 돗대라… 이게 타서 없어지면 이제 더 이상 담배가 수중에 남아 있지 않게 된다는 걸 생각하니 마음이 초조하다. 어떻게든 빨리 담배를 손에 넣지 않으면 안심이 되지 않는다. 핵전쟁으로 황폐화된 세계에서 마지막 통조림을 따 먹는 생존자의 기분이 이러할까?

"이 여자애는 왜 안 따라오는 거야? 뭐, 주위에 인기척이 없으니 괜찮겠지?"

아그니는 초조하게 주위를 두리번거리며 그 짜증을 소녀에게 퍼부었다. 그때 마침 담배 간판이 걸려 있는 가게가 눈에 들어온다.

실링 팬이 돌아가는 함석지붕을 얹은 푸드코트 안에 시체가 잔뜩 쌓여 있어서 파리와 각종 벌레가 꼬인 채 썩어 들어가고 있었다.

보기에 역겹고 실제로 끔찍한 악취도 피어나고 있었다. 아그니조차 얼굴을 구겼지만 그의 눈에는 시체의 손에 들려 있는 종이로 포장된 담배 보루가 밟혔다.

"담배로군. 아, 젠장. 매번 챙겨도 챙겨도 없어진단 말이지."

아그니가 그쪽으로 접근할 때였다.

"실망이군."

실링 팬 돌아가는 소리 속에서 누군가의 목소리가 들려왔다. 아그니가 옆을 돌아보니 그곳에는 백발의 뱀파이어, 아르곤이 커다란 중국식 환도를 들고 걸어오고 있었다. 묵직한 대도의 칼등에 끼워져 있는 쇠고리가 스스로 빙빙 돌면서 울어대고 있었다. 마치 초전도체 실험 때 전자석 위에서 떠돌아다니는 자석 같아 보였다.

"무의미한 살생을 너무 많이 저지르는군, 아그니……. 아무리 네가 인간일 때 고통을 받았다 해도 이렇게 열심히 살생을 저지르는 건 좀……."

이 시체들은 아그니가 죽인 게 아닌데… 아르곤이 아마도 오해한 모양이었다. 하지만 아그니는 성격상 이게 오해라고 해명할 심정이 아니었다.

"그따위 헛소리하지 마!"

아그니는 푸드코트 바닥, 경찰의 시체에서 스털링 기관단총을 집어 들어 아르곤에게 겨누었다. 하지만 그가 방아쇠를 당기기도 전에 아르곤이 아그니의 간격 안에 들어왔다.

'골치 아프군. 총화기를 안 쓰는 녀석이라… 나랑 상성이 나빠!'

아그니는 아르곤에게 기관단총을 갈기며 주먹을 뻗었지만… 아르곤은 간단히 환두도를 스털링 기관총의 탄피 배출구에 찍고 손으로 땅을 짚으며 킥을 차올려 아그니의 턱을 강타했다.

푸칵!

아마 이빨 요정이 있다면 오늘 복권 맞은 기분일 것이다. 아그니의 이가 뭉텅 뽑혀 나가 턱뼈와 함께 함석지붕을 뚫고 천정 위로 솟구쳐 올랐다. 그러나 아그니가 물러서는 순간 이미 그는 완전히 회복했다.

아그니의 주먹이 아르곤의 팔에 명중한다. 그것과 동시에 아르곤의 팔에 기포가 일어났다. 피부 밑의 체액이 단숨에 끓어오르면서 폭발! 산 채로 튀겨지는 것이다. 하지만 아르곤의 팔은 순식간에 원래대로 돌아왔고 되레 아그니의 다리가 서걱 베어져 나갔다. 아르곤이 환도를 휘둘러 아그니의 다리를 잘라 버린 것이다.

"윽……."

아그니가 뒤로 물러나고 아르곤은 팔을 감싸며 앞으로 성큼성큼 걸어온다.

"…간만에 맞아서 재생력을 발동시켰는걸. 이런 것도 참 간만이군."

아르곤은 굉장히 오만한 방식으로 아그니의 능력을 칭찬했다. 하지만 아그니는 그 칭찬을 기분 좋게 받아들일 수 없었다.

철컥…….

아르곤의 도검 공격 일격에 탄피 배출구가 찌그러져서 총이 발사되지 않는다. 아그니는 스털링 기관단총을 포기하고 그걸 아르곤에게 던졌다. 그와 동시에 금속 산화를 걸었다.

펑!

금속이 강렬한 섬광과 함께 단번에 타오른다. 하지만 아르곤은 이미 간격을 더 좁혔다. 육박전의 거리에서는 혈인 능력보다는 재생력과 육탄전 능력이 더 중요하다.

"…웃기지 마!"

아그니도 미얀마의 렛웨이나 캄보디아의 보카토르를 연마해 왔다. 실전적이고 파괴적인 기술에 무투파로 이름 높은 아그니다.

그 아그니를 상대하며 아르곤은 쓴웃음을 지었다.

"해볼까?"

아르곤이 환도를 놓고 맨손으로 아그니와 손을 섞었다. 일격에 머리통을 날려 버릴 기세의 공방이 오간다. 단 일격만으로도 보통 사람은 두개골이 깨지고 목뼈가 끊어질 위력… 피륙으로 이뤄진 손발이지만 강철의 도끼나 톱과 같은 무기들이 서로 오간다.

계속 접근해 오는 것은 아르곤, 뒤로 물러나는 것은 아그니였다.

푸드코트를 덮고 있는 함석지붕이 직접 맞지 않았음에도 폭풍만으로 벗겨지고 실링 팬들이 떨어져 쌓여 있는 시체들 위로 전깃줄 더미를 떨구었다. 그 격전 속에서 아그니와 아르곤의 주먹이 서로 얽혔다.

발화 능력과 동결 능력이 서로 상쇄되면서…….

아그니의 몸이 주르륵 뒤로 물려났다. 팔꿈치와 어깨 관절이 함께 부서져 피가 튀었다.

"윽!"

상처 부위로부터 서리가 맺힌다. 깜짝 놀란 아그니가 상처를 자신의 혈인 능력으로 상쇄시켰지만 그 틈을 타서 아르곤이 아그니의 몸통에 일장을 갈겼다.

"퀵!"

충격이 세 번에 걸쳐서 날아온다. 첫 일격으로 척추가 부러지고 배 속의 내장이 척추뼈에 충돌해 척추 안의 중추신경을 전부 찢어발긴다. 이건 통각 차단으로 막을 수 있었지만 그다음 몸이 날아가 푸드코트 화덕에 충돌해 화덕을 깨부술 때는 뼈가 깨져 노출된 신경 다발이 그대로 엉망이 된 몸 안에서 휘저어지는지라 까무러칠 뻔했다. 뱀파이어의 통각 차단이라는 건 완벽히 통각 신경을 차단하는 게 아니라 상상한 종류의 통증을 지워 버리는 것이다. 예상 불가한 타격이나 고통은 쉽게 차단하기 힘들다.

거기에 더해서 세 번째 충격이 날아온다. 마치 시한폭탄처럼 몸 안에 장착된 힘이 한 번 더 폭발하면서 아그니의 몸을 푸드

코트 밖으로 날려 버렸다.

"…뭐, 뭐야… 이건."

푸드코트를 뚫고 날아가 주차장에 주차되어 있는 차량에 처박힌 아그니가 허우적거리며 몸을 일으켰다. 너무나 낡은 일본제 픽업트럭이 아그니의 몸 형태 그대로 구겨져 있었다. 그래도 그 덕분에 기절하지 않고 몸을 수복할 틈을 벌 수 있었다. 하지만 아르곤의 공격은 아직도 아그니의 몸을 지배한다.

전신이 얼어붙는 고통이 엄습한다.

"앙리 유이가 어디에 있는지 말해주지 않겠어?"

아르곤은 그렇게 말하며 푸드코트를 나와 천천히 접근해 왔다.

역시 이 녀석은 강하다. 대부분의 뱀파이어가 에스프리라는 클랜을 비웃고 있지만 그 리더에 대해서는 경외를 보였는데 그것은 아르곤이 그만큼 강력한 힘을 가지고 있기 때문이었다.

'얼음과 불, 좋은 콤비가 될 거라고 생각했는데…….'

따지고 보면 아그니처럼 배경 없는 뱀파이어가 아르곤에게 친밀하게 굴었던 것은 다른 뱀파이어들 입장에서는 웃긴 일이었다. 모두가 인정하는 아르곤의 지명도에 얹혀 가려는 속셈이 보였다고 할까?

그러나 아그니 역시 무투파로 이름 높던 뱀파이어다. 설마 이걸로 이겼다고 생각하는 걸까? 아니 뭐, 생각해 보면 아그니는 앙리 유이를 그렇게 마음에 들어 하지 않는다. 아르곤이 가르쳐 달라고 해서 못 가르쳐 줄 이유는 없다. 이렇게 먼저 두들겨 맞지 않았다면 물어보기만 해도 기꺼이 기쁜 마음으로 알려주었을 것이다.

'이렇게 두들겨 맞고 나서 붙게 되면 그거 폭력에 굴한 겁쟁이 같아 보이잖아?'

이리된 이상 절대, 죽어도 말 못 할 일이다. 아그니는 대답 대신 중지를 세우는 제스처를 취했다.

"엿 먹어."

그와 동시에 발화 능력이 발동, 주차장에 있는 차들을 폭파시켰다. 가솔린이나 디젤을 산화시킨 게 아니다. 차체를 이루는 금속 전부를 고속 산화 시키는 어마어마한 폭염! 주위 전체를 거대한 용광로로 만드는 아그니의 대출혈 공격이었다. 아그니를 향해 걸어오던 아르곤을 폭염과 불꽃이 뒤덮었지만 아르곤은 정확하게 자신의 검에 동결을 걸고 그걸 휘둘러 공간 정역을 지정해 주었다. 그것만으로… 폭풍이 아르곤의 동결을 피해서, 아르곤의 영역을 지나간다.

"쓸데없이 넓은 지역을 터뜨려 봐야 힘만 낭비하지. 아… 콜록콜록. 연기 들어가네. 큽…….."

보통 사람은 흡입하는 것만으로도 타들어갈 열풍 속에서 아르곤은 눈살을 찡그릴 뿐이었다.

'괴물 자식… 역시 아그네야스트라를 써야 하나?'

아그니는 자신의 혈인 능력 중 아르곤에게 먹힐 만한 것을 떠올리고 혀를 찼다. 이미 그는 오늘, 아니, 일자상으로는 어젯밤에 한니발과의 싸움에서 아그네야스트라를 펼쳤었다. 그 결과는 실패였다. 그 실패의 이미지가 뇌리 안에 강렬하게 남아 있는데 다시 아그네야스트라를 펼친다고 해서 그 효과를 확신하기 힘들다. 아그니는 대답 대신 손을 뻗어서 저 멀리… 떨어져 있던 담배 한 보루를 손으로 빨아들였다.

팁!

아르곤 입장에서는 아그니가 뭔가를 염동력으로 끌어오길래 뭔가 하고 봤더니… 그게 담배였다.

"……."

아르곤의 표정이 잠시 온화해졌다. 왜냐면 그 담배가 날아온 방향에 한 소녀가 있었기 때문이었다. 소녀는 계속 소란이 일자 도망치는 대신 아그니를 찾아서 접근해 온 모양이었다.

"그렇군."

"뭐가 그렇군이야?"

아그니는 담배 한 보루의 종이 포장을 뜯다가 아르곤의 말을 듣고 깜짝 놀랐다.

"아무리 봐도 네 혈족인데?"

"어… 이봐, 설마……."

이상한 오해는 질색이다. 하지만 아르곤은 완전히 아그니가 우려하는 그 방향으로 가버리고 있었다.

"역시 그렇지. 이런 혼잡한 곳에서 아이를 구하려면 어쩔 수 없었겠지. 좀 어린애일 때 뱀파이어로 만들면 몸이 성장 안 해서 고생할 텐데 괜찮겠나?"

아르곤이 아그니에게 그렇게 물어보았다. 그런데 그 눈빛이

어딘지 모르게 애잔하다. 아그니는 그런 아르곤을 보고 이를 악물었다.

"내가 알 게 뭐야! 저 애는 일종의 필터 같은 거라고. 내가 힘을 빨리 키울 수 있도록 인간 피를 거르는 혈액 필터 같은 거야!"

"음음. 뭐 그렇게 말하는 심정도 이해가 가지."

"엿 먹어, 이 새끼야! 네가 나의 뭘 아는데 이해하는 척 나불거려!"

아그니는 아르곤의 태도에 참지 못하고 담배를 내팽개쳤다.

'아그네야스트라든 뭐든 써주마. 이 자식… 죽여 버리겠어!'

그러나 여기서 아그네야스트라를 쓰면 저 이름 모를 소녀가 말려든다! 아니, 뭐 알 게 뭐람?! 원래 아그니는 악당이다. 세상에 증오와 원한을 가득 채우기로 결심했단 말이다. 욕망을 채우고 힘을 키우고, 키우고 또 키워서…….

탕!

하지만 그때 한 발의 총성이 울려 퍼졌다. 아르곤이 표정을 구기며 아그니의 발화 능력으로 엉망이 되어 반 토막 난 환도를 들어 총탄을 막아내었다.

"이런… 훼방꾼이군."

"아, 쌍……."

아그니는 자신과 아르곤의 문제에 끼어든 적수를 보고 이를 악물었다. 그때 아그니의 혈족이 된 여자애가 천천히 걸어와 아그니의 옆에 섰다.

"괜찮아? 아저씨, 지고 있던 것처럼 보였는데."

"너도 아가리 닥쳐라. 응?"

아그니는 자신에게 말하는 소녀의 건방진 태도에 짜증을 냈다. 그는 다시 바닥에 떨어진 담배를 주워 들고 아르곤을 노려보았다. 아르곤은 보이지 않는 곳에서 날아드는 총탄을 용케도 피해내며 혀를 찼다.

"사법이 걸린 블랙 셸이군. 이건 나라도 위험한데."

탕!

또 다른 곳에서 총성이 울려 퍼졌다. 이번에는 아그니가 깜짝 놀라서 몸을 돌렸다. 아그니 역시 진마이다 보니 전투 감각, 일종의 영적인 감각이 발달해 있어서 총탄이 오기 전부터 자신을 노리는 살기나 악의를 느낄 수 있었다.

그러나 이 공격은 복선이 깔려 있었다. 첫 번째로 거짓 살의를 보내고 그다음에 궤도를 수정해서 총탄을 쏘는 것이다. 이러면 감각이 뛰어난 뱀파이어나 라이칸스로프라고 해도 맞힐 수 있게 된다. 아르곤은 총알을 막으려 했고, 아그니는 피하려 한 게 문제다.

퍽!

총탄이 아그니의 팔을 관통했다. 상처 자체는 대수로울 게 없지만 이 탄환 역시 블랙 셸이다.

"이런……."

사법의 독이 아그니의 팔에 퍼지려 한다. 급해진 아그니는 얼른 상처 인근의 조직과 혈액을 태워서 이형의 영적 존재가 자신의 육신에 깃드는 걸 막아버렸다. 진마의 피와 육신의 일부를 태워 없애는 것은 아그니에게도 적지 않은 손실이었지만 사법의 위력을 알고 있는 그로서는 이렇게 할 수밖에 없었다.

"현명한 대책이군."

"젠장. 이것들이 나가지."

아그니는 자신의 혈족인 여자아이를 잡아 들고 커다란 자판기 뒤로 숨었다. 아르곤도 콘크리트 벽 뒤로 숨었다.

"여자애도 있으니까 데리고 나가. 앙리 유이는 저 옛날 건물에 있는 거 맞지?"

"그래! 좋⋯⋯."

아그니는 무의식중에 아르곤이 하라는 대로 하려다 멈춰섰다.

"이⋯ 이 자식. 난 그런 거 아니라고 했지?"

"거참. 알고 있어, 네가 롤리타 콤플렉스가 아니라는 것쯤은. 아니면 뭐야? 롤리타 콤플렉스라고 내가 소문내 주는 게 좋겠어?"

"⋯⋯."

아르곤은 우스꽝스러운 녀석이긴 하지만 욕심도 적고 성실한 인물이라는 평이다. 즉 그가 말하는 말은 상당한 무게감이 실린다. 그가 아그니를, 어린 여자애를 뱀파이어로 만들어 그 피를 빠는 놈이라고 매도한다면 많은 사람이 믿어버릴 것이다.

사실 오래 산 뱀파이어 중에는 그런 취미를 가진 놈이 많다. 테트라 아낙스가 아웃로 뱀파이어를 늘리지 않도록 애쓰고 있음에도 불구하고 예쁜 여자, 마음이나 몸이 동하는 여인을 덮치는 뱀파이어는 많다. 그냥 인간을 덮치면 한 번에 죽어버리니까 뱀파이어로 만들 수 있다면 뱀파이어로 만든 뒤 덮치고, 그녀에게 인간을 먹이고 이런 식으로 욕망을 푸는 변태라면 썩어날 정도로 있다.

아르곤이 아그니에 대해서 그런 소리를 한다면? 세상 평판은 틀림없이 이렇게 말할 것이다. '내 그 자식이 그럴 줄 알았지'라고…….

"씨발……."

아그니는 식은땀을 흘렸다.

"네가 악당이 되고 싶어 한다는 거는 알겠지만 그래도 변태라는 오명을 뒤집어쓰고 싶어 할 것 같지는 않은데. 롤리타 콤플렉스 변태와 우연히 여자애를 구해준 좋은 사람. 어느 쪽이 더 나아?"

"후… 후자가 더 낫긴 하지."

블랙 셸의 저격이 퍼부어지고 있는 와중에 두 진마의 의견이 일치했다.

"그럼 피해."

"젠장… 이 빚은 반드시 갚아주겠어! 기억해 둬라, 아르곤!"

아그니는 아르곤에게 으름장을 놓고 소녀를 데리고 뒤로 몸을 날렸다. 순식간에 20여 미터를 날아간 아그니는 낡은 도요타 하이럭스의 보닛을 밟고 위로 날아올라 함석지붕 건물들 위를 날아갔다.

"뭘 그렇게 고마워할 것까지야."

빚을 갚겠다는 아그니의 말을 그쪽으로 해석하며 아르곤은 불길한 검은 구름이 깔리는 하늘을 올려다보았다.

자카르타에 검은 비가 내리기 시작했다. 천둥번개가 치고, 돌 풍이 불며 장대비가 쏟아지는 건 열대의 나라에서는 매우 흔한 일이다. 하지만 이 비는 단순한 비가 아니다.

"와… 최악이군."

서현은 줄기차게 쏟아지는 비를 피해서 비즈니스호텔의 1층, 함석지붕을 올리고 철골로 복층화시킨 주차장 아래를 지나고 있었다. 위에 철근골조의 주차장 플로어가 설치되어 있음에도 불구하고 비는 이 건물을 꿰뚫는다. 하늘에서 쏟아지는 검은 영 기는 현세에 존재하는 모든 물질을 마치 처음부터 없었던 것처 럼 간단히 꿰뚫으면서… 안에 있는 육신을 관통하고 있었다.

"윽……."

실베스테르 신부의 몸에서 빛이 번쩍인다.

실베스테르의 몸은 이 더운 나라에서도 검은색 신부복에 감 싸여 있었는데 그 검은 신부복 안에서 푸르스름한 빛이 비치고 있었다. 실베스테르가 마법과 혈인 능력에서 자신을 방어하기 위해 만든 방어 술식이 바로 이 순간, 대기를 휘감는 마력과 영 력의 힘에 저항하고 있었다.

"안 좋군. 광역 사법이라니… 무슨 짓을 하는 건가?"

해를 가린 앙리 유이의 사법, 그 그늘 아래로 쏟아지는 검은 빗줄기는 철근 콘크리트를 종잇장처럼 뚫으며 안의 것들을 유린한다.

뱀파이어가 먹다 버린 시체, 구울이 되었다가 말라비틀어져 쓰러진 시체들도 일제히 일어나고 있었다.

콰드드득…….

도심 곳곳에서 기둥과 같은 커럽티드들이 나타난다. 하지만 이건 일반적인 커럽티드, 동경도를 장악하던 커럽티드와는 다르다.

이것들은 무기물에 닿으면 마치 그 무기물도 원래 자신의 일부였던 것처럼 변이한다.

이것에 비하면 솔로몬의 72악마를 소환하는 건 흑마법 축에도 못 드는 애교라고 볼 수 있었다. 인간의 의식 안에 존재하는 악마를 소환하는 '레메게톤(솔로몬이 저술했다고 하는 마법서)'의 마법도 일반적인 인식으로는 사악한 것이다.

요정들의 힘을 빌리는 베난단티나 대지령의 힘을 빌리는 드루이드들의 마법들도 사고가 터지면 끔찍한 결과를 초래하는데 악마의 힘을 빌리는 마법은 당연히 사악하고 위험한 것이다. 그러나 그것들조차 인간의 이해 안에 존재하는 것이다.

사법은 그것보다도 더 이형적인 존재들의 힘을 쓴다. 태초의 존재, 검은 영, 거대한 정보생명체인 검은 영의 힘이 지금 유기질과 무기질, 생명과 무생물을 가리지 않고 변이시키고 있었다.

"윽……."

한세건도 머리를 감싸 쥐고 고통스러워했다. 혼팅을 힘으로 억눌러 자아에 편입시키긴 했지만 한세건 역시 망가져 있는 존재, 귀신 들린 존재다. 테트라 아낙스가 된 서린이 신의 영역에 달한 마법의 재주로 한세건의 문제를 봉합해 주었지만…

서린이 한세건에게 시전한 마법이 신의 영역이라면 지금 이 순간, 자카르타를 이계화하는 앙리 유이의 마법 역시 신의 영역이었다.

"맙소사. 이렇게 빨리."

김성희가 만들어서 뱀파이어 헌터나 오컬티스트들에게 파는 부적, 다기드가 타들어가기 시작했다. 은으로 된 고리 다섯 개를 기기묘묘하게 꼬아서 만든 호신 부적, 다기드의 고리가 차례차례 변색되더니 마치 혹한 부식을 일으키는 주석처럼 푸석푸석 부서져 박살 난다.

주석이 낮은 온도에서 분자구조가 변해 산산조각 나는 건 알고 있었지만 은이 이렇게 되는 건 들어본 적이 없다. 김성희가 혹시 팔기 위한 부적에 순은이라면서 주석을 섞는 꼼수를 썼을까 하는 생각도 들지만 지금 기온은 알몸으로도 땀이 날 정도로 덥다.

설령 이 부적이 주술이라고 해도 이렇게 쉽게 부패되고 망가질 리가 없다.

"……"

한세건과 실베스테르의 상태가 급격히 나빠지는 걸 본 서현은 한숨을 내쉬었다. 앙리 유이를 잡겠다고 온 사람들이지만 사실 이들은 앙리 유이와 상성이 나쁜 인물들이다.

반면 라이칸스로프는 이런 상황에서도 별 영향을 받지 않는다. 라이칸스로프는 보통 인간보다 월등히 많은 생명 에너지와 영적 에너지를 가지고 태어나지만 외부와 닫혀 있는 존재다. 이는 그들이 마법에 대하여 강력한 방어 능력을 가지게 해주었지만 거의 영구적으로 사는 뱀파이어와 달리 그들의 삶은 짧다. 인간을 죽이고 그 영육을 섭취해서 자신들의 영적인 에너지, 육신의 에너지를 회복시킬 수 있지만 그렇게 회복시키는 것보다 소모하는 속도가 더 빠르고 결국 죽게 된다.

이런 구조 때문에 지금처럼 사법의 비, 마법의 비가 쏟아지고 있는 환경에서는 라이칸스로프 이상의 존재가 없을 것이다. 바꿔 말하면 이런 상황이 올 것을 예견해서 서린이 서현을 한세건의 곁에 보낸 것이리라.

"왜 서린이 날 그렇게 불러들였나 했더니만 이런 전개를 예상해서로군."

서현은 앞장서서 걸으며 하지 않아도 될 말을 했다.

"쓸데없는 소리로군."

한세건이 중얼거리며 검을 빼 들었다. 그와 실베스테르의 선택이 테트라 아낙스의 안배 위에 있다는 것은 한세건으로서는 받아들이기 힘든 일이리라. 설령 그게 사실이라 하더라도…….

"덕분에 방황할 시간이 없는 건 좋군. 빨리 앙리 유이를 처단하지. 방향은 저쪽… 거리는 약 2킬로미터 정도인가?"

"……."

그때 서현은 피부에 따끔따끔한 바늘이 꽂히는 듯한 느낌을 받고 눈을 찌푸렸다. 검은 비가 쏟아져 내리고 있어서 그 역시 영향을 받고 있었지만 그것과는 다른 느낌이다.

서현은 반사적으로 판초우의를 펼쳐 총탄을 막을 준비를 했다.

퍼퍽!

과연 판초우의에 구멍이 뚫렸다. 서현은 의념을 불어넣는 것만으로도 섬유 구조를 강화해 총탄을 막을 수 있었는데 이 검은 비가 서현의 능력 발현도 방해하고 있었다. 다행히 그렇다 해도 방어한 효과는 있는지 총탄의 방향이 휘어서 바닥에 떼구르르 구른다.

"엄폐!"

"말하지 않아도 한다!"

서현이 경고하기도 전에 한세건과 실베스테르가 차량 뒤로 숨었다. 하지만 충격이 퍼부어지기 시작하자 차 유리가 깨지고 철판이 펑펑 뚫린다.

굉장히 운동량 높은 탄환을 쓰고 있음에 틀림없다. 서현이 힐끔 시력을 집중해 주위를 둘러보니 과연… 인근 힌두교 사원의 외곽에 모래 흙벽을 쌓아둔 놈들이 보였다. 사용하는 무기는 H&K G3나 M14 같은 7.62㎜ 나토탄을 쓰는 것들이다. 덕분에 차량이 마치 종잇장처럼 뚫린다. 차량을 세우고 은폐하고 있던 한세건과 실베스테르가 자연히 엔진룸 쪽으로 이동할 수밖에 없다. 다른 곳은 총알에 바로 뚫려 버리니까.

"저것들은… 베오울프인가?"

"아마도."

서현은 그리 중얼거리며 철골 뒤로 숨은 뒤 베오울프에게 탈취했던 M14 소총을 잡았다. 하지만 그때 서현은 이상한 느낌을 받았다.

정말 베오울프라면 처음에 공격해 올 때 살기로 자신들의 위치를 들킬 리 없다. 그런 건 일반인들이나 하는 짓. 뱀파이어나 뱀파이어 헌터, 라이칸스로프가 가지는 육감을 무시한 처사다.

진짜 베오울프라면 이런 어설픈 공격은 하지 않을 터. 그리 생각한 서현은 차를 잡더니 번쩍 들어 머리 위로 들어 올렸다.

"…힘도 좋군."

한세건도 머리 위로 차량을 들어 올릴 수는 있지만 일단 차를 들어 올리면 지렛대 효과에 의해 균형을 잡을 수 없게 된다. 자신의 무게보다 높은 걸 들어 올리려면 잡을 곳이 확실해야 하고 무게를 효과적으로 분산해야 한다. 서현처럼 한 팔로 번쩍 드는 건 힘과 기술이 월등해야 가능한 것이다.

"여기로!"

서현은 그리 말하고 만약의 사태에 대비해서 차량 연료통이 있는 위치에 손바닥으로 일격을 가했다. 텅 하고 차량의 밑바닥이 얼어붙는다.

"가솔린을 얼렸군?!"

실베스테르는 서현이 무슨 짓을 했는지 간파했다. 차를 방패막이로 쓸 생각이라면 가솔린 점화를 신경 써야 한다. 연료 탱크 안에 있을 때는 총을 맞아도 바로 불타지 않지만 일단 연료 탱크 밖으로 줄줄 흘러나와서 공기랑 섞이기 시작하면 아주 쉽게 타니까.

'그렇지만 이 녀석의 능력은 정말 다채롭군. 가솔린을 얼릴 수 있단 말인가?'

실베스테르는 서현이 한 일에 놀라워하면서 은사를 풀었다.

"조심해! 온다!"

과연 서현이 예고한 대로 하늘에서 또 다른 저격이 시작되었다. 힌두교 사원에서 사격하고 있는 것들은 어디까지나 미끼. 진짜는 그 반대쪽 하늘에서 블랙 셸로 공격을 가한 것이다. 아마 평상시대로 힌두교 사원에 대해서 숨어 있었다면 상공에서 급습한 적에게 무방비로 당했겠지. 그러나 서현은 차량을 들어서 그걸로 공격을 막아내었다. 블랙 셸이라 해도 쇳덩이로 된 차량을 관통할 수는 없는지 텅텅 소리를 내며 막힌다.

한세건과 실베스테르는 엔진룸 쪽으로 피신해서 만에 하나 벌어질 도탄 사고를 피하면서 반문했다.

"이건… 상공인가?"

"아까 전 당신들이 상대한 놈들일 거야. 그때 죽지 않았으니까."

서현이 그렇게 말하자 실베스테르가 혀를 찼다.

"골치 아프군. 앞엔 기관총 진지, 상공에서 저격이라니."

"하지만 우리도 걸어 다니는 토치카니까 괜찮습니다."

한세건이 그렇게 말하자 서현이 한숨을 내쉬었다.

"걸어 다니는 건 나거든? 그리고 기왕이면 토치카 말고 탱크라고 하지?"

"아니, 토치카 맞지. 수류탄에 취약하니까."

한세건이 그렇게 말하기가 무섭게 과연 기관총 진지 쪽에서 수류탄이 날아왔다.

"말이 씨가 된다더니."

한세건은 자신의 경솔함을 탓했지만 서현이 피식 웃었다.

"아니, 탱크 맞아."

그리고 다음 순간, 분명히 서현의 발 아래로 굴러 들어와야 할 수류탄들이 서현의 머리 위, 약 40미터 상공에서 폭발했다.

"켁!"

카멜레온 인간 야운은 갑자기 폭발한 수류탄에 기겁하면서 몸을 둘둘 말았다. 그러자 그를 잡고 날고 있던 부엉이 인간 판프라콘이 휘청거렸다.

"무슨 짓이냐?!"

"아니, 그 본능이랄까. 갑자기 폭탄이 터지면 겁먹잖아."

누군가에 매달려 날고 있을 때는 몸을 웅크리면 무게 균형이 크게 변해 비행을 방해한다. 판프라콘이 짜증을 내는 것도 당연한 일이다.

"본능 탓하긴… 길거리 한복판에서 거시기 흔들 놈."

"……."

예상보다 심한 욕에 야운이 얼굴을 구겼지만 반투명한 상태라 잘 보이지 않았다. 대신 그는 G3 라이플로 서현과 한세건을 향해 공격을 가했다. 하지만 역시 서현은 차량으로 간단히 그 공격을 막아내었다.

"젠장… 저 자식 괴물인데?! 이봐, 판프라콘. 당신 차를 한 손으로 들어서 머리 위에 일 수 있어?"

카멜레온 인간 야운은 투덜거리며 탄창을 교체했다.

"힘은 되지만 밸런스를 못 잡지. 자기 체중보다 높은 걸 잘못 들면 기울어져서 내가 들리니까. 뭐, 그래도 힘이 센 건 별로 무섭지 않은데… 다른 능력이 너무 많다는 게 문제지. 어떤 상황에도 대응하니까."

부엉이 인간 판프라콘은 그리 말하고 하늘로 날아올랐다. 위치를 자주자주 바꿔주지 않으면 언제 어떤 반격에 당할지 모른다.

"은신한다!"

"내가 하는 거지! 당신은 날 옮기고!"

야운이 그리 말하며 은신 능력을 발휘해 판프라콘과 자신의 자취를 감추었다. 그렇게 모습을 바꾼 그들은 소리 없이 주위를 날면서 서현이 들고 있는 차량의 허점을 찾아보았다. 그러나 서현은 한 손으로 차를 든 채로 힌두 사원으로 접근하고 있고 그 밑에서 실베스테르가 은사를 풀어 주위의 차량을 끌어당겨서 계속 방벽을 쌓고 있었다. 싸구려 게스트 하우스와 마사지숍이 즐비한 거리라서 달리 저격할 방향도 없다. 길을 향해 뚫려 있는 힌두 사원에서 열심히 총격을 퍼붓고 있긴 하지만 이것 역시 실효를 거두지 못하고 있었다.

"저게… 이사카 베르게네프… 어쩌지?"

서현은 차량을 들어서 확실히 방벽을 세운 뒤 걸어가고 있다.

그때 판프라콘에게 전화가 왔다.

—지금 어디냐?

한니발의 전화였다.

"비즈니스호텔 토요에서 인디아 거리 쪽입니다."

—곧 가지. 이사카를 세워두고 있어.

"……."

판프라콘은 전화를 끊고 한숨을 내쉬었다.

"오, 맙소사. 사장님 직접 오시나?"

야운이 기막혀했다. 한니발을 사장으로 인정한 그이지만 그렇다고 그게 사장과의 화목한 관계를 말하는 건 아니다. 두렵고 존경할 존재긴 하지만 가급적 피하고 싶은 상대? 그게 야운의 사장에 대한 감정이었다.

"사장님은 과거 저자랑 원한이 있는 것 같으니까."

반면 판프라콘은 사장이 내린 명령에 목숨이라도 불태울 기세다. 아마 사장이 동성애자였으면 기꺼이 자기 한 몸 바치지 않을까? 그런 생각까지 든다.

"그럼 우리는 피할까? 솔직히 말해서 이제 여기서 괴수 대결전이 펼쳐질 거야. 우린 피해야지."

만약 다른 것들이 야운과 판프라콘 콤비에게 풋내기 냄새 나니까 꺼지라고 했다고 한다면 이들은 적극 반발했을 것이다. 그러나 한니발과 이사카 베르게네프가 충돌한다면 확실히 피하고 싶다. 문제는 판프라콘이 꽤나 성실한 성격이라는 것이다.

"아니, 이곳에서 대기한다. 곧 변이가 시작될 테니까."

"변이?"

"아웃레이지 뱀파이어와 구울들은 원래 불안정하니까."

과연, 힌두 사원으로부터 변화가 시작되었다.

'이 녀석 정말 힘세군.'

한세건도 계속되는 사이키델릭 문 과다 사용으로 초인적인 힘을 손에 넣었지만 서현의 경우는 뱀파이어나 라이칸스로프들 사이에서도 유달리 힘이 강한 편이었다. 차량을 한 손으로 들고 밸런스를 유지하면서 다른 한 손으로 베오울프에게서 탈취한 M—14 라이플을 조작하고 있다. M—14라는 게 원래 한 손으로 쓸 수 없게 되어 있는 라이플인데 워낙 민첩성이 뛰어나서 총에서 손을 떼었다가 떨어지기 전에 잡는 방법으로 공중에서 착착 조작하는 솜씨가 일품이다.

"일단 블랙 셸을 쏘는 놈들을 경계해야 하는데 이 정도 접근했으면 당신들이 저 앞의 놈들은 처리해 줄 수 있지 않아?"

서현이 그렇게 물어보자 세건은 실베스테르와 마주 보았다. 실베스테르는 여전히 몸 곳곳에서 마법 반응이 벌어지고 있었지만… 정신은 멀쩡해 보인다.

"알겠다. 저것들을 정리하지. 한세건! 너는 왼쪽으로, 난 오른쪽으로 가겠다!"

"네."

세건과 실베스테르는 진입 루트를 그렇게 정하고 접근할 계획이었다. 하지만 그때…….

우우우우우우!

사원이 진동하기 시작했다. 아니, 사원만이 아니다.

철퍽, 철퍽…….

바닥에 피로 만들어진 발자국들이 찍히기 시작했다. 사원의 벽에 사람의 손바닥이 치덕치덕 피를 바르기 시작한다.

낡은 호스텔, 게스트 하우스, 그리고 싸구려 기념품 가게가 밀집한 골목들로부터 우르르르 구울들이 쏟아져 나온다.

"젠장!"

서현은 더 이상 차량에 연연하지 않고 머리 위에 들고 있던 차를 던져 골목길 하나를 막아버렸다. 쏟아져 나오던 구울들의 무리를 차가 밀어버리며 구울들이 으깨지는 소리가 들렸지만 그것도 잠시…….

퍽!

거대한 게의 다리 같은 갑각으로 뒤덮인 팔이 튀어나오며 차를 찢고 서현에게 날아들었다. 으깨진 구울들의 시신이 합쳐져 기형적인 테라토마(Teratoma:기형종, 암이 장기 형상으로 분화하는 것)를 일으킨 것이다. 애초에 커럽티드가 테라토마의 일종이니 이것들 역시 커럽티드가 된 것이리라.

"흡!"

실베스테르가 숨죽인 채 힘을 발휘해 은사를 뿌렸다. 텅스텐 코일에 축복한 은을 바른 이것은 마력을 공급하면 스트링 구조로 금속 스트레스를 방사해 절대 끊어지지 않는 줄이 된다.

하지만 검은 비가 쏟아져 내리며 실베스테르의 은사에 명중할 때마다 은사가 흔들려 마력이 빠져나간다. 흐물거리며 철주에 휘감긴 은사가 게 다리를 막아섰지만 게 다리가 위로 한 번 까딱이자 실베스테르가 펼친 은사가 허망하게 끊어졌다.

"이런……."

"부여형 마법은 안 먹힌다니까, 그것참. 탄약 아끼지 마시죠? 총탄이야 적들을 해치고 빼앗으면 되지."

서현은 그렇게 말하며 자신은 정작 베오울프에게 빼앗은 M14 라이플을 거두고 대신 구르카 나이프를 빼 들었다.

"말이랑 행동이 엉망진창인 놈이군."

실베스테르도 데저트 이글을 빼 들고 마법 대신 물리적인 공격을 가하려 했다.

"잠깐……."

그때 한세건이 도폭선을 뿌렸다. 그리고 분리식 전자점화기로 점화! 단번에 게 다리를 토막 내버렸다.

다른 골목으로 구울들이 몰려들었지만 그쪽으로도 한세건의 도폭선이 날아들어 구울들 사이에 휘감겼다.

펑!

이번에도 폭발하면서 구울들이 토막 났다. 그러나 쓰러진 구울들은 이내 커럽티드를 일으키며 다시 변이한다. 세건이 토막 낸 게 다리도 이번에는 외갑피를 갖춘 곤충처럼 변하는데… 서현이 집어 던졌던 자동차를 몸체로 삼고 그 자동차에서 무수한

다리를 내밀어 마치 자동차가 거대한 그리마(돈벌레)로 변한 것처럼 되었다.

"오… 마치 모 애니메이션의 고양이 버스 같⋯⋯."

서현이 그 모습을 보며 감탄했다.

"이 상황에서 그런 농담이 나오냐?"

한세건이 짜증을 내며 건물 쪽으로 붙었다. 아직 상공에 저격수가 있는 데다가 서현이 차량을 던져 버려서 위에 대한 방비가 세워지지 않았기 때문이었다. 그런데 어째 실베스테르의 반응이 이상하다.

바직⋯ 바직⋯⋯.

실베스테르의 몸에서 계속 마법 반응이 일어나고 있다. 저것 때문인가?

"나도… 아니, 아무것도 아니다."

"⋯⋯."

세건은 순간 '당신도 그거 생각했었냐⋯⋯' 라고 핀잔을 줄 뻔했다. 하지만 그 다음 순간 실베스테르가 움직이기 시작했다.

"무시하고 앙리 유이를 잡으러 가지! 여기서 구울들 따위에 시간 낭비할 필요가 없다!"

실베스테르는 몸을 날려 작은 호스텔 건물의 2층 난간에 올라섰다. 그리마처럼 변한 커럽티드가 실베스테르의 움직임에 반응해 접근하며 담즙을 뿌렸지만 그는 난간을 따라 달리며 옆 건물로 도약해 담즙을 피했다.

이미 호스텔 건물 안에도 가득하던 구울들이 쏟아져 나왔지만 실베스테르는 마력을 중화시키는 사법의 빗속에서도 은사를 자신의 세이버에 감고 휘두르기 시작했다. 평소보다 예리한 맛은 많이 줄었지만 마력을 잃으면서도 은사가 검의 궤적을 따라 춤추며 구울들을 찢어버린다. 방금 전 외골격의 게 다리에게는 쉽게 찢어졌지만 그건 그 게 다리가 너무 크고 튼튼했기 때문이다.

딱히 마력을 걸지 않더라도 텅스텐 코일을 고속으로 휘두르면 그것만으로 사람을 찢어 죽이기엔 충분하다. 문제는 일반적인 구울과 달리 이것들은 곧 커럽티드가 되기 직전의 괴물들이라는 것이다.

콰드드득!

과연, 실베스테르가 베어놓은 놈들이 변화를 일으키기 시작했다. 이 커럽티드화는 테라토마와 완전히 똑같아서 외부 자극에 의해서 분화가 오히려 촉진된다. 베면 벨수록 종양이 급속히 늘어나며 온갖 기기묘묘한 생물들로 변한다. 파충류, 양서류, 어류, 조류, 인간의 각종 장기, 사지 등이 둑 터져 범람하듯 육신 안에서 쏟아져 나온다.

"끔찍한 외관 그 자체로 공격하는 건가."

한세건은 중얼거리며 도폭선을 필요한 만큼 자르고 거기에 전기신관을 연결했다. 원래 한세건은 와이어를 당기면 도중에 전기신관이 물렸다가 빼내는 순간 터지게 장치를 만들어서 썼었는데 자카르타는 서울에 비해서 너무 덥다 보니 그 장치가 된 라이더 슈트를 입을 수가 없었다. 그래서 도폭선을 직접 끊어서 신관을 그때그때 연결하니 반응이 느렸다. 그걸 달리면서 하니 더 느릴 수밖에.

"상대하지 말고 뛰어! 저건 내가 처리하지!"

서현은 한세건에게 그렇게 말하고 구르카 나이프를 머리 위로 치켜들고 호스텔 1층으로 들어가 천장을 가르기 시작했다. 실베스테르 입장에서는 마치 상어가 나오는 공포 영화에서 상어 등지느러미가 바다 위를 달리는 것처럼, 서현의 구르카 나이프가 지면을 가르며 접근하는 걸로 보였다.

콰직!

건물 전체가 기우뚱하면서 커럽티드로 변하는 구울들이 밑층으로 떨어진다.

"나이프 하나로 건물을 철거하나?"

깜짝 놀란 실베스테르가 피하는 사이 서현은 무너지는 건물에서 빠져나와 구울들에게 생수통을 던졌다.

"펑!"

서현이 입으로 그렇게 외치고 손가락을 튕기자 생수통이 터지며 수증기가 폭발했다. 그 모습을 본 실베스테르의 눈이 크게 떠졌다. 저것은 바로 그가 살해한 진마, 세피아가 즐겨 사용한 '베이퍼 블라스트(Vapor Blast)'였기 때문이다. 물의 구조를 강제로 변화시켜 수증기로 만들면서 오히려 주변의 열을 급속도로 빨아들이는 기술이다. 저걸 저렇게 정확하게 구사하다니? 평상시라면 별로 놀랄 것도 없지만 앙리 유이가 사법의 비를 뿌리고 있는 이런 상황에서?

"어서 가! 금방 쫓아가지!"

서현은 한세건에게 손짓하고 뒤돌아서 오히려 구울들에게 달려든다. 그리마처럼 변한 커럽티드가 서현에게 돌진했지만 서현은 뒤로 몸을 젖히더니 마치 림보를 하듯 스르륵 미끄러지며 그리마 커럽티드의 몸 밑으로 들어갔다.

"다이어트가 너무 심한데, 아가씨! 너무 가볍잖아!"

서현은 단번에 그리마의 몸통을 번쩍 들어 올렸다. 그리마의 다리가 허공을 허우적거리지만 서현은 커럽티드와 차량을 통째로 집어 들어서 구울들에게 던졌다.

와장창 하는 소리와 함께 마사지숍 건물이 기우뚱하더니 앞으로 허물어진다. 아주 난장판이다.

"걱정할 필요는 없겠군."

실베스테르는 그 모습을 보며 더 이상 볼 것도 없다는 듯 힌두 사원으로 몸을 날렸다.

"아이고, 큰일이네. 막아야지!"

야운은 급한 대로 G3 라이플을 연거푸 쏘며 실베스테르와 한세건이 힌두 사원에 진입하는 걸 막으려 했다. 하지만 제대로 고정되지 않은 상황에서의 사격은 큰 의미가 없었다. 실베스테르와 한세건도 충분히 공중에서의 저격수를 대비하고 있으니 맞히기가 쉽지 않다.

게다가…….

"…적당히 해라!"

서현은 그리 말하고 간판을 잡았다. 발 마사지 간판이라 발 모양으로 네온이 붙어 있던 간판이 우드득 떨어져 나온다.

"으랏차!"

서현이 그걸 잡고 빙글 한 바퀴 돌며 접근하는 구울들을 토막 내고 하늘로 집어 던지자 판프라콘은 급상승해서 그걸 피해야 했다.

"저 새끼 저거 보이는 거지? 어떻게 보는 거지?"

야운은 자신의 은신 능력을 무시하는 서현의 행동에 경악하며 총을 쏘려 했다. 그러나 서현의 M14가 먼저 야운을 노렸다. 간판을 던지고 나서 잽싸게 저 기다란 M14로 반격한 것이다.

판프라콘이 물결 비행을 해서 간신히 그 공격들을 피해냈다.

"안 되겠군. 피하자!"

"아니, 하지만 우리가 쏘지 않으면 저것들이······."

야운은 그렇게 말했지만 그때 차량 한 대가 달려오는 걸 보고 혀를 찼다.

"사장님 오셨네?"

인도인이 좋아할 법한 온갖 장식이 붙어 있는 버스가 거리를 질주하고 있었다. 아무리 보아도 거대한 버스가 지나기 쉽지 않은 골목길, 전신주에 전선이 덕지덕지 달려 있는 길을 향해 거침없이 뛰어든 버스는 전신주를 찍어서 옆으로 쓰러뜨리고 차 전체가 갈리든 말든 아랑곳없이 돌진했다. 사이드미러가 날아가고 창문이 전부 다 와장창 깨져도 버스는 불꽃을 일으키며 돌진해 왔다.

한니발은 그 버스에 앉아서 다리를 꼬고 있었다. 버스가 뭔가에 충돌할 때마다 크게 흔들렸지만 그는 다리를 꼰 자세 그대로 어떤 흔들림에도 대응했다.

"이사카 베르게네프가 와 있단 말이지. 이거 참 지금이라도 밖으로 달려 나가고 싶은 심정이야."

"그러지 마시지요. 베오울프의 사장이시니 말입니다."

아타왈리는 그리 말하며 직접 버스를 몰고 있었다. 그러자 한니발이 어깨를 으쓱해 보였다.

"평소에는 내가 이상한 짓을 해도 다 무시하더니만 왜 이번에는 날 말리는 거지?"

"아무래도 이사카 베르게네프면 그거 아닙니까? 리림. 게다가 과거에 사장님을 한번 패퇴시킨 작자라면… 아무래도 꺼림칙하지요."

"너무 걱정해 줄 필요 없어. 난 사업가고 상식인이니까."

그렇게 말하던 한니발은 버스의 창문을 깨고 돌입한 구울을 보고 쓴웃음을 지었다.

"상식인이지!"

한니발은 버스 의자를 붙잡은 채로 발로 구울을 걷어찼다. 단일격에 구울의 사지가 해체되어 창문 밖으로 떨어져 나갔다.

"거의 다 왔습니다."

아타왈리는 그 모습을 보면서 쓴웃음을 지었다. 한니발이 이렇게 신난 모습은 본 적이 없었다. 마치 선물 상자를 뜯기 전의 아이처럼 신나 있었다. 이런 상황이면 말리는 게 소용없다는 것쯤은 안다.

그렇게 얼마나 달렸을까. 갑자기 탁 트인 곳이 나타났다. 놀랍게도 무수히 많은 커럽티드와 구울들이 끝없이 몰려들고 있었는데… 그 한복판에는 한니발이 그렇게 보고 싶어 하던 인물이 서 있는 게 아닌가?

끼이이이익!

버스가 서현의 앞에 멈춰 섰다. 이미 안과 밖의 구분이 없어질 정도로 너덜너덜해진 버스에서 베오울프의 사장인 한니발이 뛰어내렸다.

"이거 아주 귀한 손님이 오셨군. 이사카 베르게네프!"

"…실례지만 누구시더라?"

서현은 자신의 눈앞에 있는 프랑켄슈타인의 괴물 같은 남자를 보고 의아해했다.

"아, 그렇군. 그사이에 많은 변화가 있었지. 내 외모에… 우선 소개부터 해야겠군!"

한니발은 애석해하며 손가락을 비비는 시늉을 해 보였다. 그러자 버스 운전대를 잡고 있던 이가 뭔가를 한니발에게 던져 줬다. 서현이 그걸 보고 흠칫했지만 한니발은 자신이 받은 것의 뚜껑을 열고 안에서 카드 같은 걸 꺼냈다.

놀랍게도 그건 명함이었다.

"……."

서현의 눈이 경악으로 물들었다.

"이래 보여도 나스닥 상장사니까. 비즈니스맨답게 굴어야지. 자, 여기."

한니발은 서현에게 명함을 날려 보냈다. 그걸 받아 본 서현이 한숨을 내쉬었다.

"베오울프 사장 한니발? 난 한씨는 한 명만 알고 있는데. 그래서? 내게 무슨 용무지?"

"헤드헌팅이지. 내 부하가 되는 건 어때? 팀장 자리를 주지."

"……."

너무나 상식적이고 현실적인 이야기가 나와서 서현의 등골에 소름이 돋았다. 차라리 사방에서 유령과 악귀, 사교도 광신도들이 몰려들어도 놀라진 않았을 텐데!

"연봉은 첫해 25만 달러로 시작하지. 프로젝트별로 상여가 따로 나갈 거고 당신이라면 곧 부사장 자리까진 오르지 않을까?"

"헤, 조건이 꽤 좋은데? 그렇게 조건이 좋으면 더 궁금해지잖아? 나랑 알던 사이인가?"

그런데 그때 버스에서 또 다른 라이칸스로프가 튀어나왔다. 벵골인으로 보이는 젊은 청년이 서현을 향해 날아들며 대뜸 나이프로 정수리를 찍으려 덤벼든 것이다.

하지만 서현은 살짝 뒤로 물러나면서 피했다. 애초에 이건 기습도 아니었다. 서현이 명함을 받긴 했지만 그렇다고 베오울프에게 방심할 만큼 바보가 아니니까. 그는 살짝 뒤로 몸을 날렸지만 벵골인은 첫 공격이 빗나가자 그대로 서현을 따라오며 공격을 가했다. 하지만 서현은 뒤로 물러나던 힘을 이용해서 벵골인의 옷 덜미를 잡고 그를 뒤쪽 커럽티드와 구울들 사이로 집어 던졌다.

"헤드헌팅이 정말 사전적 의미였나 보군. 내 머리에 칼을 꽂을 셈인가?"

"아니, 이건 부하의 독단적인… 그거야, 그거. 직장 내 성희롱."

"…아무거나 갖다 붙이지 마라."

서현은 그리 말하며 커럽티드들을 바라보았는데 저 벵골인은 놀랍게도 나이프 두 자루만으로 구울과 커럽티드들을 토막 내며 으르렁거리더니 다시 빠져나오는 게 아닌가?

"이런 녀석을 베오울프로 받아들이면 안 됩니다, 사장님! 이 녀석은 리림이 아닙니까?"

"왜? 영아살해범, 강간범, 마약범, 다 있는데 이제 와서 누굴 받아들여선 안 된다는 거지?"

"성자?"

베오울프의 사장과 직원의 대화에 서현이 한마디 보탰다. 그러자 한니발이 폭소를 터뜨렸다.

"아 확실히 그런 쪽은 받으면 안 되겠지만 애석하게도 그는 성자가 아니야. 웃겼어."

"원래 내가 좀 풍부한 지성을 가지고 있어서 말이지."

서현은 그리 말하며 배후로 접근해 오는 벵골인을 힐끗 돌아보았다. 벵골인은 나이프를 휘두르며 서현에게 뛰어들었는데 상당히 빠르다. 대충 상대할 생각이었는데 순식간에 간격을 좁혀오는 상대를 베오울프 녀석들은 마치 재미있는 장난이라도 되는 듯 지켜보고 있었다.

"젠장! 말리는 것도 아니고 동조하는 것도 아니고 뭐 하자는 거냐?"

서현은 판초우의를 펼쳐 뛰어드는 벵골인을 감싸 버렸다. 총탄도 막아내는 판초우의는 칼로 잘라내는 것도 쉽지 않을 터! 과연 벵골인은 판초우의에 감겨서 허우적거리기 시작했다.

하지만 그것도 잠시, 검은 흑색의 비가 판초우의에 닿으며 마력이나 특수 능력이 해제되어 평범한 판초우의로 돌아간다. 그때를 틈타서 벵골인의 나이프가 판초우의를 갈기갈기 찢었다.

"야… 혀 내밀어봐. 이렇게!"

서현이 그 벵골인에게 대뜸 이상한 요구를 하며 혀를 내밀었다.

"뭐?"

벵골인이 잠깐 정신이 팔린 그 순간 서현의 발차기가 벵골인의 턱을 강타했다. 윗니와 아랫니가 맞물리면서 그 사이에 낀 혀가 뭉텅 잘려 나갔다.

"이래야 혀가 잘리지."

"칵!"

벵골인이 휘청거리며 물러났다. 서현의 요구를 들어서 혀를 내밀진 않았지만 어이없어할 때 공격이 들어와서 혀가 잘려 버렸다. 입에서 피가 뿜어져 나오는데 아픔보다도 모욕이 더 괴로웠다. 남들이 보면 그가 서현의 말에 속아서 혀를 내밀었다가 공격당한 줄 알 거 아닌가? 사실 서현의 방금 전 일격이면 혀를 내밀든 안 내밀든 잘라 버릴 수 있을 정도, 아니, 보통 사람이면 턱뼈를 깨고 두개골이 터져 나갔을 것이다.

"허⋯⋯."

과연 한니발이나 아타왈리가 눈을 휘둥그레 뜨고 있는 게 바보를 보는 시선이었다. '저런 거에 낚이다니 바보 아냐?' 라고 눈으로 말하고 있었다.

"윽! 이 자식이!"

벵골인은 즉시 수인화를 시도하면서 서현에게 반격을 가하려했다. 어차피 혀 잘리는 정도는 라이칸스로프에겐 별로 중상도 아니다. 보통 사람이라면 과다 출혈로 죽을지 몰라도 그는 이미 상처를 완벽히 재생시켜 버렸다. 몸의 상처보다는 명예의 상처가 더 아팠다.

그러나 그런 흥분, 집요함이 오히려 그를 서현의 손바닥 위에 올려놓았다. 서현은 이미 상대가 흥분할 것을 예측하고 있었다.

퍽!

서현의 라이트 훅이 카운터로 깨끗하게 벵골인의 관자놀이에 꽂혔다. 벵골인의 공격은 서현의 팔꿈치에 걸려 흘러 지나가고 서현은 능숙하게 구르카 나이프를 뽑아 벵골인의 늑골을 가르고 지나갔다.

"컥! 내가⋯ 변신도 안 한 놈에게?!"

벵골인은 자신을 가지고 노는 서현의 놀라운 격투 능력에 경악했다. 하지만 정작 그 모습을 보는 한니발의 표정이 싸늘해졌다.

"…약해졌군."

"요새 영 부실하게 먹어서."

한니발은 서현이 한동안 사람을 먹지 않아서 카타볼릭 상태에 빠져 제 힘을 발휘하지 못한다는 말을 듣고 혀를 찼다.

"설마 이제 와서 개심했다거나 하는 웃기는 소리를 하려는 건 아닐 테고. 왜 갑자기 다이어트를 시작했지?"

4

한니발의 본명은 설의환.

그의 아버지는 재일 교포 2세 출신으로 일본계 M 모 종합상사의 직원으로 근무하고 있었다. 당시 M 종합상사는 일본 정부의 막대한 ODA 지원금을 받아 부흥을 꾀하는 중앙아시아 모국가의 광산 개발에 참여하고 있었다. 반도체와 배터리에 들어가는 희토류 광물들과 리튬 등은 앞으로도 계속 필요해질 것이고 그게 아니더라도 ODA 자금은 일본 정부의 국제적 입김을 강화하기 위해 어차피 써야 할 돈. 그 돈을 일본계 회사가 받아서 다시 재환수하는 과정이라고 할 수 있었다.

문제는 그런 오지에서 근무하는 건 여간 곤욕스러운 일이 아니라는 것이었다. 설의환의 부모님은 장기간 계속된 해외 체류, 단신 부임으로 인해서 너덜너덜해지고 있었고 이에 설의환은 억지를 써서 어머니와 함께 위험한 중앙아시아 모 국가로 아버지를 만나는 여행을 주선하게 된다.

그리고…….

반군 테러리스트들에 의한 납치 사건이 발생했다.

설의환의 부모는 설의환이 보는 앞에서 모조리 살해당하고 설의환은 자신의 부모, 가족을 몰살시킨 테러리스트들의 손에 붙잡혀 그들을 위한 소년병으로 키워졌다.

그곳에서 그는 리림, 이사카 베르게네프를 만나게 되었다.

이사카 베르게네프는 설의환이 납치당해 소년병으로 종사하고 있던 반군 테러리스트, '소그디스탄 독립전선'의 병사들을 제거해 주는 대신 과거 소련에 의해 공여되었던 공격 헬기와 전차를 받는 조건으로 자신의 라이칸스로프 갱을 이끌고 들어와 소그디스탄 독립전선을 몰살시켰다.

상관의 명령을 기계적으로 따르던 설의환은 소그디스탄 독립전선이 이사카의 손에 패배하고 몰살당하는 장면을 보아야 했다.

설의환은 그날 폭력의 화신을 만났다고 믿어 의심치 않았다.

살아 있는 폭력의 화신, 그에 비하면 그의 부모를 살해하고 소년병들을 강간하며 마약을 주사하던 이 녀석들은 맹수인 척하는 동네 잡견에 불과했다. 진짜 맹수 앞에서는 똥오줌을 지리며 머리를 조아릴 뿐, 목덜미를 물어뜯겨 죽을 때까지 변변찮은 저항조차 못 하는 것들에게 자신이 그동안 억눌려 있었다는 걸 믿을 수가 없었다.

소그디스탄 독립전선이란 이름의 테러리스트들은 전멸당했다. 하지만 이 테러리스트들을 지원하던 베오울프가 모습을 드러냈고 이사카 베르게네프의 라이칸스로프 갱단과 베오울프가 충돌했다.

그날은 이사카 베르게네프, 아니, 서현도 기억하고 있었다.

까다로운 상대들이었다.

리림으로서 위임받은 무한에 가까운 힘을 가진 서현이었지만 그가 가지고 있는 힘은 당시 테트라 아낙스에 대항하기 위해 써야 할 것이었고 그의 미숙한 동료들은 베오울프들과 싸우다 보면 절대 무사를 장담할 수 없는 상태였다.

결국 서현은 베오울프와 적정한 선에서 서로 물러나기로 했다.

그때 소년, 설의환이 서현에게 요청했다.

'저를 당신들의 일원으로 만들어주세요.'

'무슨 헛소리를 하는 거냐, 꼬마. 문명의 품으로 돌아가. 이곳은 네가 와서 좋을 곳이 아니다.'

'이미 전쟁이 나에게 남긴 상처는 너무 큽니다. 이 상처가 치유된다 하더라도 나는 밤마다 폭력의 그림자에 신음하고 내 죄책감에 짓눌려 숨을 헐떡이겠지요. 그런 삶에서 고통받느니 차라리 문명이라는 철창을 거부하고 폭력의 일원으로 살아가고 싶습니다.'

소년의 요청은 명확했다. 그래서 더더욱 서현은 그의 요구를 거부했다.

'일단 경험해 봐. 그러고도 네 열망이 가시지 않는다면 그때는 생각해 보지. 하지만 한 가지 알아둬라. 라이칸스로프가 된다는 건 비가역 현상이다. 네가 나중에 원하지 않더라도 돌이킬수 없는 선택은 그렇게 쉽게 하는 게 아니야. 모든 선택지를 다 골라본 다음에 이곳에 와도 늦지 않아.'

'궤변이군요. 내가 문명으로 돌아가면 다시 당신의 앞에 서기가 얼마나 힘들 줄 아십니까? 만약 당신이 날 받아들이지 않는다면 당신은 반드시 이날을 후회할 겁니다.'

소년 설의환은 자신을 거부하는 서현에게 외쳤지만 서현의 마음을 돌릴 수는 없었다.

그는 어쩔 수 없이 문명의 손으로 돌아갔고… 그 후 보험사의 소송에 휘말리면서 M중공이 광산의 채산성을 맞출 수 없게 되자 사업을 진행한 정치가의 업적을 위해서 일부러 이 사건을 일으켰다는 사실을 알게 되었다.

소년 설의환은 M중공의 중역들과 관련 정치인들을 살해하고 법정에 섰다.

일제시대부터 지금까지 쭉 일본의 군수, 중공업, 해외 무역을 담당해 온 M 기업의 중진을 살해하고 정계의 거물들조차 살해한 소년이 재판정에 섰다. 소년은 이미 죽음을 각오하고 있었다. 그의 부모는 아무런 배경을 남기지 않았고 소년은 그야말로 혈혈단신이었다.

죽더라도 아쉬울 것은 없었다. 아니, 그는 여기서 죽어야 했다.

'자, 날 죽여라. 내게 사형을 언도해!'

그러나 놀랍게도 판사는 무죄를 선고했다.

'피고인의 심리적 고통, 스트레스가 현저하여 도저히 일상생활을 영위할 수 없는 수준이므로⋯⋯.'

'심신상실 상태임을 인정하여⋯⋯.'

'⋯정신병원 치료를 명한다.'

판결문 중 몇 가지 단어가 설의환의 귀로 스며들어 왔다. 저들은 설의환이 행한 모든 일을 그저 미친 한 아이의 폭주쯤으로 여기고 있었다.

설의환이 무슨 마음으로, 어떤 심정으로 어떤 행동을 취한다 하더라도 저들은 설의환의 마음의 소리에 귀 기울이지 않을 것이다. 미치광이 어린아이의 우연한 폭거, 그쯤으로 여기고 이 사건을 덮으려 하는 것이다.

'그렇지 않다! 그래선 안 된다!'

설의환은 자신의 유죄를 법정에서 주장했다.

'미친 아이가 한 일일 뿐이라고? 왜 정치가가 죽어서 정계를 재개편하면서 이 사건을 어둠 속에 묻고 싶어서라고 말하지 못하는 거지?'

변호사가 그를 막으려 했지만 소용없었다. 이미 설의환은 일종의 초인적인 존재가 되어 있었다.

'그리고 왜 날 무죄로 살려두는 거냐?! 사람을 죽였다고! 내 명백한 의지로 살해했다! 그런데 어째서 내 의지로 행한 범죄를 신도 아닌 네놈들이 용서하는데? 난 나를 용서할 수 없어! 그런데 너희들이 멋대로 나를 용서하다니? 내가 미친놈이라서 사람을 죽인다 하더라도 책임을 물을 수 없다고? 너희들은 지금 나에게 살인 면허를 주는 것인가?!'

그날 소년은 힘사의 서원을 세웠다.

소년 설의환은 죽고 대신 아라한 한니발이 그 자리를 대신했다.

그가 한니발을 자처하게 된 것은 정신병원이 그에게 준비해 준 병실이 강화유리로 뒤덮인 독실이었기 때문이었다. 양들의 침묵의 한니발 렉터처럼 인세로부터 격리하되 항상 감시해야 할 괴물을 위한 자리가 그를 위해 배정되었다. 그 자리가 마음에 들어서 그는 스스로를 한니발이라 자처하게 되었다.

아름다운 용모, 도전적인 눈빛, 절대 길들여질 수 없는 고고한 공기를 가진 소년은 계속된 성적 학대를 받아왔었다. 애초에 소그디스탄 독립전선이 그의 부모를 죽여도 그를 살려둔 것은 그 때문이었으니까.

정신병원의 근로자들이 병원 내의 환자들에게 가지는 힘은 절대적. 그렇다면 당연히 제 욕심을 채우고자 하는 쓰레기가 나오게 마련이다. 그리고 그들이 한 가지 간과한 것은 겉보기엔 연약해 보이는 저 소년의 악력이 이미 프라이팬을 둘둘 말 수 있을 정도로 강력하다는 것이었다.

사이키델릭 문의 지속적인 투입으로 영혼백육의 조화가 무너져 그 자체로 살아 있는 재앙으로 변한 소년은 힘사의 서원으로 자신의 힘을 증대시키고 있었다. 무수히 많은 정신병원 근로자들이 살해당하고 나서야 그들은 그를 독실에 가둬두었다.

하지만 그것만으로는 이미 그를 가둬둘 수 없었다.

그는 정신병자라는 살인 면허를 가진 살인자가 되어 있었다. 정신병원은 곧 그의 압도적인 무력에 굴복해 그의 아지트가 되었고 그는 자신의 아지트에서 뛰쳐나가 마음껏 사람을 죽였다.

소그디스탄 독립전선의 배후에 있던 베오울프에 닿는 선을 얻기 위해서……

결국 그는 베오울프와 선이 닿았다. 한니발은 기꺼이 베오울프에 합류했고 온갖 고초와 고난의 벽을 넘어 마침내 베오울프의 사장, 그리스인 조르바를 죽이고 자신이 베오울프의 사장이 되었다.

"그날 이후로 얼마나 당신을 다시 만나고 싶었는지 모른다. 이사카 베르게네프."

한니발은 자신의 눈앞에 서 있는 서현을 보며 그렇게 말했다.

"……"

"그래. 어째서 사람을 먹지 않고 그렇게 약해져 있는 거지?"

"이봐, 내가 뭘 먹든 말든 너무 관심이 지나친 것 같은데."

서현은 자신에게 덤빌 기세이던 벵골인보다 한니발을 더 경계하고 있었다. 벵골인도 매우 강력한 라이칸스로프지만 애석하게도 한니발에게서 느껴지는 위험성에 비하면 별것 아니다.

"만약 당신이 더 이상 사람을 죽이기 싫어서라든가 뭐 그런

맹한 이유로 사람을 먹지 않는 거라면 나는 당신의 존재하지도 않는 그림자를 쫓아온 셈이 되니까. 내 일방적인 추종과 동경을 당신보고 책임지라고 하는 건 무책임하고 엉뚱한 원한처럼 보일지 모르겠지만… 나야 원래 이치를 벗어난 악당이니까 이 정도 응석은 부려도 될 것 같은데?"

"이거 나도 모르는 새에 어마어마한 팬 보이를 뒀군."

서현이 그렇게 빈정거렸지만 그때 한니발이 손을 뻗었다.

"……."

서현은 자신의 손에 들려 있던 한니발의 명함이 다시 한니발의 손에 들어가 있는 걸 보고 놀랐다. 별로 어렵지 않게 서현의 공격 범위 안에 들어와서 손에 들고 있던 명함을 낚아채 간 것이다.

'뭐지. 시간 축이 완전히 어긋나 있는 것 같군.'

인간의 뇌 신경은 보다 깊은 사고가 가능하도록 많은 뇌세포가 배당되어 있다. 그 대신 간단한 행동을 하기 위해서도 보다 많은 신경이 가동되어야 하기 때문에 동물들에 비해서 반사 신경이 느리다.

라이칸스로프나 뱀파이어도 그 점에선 인간과 별다를 바 없다. 인간보다야 월등히 빠르고 어지간한 야생동물과도 맞먹을 반사 신경이 나오지만 그럼에도 불구하고 사이키델릭 문을 받아들인 인간보다는 빠르지 못하다.

하지만 서현의 경우는 라이칸스로프들 사이에서도 최상급이라 할 반사 신경을 지니고 있었다. 사이키델릭 문을 쓰는 인간의 반사 신경이 보통 뱀파이어나 라이칸스로프의 그것보다 더 빠르지만 서현의 경우는 대부분의 헌터의 것보다 더 빠르다. 서현에게 우위를 점할 수 있는 건 한세건 정도? 그것도 네다섯 번 하기 시작하면 점점 피로감이 쌓여서 나중엔 서현이 훨씬 우세해질 것이다.

그런데 저놈은 최적 상태의 한세건도 양 뺨따귀를 후려갈기고 빠져나갈 정도로 빠르다.

'…이거 뭐지. 큰일 났는데?'

서현은 자신이 상상치도 못한 강적을 만났다는 걸 깨달았다.

第21夜

사성제(四聖諦)

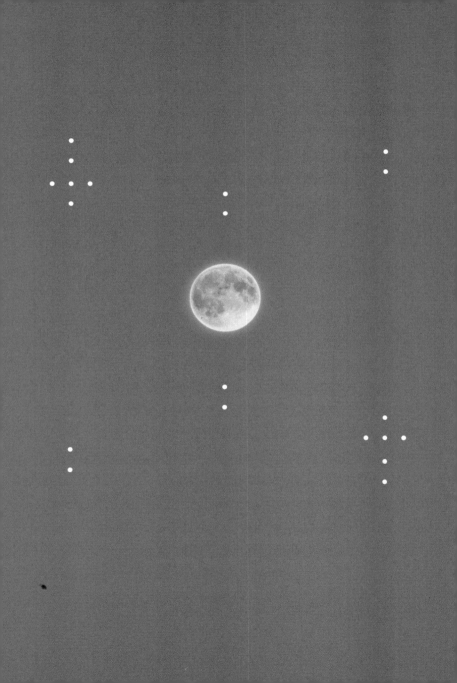

1

　뱀파이어들의 식당.

　그것은 뱀파이어들이 희생자를 끌고 와 잡아먹기 좋은 장소를 말한다. 일광 아래 무력한 보통의 뱀파이어들의 경우 식당은 항상 자신들의 은신처와 멀리 떨어진 곳, 그러면서도 인적이 드문 곳을 선택하게 마련이다. 해가 떠 있을 때 헌터를 만나는 것만은 절대적으로 피해야 했기 때문이다. 아무래도 식당은 시체를 남기게 마련이고 그게 자신들의 은신처에 가까이 있다면 헌터들을 불러들일 테니까.

　하지만 아웃레이지의 뱀파이어들은 일광에 의해 고통받지 않는다. 다른 뱀파이어들이 오래 살면서 자연히 익히게 되는 조심성도 없다. 그래서일까?

이 힌두 사원은 온통 시체로 가득했다. 비슈누와 그 부인인 락슈미에게 바쳐진 사원이 흡사 칼리나 두르가처럼 죽음의 이미지를 가진 신들의 사원처럼 탈바꿈되어 있는 것이다. 먹다 남은 시체가, 사람의 잘린 손발이 여기저기 걸려 있고 인간을 산 채로 쥐어짜기라도 했는지 대량의 피가 신상에 튀어 지옥도를 연상케 했다.

그 안에 경찰복을 입은 구울들이 스털링이나 그리스 건을 들고 무장하고 있고 몇몇 보탁 연합의 정예병으로 보이는 이들은 좀 더 나은 무기, 중국제 56식 소총이나 M1 개런드, G3 같은 무기를 들고 있었다.

그야말로 지옥의 성채로 변한 힌두 사원을 향해 두 개의 인영이 쏜살처럼 뛰어들었다. 길거리에 주차된 차량과 판자들, 그리고 구울과 인간의 시신 그 자체를 방벽으로 삼아 두 명이 돌진한다.

더위를 느끼지 않는지 검은 가톨릭 신부복을 입은 은발의 남자 실베스테르와 인간의 세상으로부터 결별할 결의를 표명한 듯한 녹색 머리칼을 가진 동양인 청년이 달린다.

으직!

동양인 청년, 한세건의 팔꿈치가 구울의 안면을 부수고, 그가 휘두르는 도검이 막아서는 것들을 토막 낸다.

은발의 신부, 실베스테르는 긴 은색 세이버를 휘두르는데 낭창거리는 검신에 엮인 텅스텐 코일이 빠르게 회전하며 마치 예초기 칼날처럼 주위의 구울들을 도륙한다. 총을 든 구울들이 그에 응사하려 하지만 한세건과 실베스테르 둘 다 그들의 육탄전으로 무력화된 구울들이 들고 있던 무기를 빼앗아 역으로 구울들을 쓰러뜨렸다.

드드드드드!

구울들이 총탄을 맞고 붕괴하더니 커럽티드로 변했지만 실베스테르는 그걸 상대하지 않고 빠져나왔다. 상대를 커럽티드로 바꾸는 건 어디까지나 변이에 시간을 낭비하게 해서 지나가기 위한 것, 목표는 앙리 유이다.

문제는 그가 앙리 유이까지 과연 당도할 수 있을지다.

"목표는 앙리 유이다. 일본에서의 과오를 범하지 마라, 한세건."

실베스테르는 만약의 사태에 대비해 그렇게 말했다. 여기서 커럽티드와 싸우다 힘을 소진하는 건 무의미한 짓. 빠르게 앙리 유이를 처단해야 했다.

서현은 보아하니 베오울프들을 상대할 것 같고, 그렇다면 실베스테르와 한세건밖에 의지할 인물이 없다. 테트라 아낙스가 뭔가 하긴 하겠지만 테트라 아낙스가 뭔가 해주길 바라면서 손가락 빨 거면 뱀파이어 헌터라고 할 수 없지 않은가?

"말하지 않아도 알고 있어요."

세건은 침착하게 말하며 눈을 크게 떴다. 푸른 귀화가 눈 안에서 불타오른다. 검은 영기, 혼팅이 그의 몸의 주위를 들끓으며 거대한 검은 눈이 되어 사방팔방을 엿본다.

무장한 구울이 근접하는 순간 한세건의 몸이 움직이며 검은 영기가 깃든 검으로 상대를 토막 내고 무기를 빼앗아 인근 구울들에게 자연스럽게 반격한다. 앙리 유이가 뿌리는 사법의 비가 한세건에게도 영향을 주고 있지만 한세건은 자신의 의지의 힘을 확장시켜서 사법에 대항하고 있었다.

한세건은 괜찮다. 계속 쏟아지는 마법적인 힘의 아래에서도 그는 누구보다 강력한 자아와 목표 의식을 가지고 있었다.

코스트의 화신, 뱀파이어들에게 그들이 살아가는 것만으로 치러야 할 비용의 화신이 되고자 하는 한세건의 목적은 사법의 영역 안에서도 그를 이 마법으로부터 지켜주고 있었다.

반면 실베스테르는 상태가 좋지 않았다.

"괜찮습니까?"

한세건은 실베스테르의 몸이 여전히 빛을 발하고 있는 것을 불길하게 여겼다. 실베스테르에게는 독도, 저주도, 생명을 죽일 수 있는 그 어떤 치명상도 통하지 않는다. 어떤 의미에서는 뱀파이어보다 더한 불사의 존재였다.

그런 그가 이 사법의 비로 빠르게 약해지고 있었다. 사법의 비는 이제 곧, 이 자카르타 전체를 커럽티드의 도시로 부패시킬 것이지만, 그보다 먼저 실베스테르가 쓰러질 것이다. 한세건보다 훨씬 더 마법의 존재에 가까운 실베스테르는… 그만큼 마법에 취약했던 것이다.

상대는 최강의 사법사 앙리 유이. 마법의 존재, 마인인 실베스테르에게는 그만큼 상성이 좋지 않다. 하지만 실베스테르는 태연자약했다.

"네가 날 걱정해 줄 정도라니 많이 컸군."

"그런 것에 구애받진 않습니다만……."

세건에게 있어서 실베스테르는 기묘한 애증의 대상이었다. 주위에서는 실베스테르가 세건의 스승이라고 말하고 있지만 실제로 한세건을 훈련시킨 것은 송덕연이었고 사실상 세건을 키운 것은 팔 할이 그 자신의 힘이었다.

그러나 실베스테르의 존재가 세건에게 많은 영향을 끼쳤음은 부인할 수 없는 사실이었다.

대부분의 다른 헌터는 마약상에 불과했다. 십중팔구는 뱀파이어에게 가족을 잃고 어쩔 수 없는 상실감과 상처 때문에 이 업계에 들어오지만 결국 스스로 마약에 중독되어 버린다. 전투를 위해서 계속 약물에 의존해야 하는 그들에게는 당연한 종착점이었다.

마약의 힘 없이 뱀파이어와 싸우며 그 존재를 오직 능멸하기만 하는 자.

타협 없이 뱀파이어라는 종 그 자체와 싸우는 자.

실베스테르는 그런 존재였다. 한세건에게 있어서 롤 모델이라 할 수 있으리라.

약물에도 지지 않고, 공포에도 지지 않고…….

단지 뱀파이어에 대한 증오의 권화가 되어 그저 뱀파이어를 죽이는 존재.

하지만 그런 존재가 지금 한세건의 눈앞에서 스러져 가고 있었다.

이대로라면 얼마 가지 못해서 그는 죽는다. 죽음이 싫다면 실베스테르는 물러나야 할 것이다. 사실 실베스테르가 목숨을 걸고 앙리 유이를 잡으러 돌진할 이유도 없다.

앙리 유이는 눈물을 흘릴 뱀파이어가 아니니까.

"말해두지만 한세건, 나는 네가 뱀파이어가 되려 할 때… 널 죽여 없애려고 했다. 난 너의 목숨을 아까워한 적이 단 한순간도 없다."

실베스테르는 물러서지 않는다. 오히려 검을 고쳐 잡고 더욱더 마력을 끌어 올려 자신의 존재마저 태우며 돌진한다. 이 비로 마력과 생명력을 잃어버리기 전에… 좀 더 많은 구울과 뱀파이어를 제거하고 앙리 유이로 향하는 길을 열어주기 위해서 그는 거침없이 앞으로 나아갔다.

"너에게 뭔가 베푼 적도 없고 너를 가르치지도 않았다. 그러니까 너는 나를 증오해야 한다. 이 미친 달의 세계로 널 초대한 나를… 너는 증오할 자격이 있지."

곧 꺼져가는 촛불이 마지막으로 크게 타오르듯, 실베스테르는 이전에도 없고, 이후에도 없을 집중력으로 사방에서 쇄도하는 괴물들과 싸웠다.

"그러니까 당신이 개죽음당하더라도 무시하고 내 목적을 달성해라?"

세건 역시 그런 실베스테르의 움직임을 따라오고 있었다. 놀라운 일이다. 피륙으로 이뤄진 인간에 불과했던 녀석이 아무리 비약을 영혼이 타락할 정도로 때려 박았다지만 그 안에서도 자아를 잃지 않고 여기까지 따라올 줄이야.

"물론이다."

실베스테르는 그렇게 답했다.

"……."

한세건은 일의 심각성을 깨달았다. 실베스테르가 상당히 몰려 있음에 틀림없다.

"…얕잡아 보셨군요. 당연히 그럴 겁니다."

한세건이 그렇게 말하는 순간 벽에 붙어 있던 거대한 신상이 갑자기 움직이며 들고 있던 금강저로 한세건을 강타했다.

서현이 집어 던진 차에 커럽티드가 끼워져 거대한 돈벌레처럼 변했듯이… 힌두의 신상을 파먹고 들어간 커럽티드가 신상 그 자체의 모습으로 움직이기 시작한 것이다.

"이런!"

한세건은 그 금강저를 그냥 팔로 막았다. 진짜 금강저라면 사람의 피륙이 으깨질 강타였지만 습기와 열기에 학대당한 석고상에 불과한 금강저는 한세건의 뼈조차 부수지 못하고 바스러졌다. 그렇다고는 해도 엄청난 타격이었다.

게다가 그 신상뿐만이 아니다. 신전 벽의 부조, 혹은 기둥을 대신하던 신상들도 일제히 움직이면서 힌두 사원이 붕괴한다.

한세건과 실베스테르의 머리 위로 힌두 사원의 지붕과 서까래가 떨어지기 시작했다.

2

"왜… 사람을 먹지 않지? 일단 죽으면 사람은 결국 고기에 불과하다. 그가 살아서 행하는 것에 의해서 그의 자아가 규정되는 법. 설마 죽은 사람이 그 육신으로 다시 되살아난다는 이집트적인 윤회론을 믿는 건 아니겠지?"

한니발은 서현의 카타볼릭 상태에 적잖게 실망했다. 그에게 있어서 서현은 그야말로 지고선의 존재 같아 보였다.

살생의 업을 달고 태어나 닥치는 대로 덤벼드는 자를 죽여 이승이라는 고통의 바다에서 사람들을 해방시키는 존재.

그런 지고선의 존재가 타락하다니 적잖게 마음이 아프다. 아마 실연을 당해도 이보다는 마음이 덜 아플 것이다.

물론 그런 한니발의 마음이 아무리 간절하더라도 서현 입장에서는 짜증 나는 일일 뿐이다. 서현 자신도 남들과 비교하면 꽤 미친놈이라고 생각했었는데 아무래도 오늘 제대로 임자를 만난 기분이다.

"혹시… 게임 불감증이라는 단어를 알고 있어?"

"물론이지. 그게 왜?"

"만약 어떤 사람이 모든 게임을 치팅해서 플레이한다면 필연적으로 불감증에 빠질 거야. 그렇지 않아? 삶의 즐거움을 되찾기 위해서는 때로는 일부러 번잡함을 찾아갈 필요도 있지. 게임이 너무 쉬우면 재미가 없으니까."

서현이 그렇게 말하자 다른 라이칸스로프들의 표정이 구겨졌다. 굉장히 오만한 발언이다. 물론 0세대 라이칸스로프인 서현은 저런 시건방을 떨 자격이 충분하다. 릴리쓰와의 싸움에서 스스로를 소모하지 않았다면 말이지만.

"그게 네 답인가?"

"이래서 진리라는 건 말로 하면 가벼운 법이지. '예습 복습 철저히 하면 공부가 잘됩니다' 같은 소리는 아무리 옳더라도 말로 내뱉으면 비웃음을 산다니까."

"재밌는 농담이로군."

"이봐, 난 진심에서 하는 말이라고."

서현은 반신반의하는 한니발에게 그렇게 말했다.

"내가 알고 있다고 생각했던 것을 사실 몰랐던 거지. 그걸 알기 위해서 나는 일반적인 삶이 필요해. 그걸 앙리 유이가 파괴하게 내버려 둘 수는 없다."

"라이칸스로프의 왕자인 네가 인간의 삶을 지키기 위해 앙리 유이와 싸운다고? 제정신이냐?"

한니발은 마치 자신들이 좋아하던 아이돌 가수가 다른 남자와 기습 결혼 한 뉴스를 들은 팬클럽 회원처럼 절망했다. 그가 이상적으로 여겨온 자가 이렇게나 타락하다니?

"너야 원래 인간이다가 모든 걸 잃었으니 모든 것에 대해 투쟁을 계속할 수 있겠지. 한세건이 그러하듯 너 역시 원래 인간이었으나 폭력과 투쟁에 의해 망가진 거야. 너희는 세상에 복수할 자격이 있는 복수자. 투쟁은 너희가 상실한 것을 보상해 주진 않겠지만 폭력을 휘두름으로써 너희는 자신을 증명할 수 있어."

서현은 그리 말하고 자신을 가리켰다.

"반면 나는 달라. 난 애초에 괴물이었다. 폭력과 살육, 극단적인 수단만 난무하는 세상에서 살았으니 난 중간을 모른다."

"그렇게 바보 같아 보이지는 않는데?"

한니발은 서현의 고백, 그 자신이 무지하고 무능하다는 고백에 반발했다.

"그야 이 세상에서 돌출되어 있는 건 전부 극단뿐이니까. 극단적인 상황에 적응해 버리면 항상 유능해 보이는 법이지. 하지만 현실적으로는⋯ 난 무능해."

서현은 그렇게 고백하고 쓴웃음을 지었다.

"인간은 자신이 생각한 대로 살아가야 해. 삶이 이끄는 대로 생각하는 건 인간이 아니다. 그렇지 않아?"

한니발은 서현의 고백, 그 자신이 무지하고 무능하다는 고백에 반발했다. 하긴 서현은 제일 처음 세상에 이름을 알렸을 때부터 유능한 전사였다. 그런 유능한 인물이 자신의 무능과 무지를 고백한다면 곧이곧대로 들어줄 수가 없다.

"아니, 난 중간을 모른다. 언제나 극단적이었을 뿐이지. 사실 극단에 대응할 수 있으면 그 어떤 상황에서도 최악은 피할 수 있으니까 뭔가 대단한 것처럼 보이겠지만⋯ 그거야말로 겉껍데기에만 치중한 선물 상자와 같아. 안은 텅 비어 있지."

서현은 그렇게 고백하고 쓴웃음을 지었다.

"⋯말하는 바는 알겠다. 이해도 하지. 그러나 그래서야 내가 동경하던 모습은 찾을 수 없군."

한니발은 서현의 말을 듣고 그가 무슨 의도로 그렇게 말하는지 바로 이해했다. 꽤 놀라운 이해력이다. 역시 이런 게 팬 보이인 걸까? 서현은 자신의 눈앞에 서 있는 한니발을 보고 혀를 찼다.

"내가 네 동경에 맞춰줄 이유는 없지."

서현은 그렇게 말하고 피식 웃었다. 한니발과 이야기하는 동안 베오울프의 다른 라이칸스로프들, 상공에서 날고 있던 저격수라든가 처음부터 그에게 돌격해 왔던 벵골인, 그리고 버스를 몰던 인도인 역시 배치를 바꾸어 서현에게 압력을 가하고 있었다. 한니발이 명령을 내리기만 하면 공세를 가해올 분위기다. 굳이 쓸데없는 말을 해가며 한니발과의 문답에 나선 것은 한세건과 실베스테르가 충분히 빠져나갈 시간을 벌기 위해서였다.

'이 정도 했으면 뭐 이젠 알아서 하겠지. 둘 다 어린애도 아니고……'

그렇게 생각한 서현은 어깨를 으쓱해 보였다.

"그래서… 이제 이야기는 다 끝난 것 같은데… 앙리 유이랑 뭐 밤마다 서로서로 거시기를 흔들어주는 사이는 아닐 것 같은데 내가 앙리 유이의 목을 따러 가도 될까? 아니면 방해할 건가?"

"저 무례한 놈! 사장님은 앙리 유이의 거시기 따윈 만지지 않으신다!"

서현의 무례한 단어에 분노한 벵골인 청년이 그렇게 말했지만 한니발은 끙 하고 그 벵골인 친구를 노려보았다.

"하아."

벵골인이 말실수를 하긴 했지만 한니발의 태도는 흔들림이 없었다.

"치팅 없이 게임을 즐겨보고 싶다고 했는데 우리보고 비켜달라는 건 말이 안 되지. 자, 베오울프의 서비스를 좀 보여……."

그 순간 하늘에서 블랙 셸이 쏟아졌다. 하지만 서현은 이미 구르카 나이프를 들고 한니발에게 뛰어들어 그의 목덜미를 강타했다.

투칵!

구르카 나이프가 잘려서 날아갔다. 한니발은 칼날의 옆을 손가락으로 치는 행동만으로 구르카 나이프를 잘라 버렸다.

"음!"

하지만 덕분에 한니발의 손가락도 잘려 나갔다. 분명히 한니발의 목을 향해 칼날을 세우고 날아들던 구르카 나이프가 어느새 방향을 직각으로 바꾼 것이다. 즉 한니발이 나이프를 치려고 할 것을 미리 예측하고 도중에 방향을 바꾼 것이다.

반사 신경이 더 느린 사람이라고 해도 미리 행동을 입력해 둔 상황에서는 충분히 빠르다. 한니발이 서현보다 반사 신경이 빠르더라도 그의 행동을 예측할 수 있으면 문제 될 것은 없다.

남의 행동을 예측한다는 것 자체가 문제지만…….

'설마 예지를 할 수 있는 건 아니겠지? 카타볼릭 상태이고 앙리 유이가 저 비를 뿌리고 있는데…….'

한니발은 그리 생각하면서 서현이 자신의 복부를 향해 쳐올리는 손에 맞섰다.

—나선충격!

서현의 특기 나선충격은 일단 충격이 나선으로 회전하고 그에 따라서 분자구조 자체를 바꾸어 버리는 공격이다. 아무리 괴력을 지닌 라이칸스로프라고 해도 전차를 때려서 유의미한 타격을 주긴 힘들지만⋯ 서현의 나선충격이라면 제3세대 전차들도, 아니, 샌프란시스코의 금문교 교각이라 하더라도 나선으로 비틀려 변형될 것이다.

하지만 한니발은 서현의 나선충격의 영향을 받지 않았다.

아라한.

그가 지니는 특수한 힘이 서현이 발휘하는 초상 능력을 완전히 무시한 것이다. 외려 이리되자 한니발과 서현이 육체적으로 접하게 되었다.

"음?!"

서현은 나선충격을 아무렇지도 않게 받아내는 한니발의 행동에 놀랐다. 내구성이라면 아마 전 세계 최강자일 볼코프조차 이건 직격으로 받아선 안 되는 것인데 뭔가 특별한 능력을 가진 초능력자 같긴 하지만 고작 인간이 받아버리다니?

그때 한니발이 서현과 맞잡고 그를 들어 올리는 게 아닌가? 깜짝 놀란 서현이 악력만으로 한니발의 팔을 으깨 버렸지만 한니발은 아랑곳하지 않고 서현을 들어 올렸다.

"이런! 당했⋯⋯."

서현은 자신이 정말 끔찍한 상황에 빠졌음을 깨달았다. 완력이 아무리 강해도 하중을 고려하지 않으면 상대에게 들려 버리고 그렇게 되면 끝이다. 한니발의 거대한 체구는 그런 점에서 이미 훌륭한 무기였다.

　퍽!

　서현의 후두부에 블랙 셸이 명중했다.

3

　실베스테르 신부는 원래 이름 없는 마인이었다. 아니, 마인이라는 명칭조차 후한 평가일 뿐, 정확히 말하자면 인간도 아니다.

　그는 연금술로 만들어진 존재였다.

　자신이 부모의 태를 빌려서 그 정기가 엮여 태어난 존재가 아니라 마법과 의도에 의해서 만들어진 존재라는 사실에 대해서 실베스테르는 별다른 고민을 해본 적이 없었다. 왜냐면 그와 달리 정명한 인간들도 자신들의 생명이 어디에서 오는지, 어째서 삶을 부여받았는지 대답할 수 없었기 때문이었다. 육욕으로 아이를 만든다고 생명에 대해서 알 수 있을 리 없다.

　그가 의식을 가지고 활동하던 시절, 많은 사람은 출생이 곧 그들의 운명을 결정지었다.

　부유한 자의 집안에 태어난 자는 부자와 귀족의 삶을, 가난한 집에서 태어난 자들은 빈자의 삶을… 그 출생에서 주어진 아이덴티티가 너무 강렬해서 사람들의 일생을 완전하게 지배한다. 그렇다면 실베스테르의 출생은 그의 삶을 어떻게 규정지을까?

실베스테르는 자신을 만든 마법의 재규명에 나섰다. 우연한 사고로 만들어진 마도의 완성품, 그를 만든 진짜 실베스테르 신부, 성직자 신분의 마법사조차 재현할 수 없었던 자신을 다시 해명함으로써 그는 스스로의 기원을 찾으려 했다.

물론 그 시작은 다분히 흥미 본위였다. 그냥 살아가기에 실베스테르는 너무나도 공허한 존재였다. 욕망을 느끼지 않고, 허기도, 갈증도 느끼지 않으며 생로병사에 고통받지 않는다. 만약 그를 만든 이가 불교도였다면 그를 아라한, 혹은 보살이라 이름 지었을지도 모르겠다.

고통이 없으며 아집도 없고 사랑도 없다.

하지만 고통을 모르고 아집도 모르고 사랑도 없음이 곧 깨달음이라고 하는 건 오히려 무지일 뿐이다. 모든 것을 알고 그로부터 벗어나야만 진정한 해방을 맞이할 것이리라. 그래서 실베스테르는 자신을 만든 마법의 기원을 파헤치는 작업에 나섰다.

다른 것은 구할 수 있었지만 뱀파이어의 눈물은 구할 수 없었다.

뱀파이어의 눈물샘에 있는 액체를 강제로 짜내는 것만으로는 성공할 수 없었다.

오직 후회와 슬픔, 사랑이 담겨 있는 진정한 뱀파이어의 눈물만이 그를 만들 수 있을 거라고…….

하지만 그런 게 가능할 리가 없다!

남들을 해치고 죽임으로써 그 생명을 취하는 뱀파이어가 어째서 선택의 여지 없이 마인으로 태어난 자보다 사랑을 알고 슬픔을 느끼고 후회를 가진단 말인가.

아마도 그것은 질투와 시기, 그리고 동경이었을 것이다.

그래서 실베스테르는 뱀파이어를 사냥했다.

언젠가 진정 숭고하고 순수한 뱀파이어가 눈물을 흘린다면 그는 알게 되리라. 마인으로 태어난 그의 삶의 의미를, 자신의 기원을, 그리고… 아무런 욕망도 없는데도 충족되지 못한 이 허기와 공허가 무엇인지를!

하지만 이래도 되는 걸까?

많은 사람이 고통 속에서 죽어가고 있다. 가난한 이들, 폭력에 노출된 이들, 폭압에 시달리고 그게 아니더라도 스스로 목적을 찾지 못하고 절망에 빠진 사람들이 부여받은 삶을 누리지 못하고 공허한 인생을 살다 죽어가는 시대.

그런 시대에 그는 힘이 있었다. 능력이 있었다.

힘이 있고 능력이 있는 자가 그들을 구원하지 않고 오히려 자신의 사적인 목표, 이뤄도 그만, 이루지 않아도 그만일 어떤 과업에 사로잡혀 있다는 것은 낭비가 아닐까?

어차피 뱀파이어의 눈물을 찾는다 하더라도 어렴풋이, 실베스테르는 자신의 갈망이 충족될 수 없다는 걸 예측하고 있었다.

그래도 정신을 차려보면 실베스테르는 월야의 세계를 배회하고 있었다.

그런 점에서 앙리 유이가 하는 짓은 실베스테르가 하는 짓과 별반 다를 바 없는 것이었다. 아이러니컬하게도 앙리 유이 같은 존재는 실베스테르가 가장 싫어하는 놈이다. 오만방자한 마법사이며 흡혈귀. 어쩌면 마인인 그의 탄생에 관여했을지도 모르며 실제로 그가 있던 성직자 사회에도 깊숙이 침투했던 최악의 적.

"기분이 더럽군."

실베스테르는 그리 중얼거리며 하늘을 올려다보았다. 검은 구름이 가린 하늘은 이미 어둡다. 사법의 비가 쏟아지고 있는 그 하늘 위에… 실베스테르가 만들어낸 은사의 망이 펼쳐져 있었다.

마력을 쥐어짜서 펼친 은사가 무너지는 힌두 사원의 파편을 그의 머리에서, 한세건의 머리에서 치워냈다.

평상시 하던 기술이지만 사법 결계의 힘이 강해지면서 이것은 실베스테르의 생명을 갉아먹는 위험한 행동이 되었다.

그라면 저런 파편들에 깔려도 죽지 않는다. 마력을 써서 굳이 버텨낼 필요는 없었다.

아니, 그런 식으로 생각하면 애초에 앙리 유이가 사법 결계를 펼칠 때 도망치는 게 나았다. 이 밖에서 실베스테르의 목숨은 어떤 의미에서는 뱀파이어보다 더 불사에 가깝지만… 사법 결계는 그 자체로 실베스테르의 목숨을 갉아먹는다.

하지만 왜일까?

실베스테르는 무심한 척 말하는 것에 비해서 절대로… 앙리 유이의 뜻대로 이 세상이 망가지게 내버려 둘 생각이 없었다.

"으윽……."

실베스테르의 은사 아래에서 또 다른 진마사냥꾼이 일어났다.

그래, 진마사냥꾼이다.

뱀파이어의 클랜 리더, 진정한 마라고 자처하는 녀석들을 인간의 몸으로 쓰러뜨리기란 불가능에 가깝다. 설령 사이키델릭 문이란 비약의 힘을 빌려도, 과학 무기가 아무리 발달해도 인간의 정신과 육체 그 자체는 여전히 나약하다. 비약의 힘을 쓰면 쓸수록 더 빨리 정신과 육체가 한계에 도달한다.

그런데 이 녀석은 인간인 채로 진마사냥꾼이 되었다. 실베스테르의 정체가 인간이 아니라 마인이라는 걸 감안하면 사실상 인류 최초의 진마사냥꾼인 셈이다.

처음에는 흔한 녀석 중 하나라고 생각했다. 뱀파이어 헌터 중에서 복수심 때문에 이 업계로 들어오는 놈들은 하나둘이 아니었다. 물론 한세건의 경우는 복수심 때문이라고 하기보다는 죄책감에 가까웠다만 그 역시 그리 희귀한 케이스는 아니었다.

그런데 한 가지 다른 게 있다면, 한세건이 가지는 죄책감과 그에 비례해 커질 수밖에 없는 뱀파이어에 대한 분노는 다른 사람들 이상으로 극단적이고 순수했다는 것이다.

기나긴 생명, 태어날 때부터 주어진 괴물의 숙명을 짊어진 월야의 주민들 사이에서 자신의 생명과 영혼을 불태우며 빛나는 빛으로서 한세건은 꺼지지 않고 외려 진마라는 거목마저 집어삼키는 불길이 되었다.

'이 녀석이라면…….'

앙리 유이를 잡을 수 있을 거다. 아니, 그러지 않으면 의미가 없다.

앙리 유이는 눈물을 흘릴 뱀파이어가 못 된다. 그럼에도 불구하고 실베스테르는 앙리 유이를 때려잡고 싶은 욕망을 느낀다. 하지만 뱀파이어의 눈물에서 태어난 마인과 뱀파이어의 싸움에는 그 어떤 미학도 철학도 주장도 없다.

한세건이라면 다르다. 인간, 뱀파이어를 태우는 불길이다. 그에게는 스토리가 있고 목적이 있고 그 목적을 관통하는 의지가 있다. 그 의지가 앙리 유이를 불태워 버린다면 그 장면은 정말 보기 멋진 장면일 것이다.

"…이런, 괜찮아요?"

한세건은 자신의 눈앞에 서 있는 실베스테르를 보며 경악했다. 실베스테르의 몸에 무수히 많은 파편이 꽂혀 있었기 때문이었다.

"아프지도 않고, 가렵지도 않다."

실베스테르는 몸에 박힌 파편을 손으로 뽑아내었다. 손이 닿지 않는 곳에 박힌 것은 벽체에 기대어 빼냈다.

"여기서 시간을 끌면 안 돼. 이제부터는 통신으로 대화한다. 내가 서포트하고 네놈이 앙리 유이를 직접 상대한다. 음……."

"몸은 괜찮습니까?"

한세건은 실베스테르의 상태를 걱정했다. 보통 사람이라면 즉사하고 남을 상처, 마법사나 뱀파이어, 라이칸스로프에게도 부담될 만한 상처다. 하지만 실베스테르는 상처를 재생시키지도 않는다.

"걱정 마라. 내게 있어서 고통은 일종의 시스템 감시 장치에 가까우니까. 원인을 규명하고 나면 끄면 된다. 몸 상태도 괜찮아. 사지의 하중 지탱 능력이 떨어지겠지만… 그걸 재생시켜서 얻는 이득보다 재생에 들어가는 비용이 더 클 것 같군."

실베스테르의 몸에는 피 대신 은색의 유체가 흐르고 있었다. 아마 저걸로 상처 부위를 메우면 재생과 유사한 효과를 낼 수 있겠지만 실베스테르는 그 유체로 몸을 메우는 걸 포기했다.

앙리 유이의 사법이 그를 갉아먹고 있는 지금, 남아 있는 모든 힘을 운동 능력과 생명 유지, 자아 유지에 돌리지 않으면 살아남을 수 없을 것이다.

"…그럼 이다음부터는 제가 하지요. 후방으로 피하세요."

한세건은 그렇게 말하고 앞으로 나섰다.

"아니… 비록 쇠약해지긴 했지만 나 역시… 세간에 허명을 떨쳤던 것만큼은 활약할 생각이다."

그 순간 한세건의 눈이 가늘어졌다.

"당신이 사법에 그런 과민 반응을 보이는 걸 보면 앙리 유이와 상성이 너무 안 좋은데 무대책으로 온 거 아닙니까?"

"대책 세울 시간이 없었다. 그리고 사법은 쓰면 쓰는 만큼 앙리 유이를 갉아먹는 것. 설마 이렇게 대규모로 쓸 수 있을 줄은 몰랐다."

"그렇다면 대규모로 써야 할 이유, 혹은 목적이 있다는 건데……."

거리 곳곳에 사람의 손발로 피의 도장이 찍히고 있었다. 분명히 일직선이어야 할 가로등이 신기루처럼 일렁이고 어둠 속에서 기이한 사람들의 목소리가 들려왔다.

"현실은 정보와 그 정보의 관측이 규정하는 세계다. 사법의 근원인 검은 영은 강력한 정보 존재라고 할 수 있고 이 세상의 불화, 소문, 불신이 현실을 변혁하는 힘을 가지고 있지. 앙리 유이가 노리는 건 그를 더욱더 증폭시켜 자신에게 유리한 인과를 만들어내는 것일 것이다."

"인과?"

"마법 실험은 실패할 확률이 월등히 높지. 그러니까 앙리 유이는 사법을 펼쳐서 공간 전체를 유리화해서… 자신이 생존하는 인과의 세계로 세상을 수렴시키려 하는 것이다. 저 안에서는 그는 운명의 주인이 될 것이다."

"그러니까 확률을 의도적으로 조정할 수 있다는 것이지요? 젠장, 곧 시작이겠군. 하지만 나도 상성이 그다지 좋다고는……."

한세건은 다시 혼팅이 지끈거리는 걸 느꼈다. 하지만 앙리 유이가 자신에게도 부담이 되는 사법을 대량으로 풀어내는 걸 보면 그놈의 마법인지 의식인지 거창한 뭔가를 저지르려는 게 틀림없었다. 지금 당장 막지 않으면 곤란하다.

"난 밖에서 서포트하겠다. 다행히 내게는 아직 몇 가지 마법이 남아 있으니까."

"음… 그럼 무리하지 마세요."

한세건은 주위를 둘러보다가 배달용 오토바이 하나를 찾았다. 카울이 완전히 거덜 나 있어서 혼다 커브의 라이센스판인지 뭔지, 메이커도 모를 언더본 형식 오토바이였다.

한세건이 그걸 타고 앞으로 달려가자 실베스테르는 부적을 꺼내 입에 물고 그림자에서 바렛을 소환해 탄창과 결합하고 힌두 사원 옆의 전신주로 기어올랐다. 몸 여러 곳이 결손되어 있지만 그럼에도 불구하고 그는 고양이처럼 가볍게 순식간에 전신주에 올라 주위를 바라보았다.

…어둡다.

하지만 그 어둠을 꿰뚫고 달려가는 푸른 귀화와 그 주위는 보였다. 왜냐면 한세건이 있는 하늘 위로부터 검은 영기가 한세건을 향해 마치 공기청소기로 흡입되는 연기처럼 빨려 들어가고 있기 때문이었다.

"이제부터 내가 서포트하겠다. 한세건, 혼팅은 괜찮나?"

"…힘이 너무 넘쳐요."

한세건의 대답이 들려왔다.

이건 전혀 좋은 현상이 아니다.

상공에서 한세건에게 빨려들어 가는 검은 연기는… 그만큼 한세건을 오염시키고 변화시킬 것이다.

"어쩔 수 없지. 부디 네가 버티길 바란다."

실베스테르는 그리 말하고 탄창들을 늘어놓았다.

4

"놀랍군."

한니발은 미소를 지었다.

그의 검지와 중지 사이에 블랙 셸의 탄자가 붙잡혀 끔찍한 비명을 지르고 있었다. 하지만 이 블랙 셸도 한니발의 결계를 뚫지 못하고 있었다.

"그 기술은 머리카락으로도 할 수 있는 건가?"

한니발은 서현을 바라보았다.

분명히, 판프라콘과 야운의 저격이 서현의 뒤통수에 명중했다. 라이플 탄이라 운동에너지는 확실하고 탄자는 블랙 셸, 사법이 담겨 있는 끔찍한 저주의 탄환이다. 명중한 곳에 사법의 정보를 덮어써 현실을 변이시키는 이 저주받은 탄환은 재생 능력을 가진 자에게 오히려 더 치명적인 것이지만 서현은 분명히 그 탄환에 맞았을 터였다.

하지만 서현에게는 구조 강화 능력이 있었다.

얇은 판초우의만으로 총탄을 막아내는 그 능력을 체모에 활용해 머리카락으로 총탄을 받아내었다. 물론 완전히 총알의 기세를 죽일 수 없었기에 그는 그 총탄을 미끄러뜨려 한니발에게 흘려보냈다.

덕분에 서현의 머리 피부는 찢어지고 선혈이 튀었다. 하지만 피부만 베였을 뿐 중상은 아니다. 반면 한니발에게 날아든 총탄은 명중하기만 했다면 분명히 치명적인 위력을 발휘했을 터인데… 그는 놀랍게도 그걸 공중에서 잡아챈 것이다.

총알을 흘려보낸 측이나 그걸 잡은 측이나 보통이 아니다.

"머리카락보다 더한 걸로도 할 수 있지!"

서현은 피를 흘리며 빙글 몸을 돌려 한니발의 무릎에 발을 대었다. 허공에 들려 있다고 해도 상대의 발이나 몸을 밀면서 힘을 얻으면 빠져나갈 수 있다. 과연, 잠깐의 접촉만으로 빠각, 하는 관절 빠지는 소리와 함께 서현이 빠져나왔다.

서현과 한니발, 쌍방 모두 팔이 부러진 것이다.

핑!

또 한 발의 블랙 셸이 서현에게 날아들었다. 재주 좋게 머리칼로 총탄을 흘리는 기술을 성공시켰지만 두 번 할 짓은 못 된다. 피해야 한다. 이곳은 좋지 않다. 라이칸스로프가 많고 베오울프들은 하나하나가 강적이다.

'저 혈기 넘치는 벵골인을 빼곤 말이지…….'

서현은 자리를 이탈해 달리기 시작했다.

"이거 참! 위명을 떨치던 리림치고는 소박하군요!"

버스를 운전하던 인도인이 기관단총을 꺼내 서현에게 총알을 퍼부어댔다.

서현은 사방팔방에서 쏟아지는 총탄을 피해 달렸다. 다행히 거리는 복잡한 은폐, 엄폐물로 가득했다. 의미 없이 좁은 길목. 오직 삶의 에너지를 값싸게 공급하기 위해 만들어진, 인테리어라고는 청소를 용이하게 하기 위해 타일을 붙인 게 전부인 인근 식당의 화덕을 뛰어넘고, 누군가에게는 가치 있는 것이었을 화분을 뒤로 던지고 멍청한 관광객이나 살 것 같은 조잡한 기념품들을 뛰어넘으며 달린다.

인근 식당의 화덕을 뛰어넘어 골목으로 달려갔다. 시체와 구울들, 그리고 하늘에서 쏟아지는 검은 비가 시체에 달라붙어 변이하는 것들이 서현을 붙잡으려 했지만 서현은 그것들을 무시하고 휙휙 몸을 날리고 전신주를 걷어차고 삼각으로 뛰어오르기도 하면서 빠르게 달렸다.

"와, 미칠 듯이 빠르네요. 괜찮습니까, 사장님?"

"안 괜찮아. 젠장."

한니발은 탈골된 팔을 끼우고 쓴웃음을 지었다.

"역시 뭔가 좀 다르군. 추격하지……."

말라고 말하기도 전에 벵골인 청년이 나이프를 잡고 서현의 뒤를 따라 달리기 시작했다.

서현은 재빠르게 지형지물을 극복하면서 부러진 팔을 만져보았다. 정확히는 부러졌다기보단 탈구다. 관절이 빠졌다 끼워지면서 인대와 관절에 피가 차고 염증이 생긴다. 물론 재생 능력, 빠른 신진대사를 가진 라이칸스로프에게는 별거 아닌 부상이다. 상처에 차오른 피는 이내 빠르게 순환하며 골세포를 재생하고 인대와 건의 염증도 이내 다른 세포에게 먹혀서 사라질 것이다.

하지만 그것은 어디까지나 인간을 섭취해 허기를 충분히 달래고 영성을 충족시켰을 때나 가능한 일이다. 서현의 상처는 예전보다 월등히 느리게 회복되었다.

'옛날에 비해서 신체 능력이 많이 떨어져서 짜증 나긴 하지만… 적정 스트레스가 삶을 충실하게 해주지. 도박 중독자들이 도박에서 헤어날 수 없는 것과 같은 이치겠지만.'

서현은 그리 생각하면서 담벼락을 잡고 물구나무서서 뒤를 바라보았다. 아직은 베오울프의 녀석들이 보이지 않는다. 하지만 정신적인 압력은 사라지지 않는 걸 보면 추격해 오고 있나 보다.

'순수한 민첩성과 속도로는 날 따라올 자가 없을 듯하니 적당히 따돌리는 것도?'

그렇게 생각한 순간이었다.

"크르르릉!"

수화를 시작한 벵골인 청년이 뛰어들었다. 역시 카타볼릭 상태에 빠진 서현과 달리 맘껏 인간을 먹어치운 라이칸스로프라 신체 능력이 활성화되어 있나 보다. 게다가 저 수화한 앞발은 나이프를 무색하게 하는 긴 갈고리칼 같은 발톱들이 돋아 있었다. 오리지널 벵골호랑이보다 훨씬 크고 날카로운 발톱이다.

하지만 그 순간 서현은 간단히 핸드 건을 뽑아 자신에게 뛰어드는 벵골인 청년을 쏘았다. 심장에 두 발, 좌뇌 우뇌에 한 발씩 단번에 4연사한 서현은 벽을 손으로 박차고 몸을 날려 총탄에 맞아 이미 마비된 벵골인 청년을 걷어찼다.

"켁!"

원래는 멀리 걷어찰 생각이 없었는데 벵골인 청년이 멀리 날아가 한국에서는 보기 드문 'Daikin'이란 일제 브랜드의 에어컨 실외기에 충돌해 몸으로 에어컨 실외기를 철거했다.

열대의 스콜과 햇살에 우둘투둘하게 페인트가 벗겨진 벽이 에어컨 실외기가 벗겨진 충격을 이기지 못하고 함께 무너지면서 파편들이 벵골인 라이칸스로프에게 쏟아졌지만 그 순간… 벵골인 라이칸스로프가 에어컨 실외기와 그 파편들을 서현에게 차 날렸다.

좋은 반응, 뛰어난 신체 능력이다. 잠재력이 그렇게 높은 고위 세대 라이칸스로프 같지는 않지만 서현과 달리 사람을 아낌없이 먹어치워서 그 잠재력을 충분히 끌어내고 있었다.

'그래도 아직 미숙하군.'

흥분한 그는 파편들을 계속 서현에게 날려 보냈지만 서현은 담벼락 위에 올라서서 가볍게 파편들을 피해내고 묵직한 파편이 담벼락을 부수지 못하도록 발을 뻗어서 파편들을 걷어 올리거나 돌렸다.

'날아오는 파편들의 위치를 통해서 다음 날아갈 방향을 예측할 수 있지. 나도 왠지 컨디션이 좋은데? 카타볼릭 상태일 텐데.'

그때 파편을 뚫고 다시 벵골인이 날아왔다.

"질리지도 않는군."

서현은 다시 그 벵골인을 총으로 쏴서 떨어뜨렸다.

"크악!"

"아무 생각 없이 일직선으로 쫓아오다니 이거 바보 아냐?

낮은 IQ 쥐어짜서 벵골어랑 영어 배우고 나머지 기능은 다 버렸냐?"

"크… 젠장."

서현의 총격이 아팠는지 벵골인이 골목의 화분들 뒤로 숨는다. 고추가 자라고 있는 화분 뒤에 숨어서 서현의 다음 핸드 건 사격을 피하려 하는 걸까 싶은데 의외로 체구가 작아서 화분 몇 개 사이로 싹 숨는다.

"그것도 두 번이나."

서현은 피식 웃으며 탄창 멈치를 눌러 빈 탄창을 밑으로 떨어뜨렸다. 탄창이 콘크리트 바닥에 떨어지며 딱 소리를 내자 벵골인의 몸이 움찔하는 게 보였다. 서현이 총이 텅 빌 때까지 방아쇠를 당겼단 사실을 눈치채지 못한 자신을 원망하고 있으리라.

"……."

"두 번이나."

"두 번 말하지 마라!"

아직 탄이 장전되지 않았다고 생각한 벵골인이 다시 뛰어들었지만 그 순간 서현이 또다시 방아쇠를 당겨 벵골인을 공중에서 격추시켰다. 탄창을 빼긴 했지만 탄 한 발을 약실에 남겼던 것이다. 이 정도면 거의 조롱의 극치라고 할 수 있는데 고스란히 걸려준 상대가 고마울 정도다.

"크엑!"

"그래. 이걸로 세 번. 아주 좋아. 내가 전장에서 한 10년 구른 것 같은데 그동안 숱한 병신 다 봤지만 네가 베스트 병신이다.

월드 베스트 병신!"

서현은 그제야 새 탄창을 삽입하고 슬라이드를 전진시켜 탄을 장전했다.

"네 숨통 끊기 좋은 찬스지만 그 한니발인지 뭔지 하는 스토커가 찾아올 테니 피해야겠다."

비록 핸드 건으로 라이칸스로프의 숨통을 끊는 건 불가능에 가깝지만… 서현의 공격은 심장, 좌뇌, 우뇌, 연수 등 신경에 큰 충격을 줄 수 있는 급소만 가격했다. 아무리 라이칸스로프가 튼튼하다 하더라도 뇌 신경계에 타격을 집중시키자 처음엔 4발을 한꺼번에 퍼부어야 타격을 입던 놈이 점점 반응 속도가 느려지더니 이제는 권총 한 발에도 정신을 못 차린다.

하지만 서현은 지금 저 라이칸스로프의 숨통을 끊는 것보다 한니발과 거리를 벌리는 걸 택했다. 한니발… 그놈은 정말 이상한 놈이다.

'아라한이라고 했나… 그렇다면 그 결계는 설마 파라미타[婆羅密多:바라밀다]인가. 이론상으로는 등장할 수 있다고 했지만 설마 저런 사이코에게서 발현되다니.'

그리 생각하고 건물 위로 오르던 서현은 굴뚝 옆에 벽돌이 하나 있는 걸 발견하고 집어 들어서 자기 뒤를 따라 기어오르려 하는 뱅골인의 머리에 던져 그를 다시 떨궜다.

"이걸로 네 번! 월드 베스트를 넘어서 올 타임 베스트를 꿈꾸는 건가?!"

"크악! 이 개자식!"

벵골인이 뒤에서 욕하고 있었지만 서현은 그를 무시하고 건물 위를 달렸다.

핑!

또다시 블랙 셸이 서현의 머리를 스쳐 지나갔다. 건물 옥상은 위험하다. 서현은 즉시 밑으로 뛰어내렸다. 방수 천 차양을 찢고 지상에 착지한 서현이 주위를 둘러보니… 재래시장에 위치한 길거리 주점이다. 이슬람교도가 대부분인 인도네시아지만 외국인 관광객들에겐 술이 필요했고 여기는 바로 그것을 공급하는 곳이었다.

"그렇게 열심히 달려가더니만 결국 돌아왔군."

그 주점의 카운터에 서 있던 한니발이 서현을 바라보며 피식 웃었다.

"이런……."

서현으로서는 굴욕적일 수밖에 없었다. 부처님 손바닥 위에서 놀아난 손오공이 느끼는 공포감이 그러할까? 기껏 도망쳐 왔는데 다시 이 녀석 앞에 떨어지다니……. 하지만 지금 이 순간도 서현의 본능이 이 녀석은 위험하다고 경고를 보내오고 있었다.

"당신과 만나기를 너무 고대했는데 그렇게 쉽게 가면 곤란하지."

"아, 그래?"

서현은 대답 대신 한니발의 머리를 향해 권총을 겨누자마자 쏘았다. 빠른 4점사… 심장과 뇌를 노린 공격을 한니발은 가볍게 피해냈다. 이 거리에서 피해내다니… 그런 말도 안 되는 일을 한 한니발은 글라스에 위스키를 부었다.

황금색 액체가 글라스를 채우는 동안 서현의 사격으로 부서진 진열장의 유리잔들이 쓰러진다. 하지만 한니발은 총구 앞에서도 아무렇지 않게 글라스를 들어 올렸다.

"역시 사내놈들은 누가 위인지 아래인지 자웅을 가려야 한다니까. 그렇게 생각하지 않나?"

"아니, 사양하겠어. 재미나 우월감을 위해서 싸우는 짓 따윈 하지 않기로 나 스스로 맹세했으니까."

정확히 맹세한 적은 없지만… 이렇게 말함으로써 간접적으로 지금 한니발이 주장하는 짓이 얼마나 유치한지 비난한다.

서현이 돌려서 비난하자 한니발의 표정이 굳었다. 한니발은 서현에게 호감을 가지고 있는 것 같지만 서현은 한니발에게 강렬한 혐오감을 느끼고 있다. 팬 보이에게는 적지 않은 충격이리라.

"그래. 투쟁은 오직 생존과 살상의 수단이지. 내가 너무 잔말이 많았군."

한니발은 위스키를 단숨에 목구멍에 털어 넣고 테이블을 뛰어넘었다.

그 순간 서현이 뛰어들었다.

한니발이 공중에 잠깐 떠 있는 동안 아래에서 위로 쳐 올리려는 것이다.

아까 전엔 한니발이 체격 차를 이용해 그를 들어 올렸으니 이번에는 반대로 서현이 그를 쳐 올리려는 속셈이었다.

하지만 그때 서현의 시선에 위스키 글라스가 들어왔다. 던지는 것 같지도 않았는데 방금 전 한니발이 마셔 버린 글라스가 사각에서 날아온 것이다.

서현이 그 글라스를 피하며 각도를 수정하며 어퍼를 쳐 올리는 순간 한니발은 공중에서 오히려 서현을 향해 주먹을 내려쳤다.

'젠장. 피하긴 틀렸군. 하지만 공중에서 아래로 내려찍는 건 호쾌해 보여도 별로 효과는 없지.'

서현은 같이 치고받을 각오를 다지고 한니발에게 주먹을 꽂아 넣었다.

어퍼컷과 초핑 훅이 서로 교차했다.

'윽, 세잖아. 아니, 그럴 리가? 내가 이 정도 손상에 고통스러워하다니?'

서현은 머리가 아득해지는 걸 느끼며 휘청휘청 뒤로 물러났다.

"하… 이 정도군."

반면 한니발은 별 티를 내지 않고 어깨를 으쓱해 보이고 있었다. 분명히 아래턱에 한 방 쳐 올렸는데 어째 반응이 신통치 않다. 서현의 일격이라면 턱뼈가 분쇄되어 얼굴에 폭탄이라도 장치한 것처럼 터져 나가도 이상하지 않을 텐데 말이다.

이상한 건 또 있었다. 평상시의 서현은 얼굴 반쪽이 날아가도 의식을 잃어버리는 일이 없었다. 그런데 지금은 강타 좀 맞았다고 휘청거리고 있었다.

한니발은 서현이 회복되기 전에 끝장을 낼 셈인지 다시 간격을 좁히며 들어왔다.

"이런……."

서현은 자신에게 파고드는 한니발을 향해 권총을 난사했다. 하지만 한니발은 옆으로 빙글 몸을 굴려 서현의 총격이 급소에 맞는 걸 차단한 뒤 그대로 돌진했다.

와장창!

서현의 몸이 화살처럼 튀어 나가 주점의 벽을 뚫고 차도 한복판으로 굴러떨어졌다.

"크아……."

이것은 액션 영화의 스턴트에 쓰이는 설탕 유리가 아니다. 물론 안전유리라서 길고 예리한 파편은 없지만 자잘한 파편들이 서현의 몸에 끔찍한 찰과상을 남겼다.

서현은 자신의 피가 흘러내리는 걸 느끼며 지면을 손으로 치고 일어났다. 상처 회복이 느리다. 카타볼릭 상태라서? 아니, 설령 카타볼릭 상태라 해도 0세대 라이칸스로프인 서현의 힘은 무지막지하다. 다 늙어 죽어가는 사자도 결코 개미 한 마리 못 죽이진 않는 법. 그만큼 서현의 본질에는 무시무시한 힘이 주어져 있었다.

하나 분명히 지금 이 순간 서현의 몸에는 재생력이 없다시피 하다. 그제야 서현은 상황을 깨달았다.

'오, 맙소사. 난 지금 저놈의 결계 안에 있는 거로군. 이런 사기적인 능력이 별로 접촉하지 않았는데도 영향을 줄 수 있단 말이야?

저 한니발이라는 자는 자신을 제외한 다른 이능력을 모조리 상쇄시킨다. 그런데 그 상쇄의 범위를 처음 만났을 때보다 훨씬 넓게, 그리고 강력하게 행사하고 있는 것이다. 라이칸스로프의 재생 능력과 신체 능력을 갉아먹을 정도로!

이 녀석 앞에선 초인도, 뱀파이어도 평범한 존재로 격하당한다. 반면 그 자신은 여전히 괴물로 남는다. 남의 능력은 깎아먹고 자신의 능력은 유지하다니? 불공평해도 이렇게 불공평할 수가 없다.

"흥!"

한니발은 자신의 피부에 꽂힌 택티컬 나이프를 뽑아내었다. 격렬한 보디 체크의 순간, 서현이 한니발에게 선물해 준 것이었다. 서현이 즐겨 쓰는 구르카 나이프에 비하면 이쑤시개 같은 크기지만 충분한 살상력을 가진 물건이었다. 하지만 이건 뭐 정말 이쑤시개를 곰에 꽂아 넣은 것 같은 꼴이다.

'권총도 맞았는데……'

서현은 돌진해 오는 한니발에게 쏜 총탄이 어깨나 가슴 근육에 박혀 있는 걸 확인했다. 하지만 한니발의 몸에서는 피가 거의 흐르지 않았다. 저 육신 전체가 너무나 단단하고 질겨서 9밀리 파라블럼으로는 도저히 뚫을 수 없는 것처럼 보였다.

"사기적인 능력이군. 설마 이 거리에서 내 신체 능력까지 깎아먹을 줄이야. 남의 능력은 깎아버리고 자신의 능력은 쓸 수 있는 건가? 어떤 메커니즘으로 작동하는 거지?"

서현은 반칙을 번번이 써대는 상대 팀을 비난하듯 말했다. 한니발은 그런 서현의 항의를 비웃었다.

"당신이 그런 소리를 할 자격은 없지. 리림, 라이칸스로프의 왕자. 그동안 쭉 선천적인 힘으로 날로 먹고 살았을 텐데?"

"날로 먹고 살았다라……."

그렇게 해석할 수도 있으리라. 힘이 부족해서 죽음을 맞이하던 자들에게 0세대 라이칸스로프이자 리림, 신과 악마의 아들이라 할 수 있는 서현의 존재는 불공평의 극치처럼 보였겠지. 하지만 서현 자신은 그런 자리를 원하지도 않았다. 뭐 이제 와서 저 눈앞의 괴물에게 그런 말을 해봐야 들어줄 리 없겠지만.

"그래도 내게 근접전에서 칼을 꽂은 사람은 얼마 없었어. 그건 칭찬해 주지. 선천적인 능력빨로 먹고사는 놈들은 무예의 심오함을 종종 이해하지 못하더라니까. 그에 비해서 당신은 꽤 괜찮군."

한니발은 그렇게 말하고 어깨를 으쓱해 보였다.

"어때? 내 헤드헌팅을 진지하게 생각해 보겠어? 내 부하가 된다는 건 그렇게 수치스러운 일이 아니라고."

"아니… 엿이나 먹어."

서현은 그렇게 말하고 한 줌의 총탄을 던졌다. 7.62㎜ 블랙셸들이 한니발에게 날아들었다. 한니발이 깜짝 놀라는 순간…….

딱!

서현이 손가락을 튕기자 총탄이 공중에서 격발되었다. 사방팔방으로 블랙 셸이 튀어 나갔지만 한니발은 뒤로 물러나 간격을 벌려 그 모든 걸 피했다.

그 순간 한니발의 몸에서 피가 왈칵 쏟아졌다. 서현에게 맞았던 상처 부위가 이제 와서 피를 흘리는 것이다.

'…설마?'

방금 전 저 모습은 서현에게 한니발이 가진 능력에 대한 어떤 가설을 떠올리게 해주었다.

'일단 피해야겠어.'

서현은 한니발이 블랙 셸 연쇄 폭발에 걸려서 허둥대는 사이 뒤로 몸을 돌려 도주하기 시작했다. 더 이상 한니발과 정면 대결은 의미가 없다. 상대가 육탄전에 있어서 자신을 압도하는데 괜히 근접해서 싸워줄 이유가 어디에 있는가? 게다가 지금 떠올린 가설을 시험해 보지 않으면 안 된다. 한니발의 능력을 제대로 이해하지 못한 상태에서 격돌해서 힘으로 그를 압도할 수 없다.

'차라리 평소부터 능력보다는 무기에 의존하는 한세건이라면 상성이 좋을지도 모르겠다만… 젠장.'

서현은 저격을 피해 지그재그로 움직이며 한니발에게서 멀리 떨어져 도주를 시작했다.

"쳇… 도망쳤나."

블랙 셸의 유폭에서 몸을 지킨 한니발은 씁쓰레한 표정으로 서현이 달려 나간 방향을 바라보았다.

하지만 잠시 후 그의 얼굴엔 미소가 감돌았다. 그는 아까 전 마시던 위스키를 찾아서 병째로 나발을 불었다.

"카아… 통했나 보군. 확실히 내 힘이 먹혀들고 있어."

"퍽 기뻐 보이십니다만?"

"기쁘지 않을 리 없잖아. 그가 나에게 자비를 베푼 것에 대해서, 가장 훌륭한 방식으로 되갚아주었으니까. 당사자는 기억하지 못하는 것 같지만 이제 날 무시할 수는 없겠지."

"베오울프의 사장님이 무시당하지 않는 정도로 만족하는 것도 문제입니다만."

아타왈리는 그리 말하며 쓴웃음을 지었다.

"안심해. 난 힘사의 서원을 아직도 포기하지 않고 있으니까. 그의 발 앞에 더 많은 시체를 쌓고 그의 앞에 적으로 서게 된다는 건 여전히 베오울프의 이득에 합치하고, 그 말은 내가 사장으로 있는 게 베오울프의 발전에 도움이 된다는 거지. 실제로 이번 일도 그렇잖아?"

한니발은 그리 말하다 문득 자신의 목에 붙어 있던 골전도 헤드셋이 떨어졌다는 걸 깨달았다. 붙여두었던 것이 땀을 흘려서 떨어진 모양이다.

"잠시."

그가 아타왈리에게 양해를 구하고 헤드셋을 목과 청골에 대자 다급한 목소리가 들려왔다.

—여기는 알파독, 아라한 나와라 오버. 아, 애타게 불러도 대

답 없는 그 이름이여. 이 틈에 욕해도 될까?

"헛소리하지 말고. 잠깐 떨어졌었어. 무슨 일이지?"

―아, 네. 수송선이 하늘에 떴습니다!

"수송선? 혹시 건십(Gunship:보통은 무장 헬리콥터를 말하지만, C―130 허큘리스 같은 수송기에도 포를 달아서 지상 공격기로 운용하면 건십이라고 부른다) 같은 건 아니겠지?"

수송선을 개조한 지상 공격기 AC―130 같은 기체라면 고공에서 포를 쏴대서 지상을 초토화시킬 수 있었다. 스팅거나 이글라, 미스트랄 같은 MANPADS, 사람이 들고 발사하는 지대공 미사일이 없다면 라이칸스로프든 뱀파이어든 손도 못 쓰고 당할 것이다.

물론 베오울프가 괜히 PMC라고 자처하고 있는 것은 아니다. 그들에게는 대공화기, 수송기, 대지 공격 헬기와 각종 공병, 보급 장비가 있었다.

문제는 베오울프가 상장회사라는 것이다. 범죄임에 명확한 일에 상장회사의 보유 자산을 사용한다는 건 연방 판사 앞에서 코카인을 흡입하는 짓이나 다름없다.

'베오울프가 상장회사기 때문에 회계에 걸리지 않는 부가 수입을 얻기 위해 인도네시아 은행의 금고를 따고 금괴 등을 강탈한 것도 있지. 음, 확실히 건십은 확실히 아닌 것 같은데 테트라아낙스의 공수부대인가?'

한니발은 그리 생각하며 다시 위스키를 벌컥벌컥 마시고 물어보았다.

"시 외곽에 인도네시아군의 대공망을 확보하지 않았던가? 쓸모가 없었나?"

대형 도시의 외곽에는 당연히 대공포망이 설치되어 있으며 만약의 경우를 대비해서 MANPADS도 준비되어 있을 것이다. 인도네시아 정규군이 쓰던 물건은 아마 러시아제 이글라—S 구형들이 있을 터…….

—시 외곽에서는 지금 테트라 아낙스의 육상 부대가 나타났습니다. 현재 병력으로는 대공과 지상, 모두 대응할 수 없습니다. 육상 병력을 상대하는 도중에 수송기들이 나타난 것이지요.

"뭐 육상 병력? 아직도 그런 게 남아 있었나?"

한니발의 눈썹이 치켜떠졌다.

5

진마 아르곤은 한 세기 이상 살아온 뱀파이어 중에서는 매우 드물게 유쾌한 청년으로 알려져 있었다.

대부분의 다른 뱀파이어들이 오랜 수명으로 인한 정신 질환으로 제대로 살아가지 못하는 반면 그는 가난하고 궁상스러운 삶을 사는 대신 그만큼 건강한 정신 상태를 유지하고 있었다.

이에 대해서 세간의 분석은 다음과 같다.

그는 언제나 가난하고 부족한 삶을 살기 때문에 사소한 것만으로도 쉽게 행복감을 느낄 수 있게 되었다는 것이다. 팬텀이나 다른 뱀파이어처럼 막대한 부를 물려받은 상태라면 아무리 금준미주, 호화 사치를 즐긴다 해도 그것은 이미 일상이 된다. 행복의 역치가 올라가 버리면 일반적인 삶에서 행복을 찾을 수 없게 되고 그 결과 정신은 빠르게 피폐해진다. 즉, 아르곤이 에스프리에서 궁상을 떨며 살고 있기 때문에 역설적으로 그가 가장 건강한 정신을 가진 뱀파이어가 될 수 있었던 것이다.

그렇긴 하지만 지금의 아르곤은 상황이 심각했다.

"끄응……."

풍선껌이 떨어진 그는 오락실 앞의 멘토스 자판기 상품 배출구에 손을 집어넣어서 어떻게든 안의 멘토스를 꺼내려고 노력하는 중이었다. 괴력을 가진 그는 단번에 자판기를 쥐어뜯을 수도 있겠지만 그런 짓을 하지 않는다. 사소한 소모품은 빌릴 수 있어도 내구재를 파괴하는 것은 반달리즘이 되는 것이다. 바닥에 떨어진 지갑을 주워서 냠냠하는 건 인지상정이지만 남의 주머니에 있는 지갑을 훔쳐 가지는 않는다는 묘한 도덕적 저항감이 그의 행동을 규정하는 것이다. 이 경우는 자판기 안에 있는 상품을 훔쳐 가는 것이니 점유물 횡령 정도가 아니라 확실한 절도가 되겠지만 말이다.

—뭐 하고 계신 겁니까?

그때 전화기를 통해서 몬티의 신랄한 목소리가 들려왔다. 깜짝 놀란 아르곤이 도둑질하다 혼난 아이처럼(실제로 도둑질이지만) 주위를 두리번거렸는데 그때 몸부림친 것만으로 자판기가 부서지며 미니 멘토스가 우수수 쏟아졌다.

"아… 부수지 않으려고 했는데. 이걸로 먹고사는 사람이 얼마나 애석해하겠어. 아니, 뭐 투명 플라스틱 케이스니까 수리비는 얼마 되지 않으려나?"

—뭐 부쉈습니까?

"아니, 풍선껌이 떨어져서 금단증상에 그만… 그런데 너 어디서 나 보고 있냐?"

—아니, 지금 뭐 하고 있냐고 물었을 뿐입니다. 현재 앙리 유이가 사법을 펼쳐서 하늘에 먹구름이 끼고 빛이 들어오지 않고 있습니다. 어서 빨리 막지 않으면 앙리 유이가 뭔가 저지를 것 같아요.

"오, 그래서인가. 시원하다고 느껴진 게 그래서였군."

아르곤은 바닥에 쏟아진 멘토스를 쓸어서 크로스백에 담으면서 대답했다.

"그런데 정말 안 보이는 거 맞지?"

내심 찔리는지 아르곤은 그렇게 물으며 멘토스를 뜯었다.

—대체 무슨 짓을 하고 계시는 겁니까?

"그보다 테트라 아낙스 쪽은 제대로 일하고 있나? 어째 우리만 일하고 있는 것 같은데?"

아르곤은 그렇게 물어보며 멘토스를 입에 넣었다. 그러자 몬티의 말꼬리가 흐려졌다.

—그게 말이지요, 저도 지금 이 정보를 믿을 수가 없는데.

"없는데?"

—아마…….

하지만 그 말은 미처 이어지지 않았다. 깜짝 놀란 아르곤이 헤드셋의 소리에 집중하지 못하고 불 맞은 황소처럼 펄쩍 뛰었기 때문이었다.

아르곤의 뒤에는 검은 머리칼의 동양인 청년이 SF의 병사들이나 입을 법한 두꺼운 탄소 폴리머 재질의 전투복을 입고 서 있었다. 저대로 우주로 던져진다고 해도 살아남을 것 같은 복장을 적도의 땅 자카르타에서 입고 다니는 것부터 자살행위 같다. 보기만 해도 더울 지경이다. 하지만 그보다 더 아르곤을 놀라게 한 것은 상대가 자신에게 별다른 기척도 없이 접근했다는 것, 그리고 그 인물이 바로 테트라 아낙스의 리더 서린이란 것이었다.

테트라 아낙스의 정보 능력은 상당히 다양한 능력의 복합체라고 할 수 있다.

클레어보이언스(Clairvoyance), 천리안과 통시라 할 수 있는 능력으로 전 세계 곳곳에서 정보를 수집할 수 있고.

텔레파시(Telepathy) 능력으로 전 세계 곳곳에 자신이 원하는 정보를 송출하는 것은 물론 인간의 의식을 비틀고 행동을 조종할 수 있으며.

예지 능력(Foresight)으로 앞으로 일어날 일도 예측 가능하다.

이런 능력은 문명이 번영하면 번영할수록 무한대의 힘을 가지게 된다. 강대국의 통수권자를 조종하면 전 세계를 핵의 불꽃으로 구워버릴 수도 있고 각종 현대 병기를 아무렇지도 않게 조종할 수 있으며 세계의 증권, 선물, 현물거래 시장을 마음껏 주무를 수 있다.

실제로 테트라 아낙스는 소련과 미국의 긴장이 최고조로 고조되었던 쿠바 미사일 위기에 개입하여 인류의 멸망을 막은 적도 있었다.

그야말로 신과 같은 능력이다. 물론 그런 강력한 능력은 그만큼 큰 대가를 요구한다.

이 능력을 사용하는 자는 점점 현실과 예지를 분간하지 못하며 자아가 약해져 간다. 가뜩이나 오래 사는 뱀파이어에게 정신병은 반드시 뒤따르는 질병이라고 해도 과언이 아니며 예지 능력을 사용하는 테트라 아낙스가 여태까지 체제를 유지할 수 있었던 것은 기적에 가깝다.

그런 테트라 아낙스에게 지금 자카르타 같은 곳은 그야말로 죽음의 땅이다.

저 넘쳐나는 정보들, 사람들의 단말마, 죽음에 대한 공포, 세상에 대한 원망이 넘쳐나는 곳에 정보 능력을 사용할 경우 오염당할 수밖에 없다.

즉 테트라 아낙스는 절대로 이곳에 접근할 수 없다… 는 것이 세간의 상식이었다.

하지만 지금 서린은 자카르타 한복판, 구시가지의 화교 상인들이 세운 낡은 주상복합건물의 위에 올라서 있었다.

"…무모한 짓인 것 같은데. 친정(親征)을 하다니?"

아르곤은 그런 서린에게 중얼거리며 멘토스를 권했다. 서린은 기꺼이 멘토스를 받아서 입에 털어 넣고 피식 웃었다.

"친정이라니 지극히 봉건적인 용어네요."

"뱀파이어가 봉건적이지, 뭐."

"에스프리는 자유의 영혼을 갈망하는 조직 아니에요?"

"나는 에스프리지."

그렇게 말한 아르곤은 으쓱거리다 서린을 가리키곤 입을 쩍 벌렸다. 으쓱거리던 태도에서 경악으로, 그 낙차가 어마어마한 표정 연기였다. 아무런 소품이나 분장 없이 관광지에서 길거리 공연을 해도 될 수준의 표정 연기다. 관광객 동전을 갈퀴로 긁어낼지도 모르겠다. 옷 좀 단정히 입고 신사같이 군다면 '로열 셰익스피어 컴퍼니(영국의 연극단)'에 들어가도 되리라.

"하지만 너는 테트라 아낙스잖아?"

"인종차별주의자시네요. 내가 선택할 수 없는 것을 가지고 비난하시면 되겠습니까, 안 되겠습니까?"

"아니아니… 그게 아니라 여기 공기가 테트라 아낙스 클랜의 혈인 능력에 나쁘지 않나?"

아르곤은 답답해서인지 하늘을 덮고 있는 검은 구름을 가리켰다.

"제가 예지 능력을 쓴다면 매우 나쁘겠지요. 하지만 전 예지 능력을 쓰지 않고 있는데요? 이런 데서 쓰면 바보기도 하고."

"그렇다고 해도 직접 나타날 이유까지는 없는 것 같은데? 하물며 그런 이상한 갑옷을 입고? 뭐야, 그건?"

"엑소 슈트의 내피갑 아머입니다. 원래는 여기에 강화 외골격을 연결해서 인간의 경우 힘의 지원을 받도록 만들어진 장비인데요, 저야 군이 강화 외골격의 힘을 빌릴 필요가 없으니까요."

서린은 투덜거리며 자신이 입고 있는 슈트를 바라보았다.

"테트라 아낙스가 그런 거 입으니까 진짜 이상하게 느껴지는데?"

"그런데 항상 데님을 입고 다니는 당신이 남의 패션 감각이나 기능미에 대해서 뭐라고 할 처지는 아닌 것 같아요. 그렇지 않아요?"

평상시 온화한 서린이지만 아르곤에게 옷을 지적당하는 것만은 참을 수 없었나 보다. 서린의 말투에 가시가 돋았다.

"아니, 나 역시 처음 데님이라는 옷이 나왔을 때 그 기능성에 감격했다고. 이렇게 튼튼한 옷이 있다니! 하면서 말이야. 혹시 옛날 진즈 광고를 기억해? 말들에 밧줄을 연결하고 그 밧줄로 진을 잡고 좌우에서 당기는 광고였는데… 리바이 스트로스였던가……."

"언제 적 광고입니까, 그거! 나는 아낙스지만 아직 젊다고요. 아, 맙소사. 본 기억 생각나잖아요. 젠장."

서린은 소리를 빽 질렀다. 서린과 아낙스의 의식, 인격 통합에서 아직도 불협화음으로 고통받고 있는 그에게 아낙스만 봤던 사소한 일을 떠올리게 하다니. 게다가 그게 악의 없이 한 일이라 곤욕스럽다.

"그런데 정말 그 옷 안 더운가? 멋있어 보이기도 하고."

아르곤은 서린의 말에 가시가 돋치든 칼날이 솟구쳐 나오든 전혀 신경 쓰지 않고 서린이 입고 있는 옷을 좀 더 세밀히 뜯어보았다.

"…멋있어요? 이게? 방금 전과 말이 전혀 다르시네요."

"모 SF 게임에 나오는 슈트같이 생겼군. 그렇게 생각하니까 멋있잖아?"

"집도 절도 없이 떠돌아다니면서 게임은 또 어떻게 했나 봐요?"

"마트 시연대에 꽂혀 있는 걸로 엔딩까지 보곤 했지."

"……."

너무나 당연스럽게 말하는 아르곤의 태도에 서린은 일순 당황했다. 매력적인 용모, 훤칠한 키에 단련된 체구를 가진 이 남자를 쫓아내야 했던 마트 직원의 고역이 안 봐도 눈에 선하다.

"그나저나 그 옷은 그럼 본의 아니게 입었단 말이야?"

"민주적인 지도자라서 어쩔 수가 없지요."

과거의 고든은 하고 싶다면 뭐든 자신이 하고 싶은 대로 다 할 수 있었다. 그러나 서린은 자신이 민주적인 지도자임을 어필했고 그 결과 이런저런 간섭이 많이 들어왔다. 측근에게는 과거의 고든보다 더 좋은 평가를 받았으며 매력적인 인물임을 어필했지만 전체적으로 이득인지는 모르겠다. 이런 해괴한 코스튬을 입어야만 지상에 내려갈 수 있게 하다니 말이다.

그러나 아르곤이 보기엔 멋져 보이고 마음에 들었다.

"나도 하나 있으면 좋겠는걸."

"참으세요. 날 놀리는 게 아니라면."

서린은 아르곤의 동경에 찬 눈빛을 보고 기겁했다. 차라리 이 옷이 멋없다고 생각해 주는 쪽이 훨씬 나았다. 아르곤도 이런 걸 입고 그와 함께 움직인다면 이건 한 천 년 정도는 이불을 뻥뻥 찰 민망한 모습일 것이다. 생긴 건 무슨 로맨스 영화배우같이 생긴 놈이 하는 짓거리는 화장실 저질 개그 영화에 나올 것 같다. 본인이 그런 저질스러운 감정이 전혀 없다는 게 더 무섭다.

"어쨌거나 기왕 친정에 나선 이상 앙리 유이와 직접 대면하겠어요. 엄호해 주실 수 있지요?"

"괜찮겠어? 테트라 아낙스의 친정이라니, 옛날 같으면 상상도 못 했어. 굳이 해야 할 이유라도 있나?"

"물론이지요. 그런 이유가 없으면 오지도 않았어요. 이런 해괴한 코스튬을 많은 사람에게 보여야 하는 건 괴롭지만… 아니, 벗을까? 어차피 지금은 귀찮은 시어머니들도 없는데? 그리고……."

서린은 어깨를 으쓱해 보이곤 탄소 폴리머로 만든 갑옷을 벗기 시작했다.

"제가 총에 맞는 건 상상할 수도 없군요."

상당히 오만한 말이다. 하물며 예지 능력을, 테트라 아낙스 본연의 혈인 능력을 쓰지 못하는 상황에서 무슨 근거로 그렇게 자신 있어 하는지 모르겠다. 그러나 아르곤은 서린의 말이 결코 자만이나 허풍이 아니라는 걸 잘 알고 있었다.

6

실베스테르와 한세건이 베오울프, 그리고 다른 뱀파이어들과 싸운 흔적을 따라 이동하다 보니 곧 앙리 유이가 머물고 있는 걸로 보이는 구시가지 건물들이 모습을 드러내었다. 담쟁이덩굴이 건물을 거의 씹어 삼키듯 한 건물들, 선블록 크림을 안 바르고 해수욕장을 뛰어다닌 개구쟁이가 그다음 날 겪어야 하는 고통을 대신 겪는 듯한 건물들이 하늘에서 쏟아지는 어둠의 비 아래 을씨년스러운 모습을 드러내고 있었다.

시체들이 커럽티드로 일어난다. 한때 인간이나 그와 유사한 영성이 깃들어 있었던 육신들이 분화하고 기묘한 정보를 담아 자라나며 서린과 아르곤을 노린다. 이 커럽티드는 테라토마, 즉 뭘로 분화할지 모르는 거대한 종양 덩어리이다. 그리고 지금 사법의 비는 그 종양덩어리에게 분화를 촉진하는 저주받은 정보 덩어리다. 가솔린으로 가득한 탱크에 불꽃 폭죽을 들이댄 격이라고 할 수 있었다.

커럽티드는 뭐로든 분화할 수 있는 무한한 가능성을 지니고 있으며 그 실중량도 어마어마하기에 이는 진마라 해도 무시할 수 없는 것이리라. 물론 여기에 있는 진마가 아르곤이 아니라면 말이다.

"흥."

아르곤이 입에 물던 멘토스를 꺼내 튕겨 보내자 외피가 녹아 옥수수 전분과 카나우바 왁스를 섞어 만든 당밀 껌이 날아가며 새하얀 냉기의 궤적을 그렸다. 상당히 불성실한 공격법이지만 그것이 커럽티드에 명중하자 아르곤의 혈인 능력인 동결이 전달되었다.

커럽티드 전체가 얼어붙으며 움직임이 굳어버렸다. 아무리 무한한 가능성을 가진 분화의 종양이라 해도 이제는 얼음기둥이 되어버렸다.

"저런 거에 맞아 죽는다면 그것 참 괴로운 일이겠네요. 영성 없는 존재여서 수치심을 못 느껴서 망정이지⋯⋯."

서린은 그렇게 말하며 혀를 찼다. 일격에 커럽티드를 얼음기둥으로 만들어 버리는 능력은 역시 대단하다.

"멘토스나 스키틀즈 같은 캔디들은 일단 겉의 맛은 제각각인데 외피를 녹이고 나면 다 비슷한 것 같단 말이야. 껌은 단물이 빠져도 재미로 씹을 만한데 그건 좀 끈적거려서 싫어."

왜 여기서 특정 제품에 대한 사용 소감을 들어야 하나 싶어서 서린이 아르곤을 흘겨보았다.

"그나저나 정말 많군."

아르곤은 그리 투덜거리며 보이는 커럽티드들을 족족 동결시켜 얼음기둥으로 만들어 버렸다. 하는 짓은 우스꽝스럽지만 커럽티드를 일격에 동결시켜 버리는 것은 모골이 송연한 장면이었다. 문득 얼음기둥들을 보자니 아그니가 생각났다.

"그러고 보니 아그니도 앙리 유이 편에 붙어 있나요, 여전히? 그의 성격상 헥토르랑은 그렇게 잘해내지 못할 것 같은데. 헥토르의 경우는 예의 그 광기도 있고."

"일단 그가 혈족을 만들었는데… 알고 있어?"

"모르고 있었습니다. 아그니가 혈족을 만들었다고요? 그는 그런 인물이 아니었을 텐데?"

서린이 짐짓 놀라워하자 아르곤의 입가에 함박꽃이 피었다.

"로리콘이라고 놀리기 딱 좋은 상황이지. 아직 어린 소녀야. 아, 그런데 모르고 있었다고?"

"왜요? 제가 모르는 게 신기한가요?"

"테트라 아낙스라면 전지적인 존재가 아닌가?"

"그럴 리가 있나요. 정보라는 개념은 그렇게 간단한 게 아닙니다. 그리고 일본에서 앙리 유이가 사고 칠 때부터 예지 능력은 완전히 꺼졌어요. 아낙스와 막 융합한 저로서는 약간만 흔들어줘도 정신병자가 될 지경이니까요. 애초에 앙리 유이도 그걸 아니까 지금 이 타이밍에 반기를 들고 일어난 거 아니겠어요?"

아그니에게는 TO를 주지 않았으니 테트라 아낙스로서는 골치 아픈 일이지만 아그니가 앞으로 말을 잘 듣는다면 못줄 것도 없다. 진마는 귀중하고 어린 소녀라 해도 뱀파이어로서 경험을 쌓고, 진마가 배후에서 가르치고 후견인 역할을 잘 수행한다면 즉시 한 사람분, 아니, 그 이상의 역할을 담당할 수 있으리라. 팬텀의 에스콰이어인 빌헬름이 사실상 팬텀의 자산을 관리하고 기업의 일정을 전부 다 관리하듯 말이다.

"본인은 원치 않게 혈족으로 만들었다고 하는데 아마 쑥스러워서 그러는 거겠지. 그 친구가 부끄럼을 좀 많이 타거든."

"두 번 부끄러워했다간 전 세계를 불바다로 만들걸요. 조심하세요. 그가 가진 혈인 능력은 굉장한 잠재 능력이 있으니까. 뭐, 아직은 당신 적수가 아니겠지만요."

서린은 아그니를 떠올리며 혀를 찼다.

"그래서… 이쪽 길로 들어서면 앙리 유이가 함정을 파고 기다리고 있을 거란 말이지요? 확실히… 최악의 환경이네요. 아무것도 안 보이는데……."

서린은 눈앞에 펼쳐진 힘의 장벽을 보며 눈살을 찌푸렸다.

"이 앞으로 한세건과 실베스테르가 들어가는 걸 봤어. 만나면 좀 골치 아프지 않나?"

아르곤이 서린과 한세건의 관계를 염려해 그렇게 물어보았다. 그러자 서린은 고개를 저었다.

"괜찮아요. 이 안의 세계는… 동시에 들어가지 않으면 다른 차원으로 격리될 테니까요. 아마 만날 일은 없을 겁니다."

"…뭐?"

그 말에 아르곤은 깜짝 놀랐다.

"앙리 유이의 마법이… 꽤 놀랍군요. 이건 현재 저로서는 깰 수 없는 것이에요. 뭐, 원래 이런 의전과 희생 계열의 마법은 주문의 핵심인 제물을 파괴하지 않으면 외부에서는 어쩔 수 없게 되어 있지요. 제물 수가 전대미문이니 마법의 힘도 너무 강력해요."

한국의 고교생으로 마법과 술식에는 담을 쌓고 살아온 서린 대신 지상 최강의 마법사였던 아낙스의 지식을 이용해 테트라 아낙스가 말한다. 아르곤은 모자를 고쳐 쓰고 물어보았다.

"그렇다면 이 안에 들어가면 다른 차원으로 분화한단 말이야? 들어가면 위험한 거잖아?"

"무수히 많은 가능성의 차원으로 분화되지만, 분화한 당사자도, 분화시킨 장본인도, 이 밖에 남게 될 자들에게도 무의미한 분화일 거예요. 이상하게 들릴지 모르겠지만 이 세계의 내가 사라지지만 그만큼 다른 세계의 내가 와서 빈자리를 채운다고 해도 될까요?"

"더 모르겠어."

"…이해를 바란 건 아니었습니다. 어쨌거나 앙리 유이가 이 결계를 펼친 것은… 랜덤한 자신의 실험 결과가 성공으로 수렴되는 곳으로 조금이라도 현실을 끌어가기 위해서 선택한 짓입니다. 그쪽으로 수렴되면 수렴되지 않은 차원, 공간, 시공이 연속성을 지닌 채 수렴되면서 그게 곧 현실이 될 테죠."

"마법사들에게 그런 게 가능했단 말이야?"

"분명히 이전까지는 그 어떤 마법사도 함부로 할 수 없었어요. 앙리 유이가 그만큼 많은 사람을 동경과 자카르타에서 죽였으니 가능하게 된 것이겠지만… 으, 기분 나쁘네요. 마법사라는 족속들이란!"

서린은 몸서리를 쳤다. 마치 자신은 마법사가 아니라는 것처럼…….

"이 안에 뛰어들면 앙리 유이가 원하는 세계로 수렴된단 말이지? 안 가는 게 이득 아닐까? 확률이 적어서선 아무래도…….."

"우리가 들어가서 앙리 유이를 막지 않으면 그는 결국 온 세상을 자기 뜻대로 망칠걸요?"

"…이미 자기 뜻대로 세상을 쥐락펴락하는 테트라 아낙스가 할 말은 아니라고 생각해."

아르곤은 그렇게 투덜거리면서도 서린의 곁에 섰다.

"정말 다른 동료들을 안 데려오고 혼자 올 이유가 있었던 거지?"

"네, 많이 데려와 봐야 분할당할 뿐입니다. 그리고 헥토르를 상대로 희생을 내지 않으려면 당신 정도밖에 없지요. 조반니가 즐겨 쓰는 텔레포트 능력은 확률 변환 앞에선 자살행위고 스팅레이의 텔레파시는 이 정보 범람 상태에서 역시 자살행위. 다른 테트라 아낙스들은 내 대신 해줘야 할 일이 너무 많습니다. 반면 저는… 훨씬 안정적이지요. 어쨌거나 0세대 라이칸스로프니까요."

서린은 그리 말하고 양손을 벌려 앙리 유이가 펼친 마법장 안으로 직접 걸어 들어갔다.

한세건은 아직도 작동하고 있는 자판기에서 제로 콜라를 꺼내 벌컥벌컥 들이마시고 집어 던졌다.

이상하게도 그는 걸어도 걸어도 안으로 들어갈 수가 없었다. 앙리 유이의 결계 안은 이상하게 꼬여 있어서 분명히 가도 가도 왔던 길을 맴돈다.

"어떻게 된 건지 보여요?"

—조심!

그 순간 총탄이 날아와 방금 전까지 조용히 샌드위치 패널로 만든 주유소 지붕 위에 매복해 있던 커럽티드가 산산조각 났다. 커럽티드가 작정하고 한세건을 파악하기 전에 한세건은 다시 바이크 스로틀을 당기고 달렸다.

"위에 있으니까 보이죠? 제가 지금 제대로 가고 있는 거 맞나요?"

실베스테르는 한세건을 위해서 저격으로 지원을 해주고 있었다. 그렇다면 현재 건물 위에서 실베스테르가 보여야 정상인데 한세건 입장에서는 실베스테르가 보이지 않는다. 공간이나 인식이 꼬인 것일까?

—정면으로 직진해. 계속 같은 자리를 맴돌지 말고.

—우측으로 꺾이고 있어.

—좌측으로 꺾어! 뭘 하는 거야?

한 번에 세 가지 말이 들어오고 있다. 한세건은 그 말을 듣는 순간 헤드셋을 뺐다. 전자기기를 통해서 유령이 말을 걸어오고 그걸 진짜라고 믿어서 정신착란을 일으키는 건 정신분열증 환자에겐 매우 흔한 일이다. 혼팅으로 망가져 있는 세건으로서는 침착하게 대처해야 했다.

'이건 확실히 위험하군. 좋아, 일단 심호흡을 하고 한쪽 귀를 막고……'

환청에 시달릴 경우 한쪽 귀만으로 들으면서 소리가 양쪽 다 균등하게 들리는지 편향되는지 집중하는 것이 매우 도움 된다. 하지만 지금 목소리는 분명히 한쪽에만 들린다.

—이상하군……. 세건, 아무래도 지금 우리는 왜곡된 시공 안

에 있는 것 같다.

실베스테르도 현재 상황의 이상을 파악했는지 그렇게 말했다.

"시공 왜곡이라. 그런 게 가능합니까? 이렇게 대규모로?"

―가능한지 불가능한지를 따질 필요가 없다. 결과적으로 지금 우리가 그걸 당하고 있으니까. 아무래도 앙리 유이는 너와 직접 대면하긴 싫은 것 같군. 하긴 시간을 끌기만 하면 되는 거니까.

앙리 유이에게 가장 필요한 것은 바로 시간이다. 그 시간을 벌 수 있다면 이런 짓을 저지른다 해도 이상할 게 없다.

"그럼 우리는 적의 함정 한복판으로 아무런 대책도 없이 들어온 셈이로군요."

―미안하군. 나도 명색이 마법사인데 설마 일이 이렇게 될 줄이야.

"대책은 없습니까?"

―이것은 도가의 기문둔갑도 아니고 황금여명회의 마법도, 베난단티의 것도 아니야. 즉 방위를 따라 걷는다거나 하는 방법이나 초환 같은 걸로 안에서 해체가 불가능하다.

"…없다는 말을 길게 하시는군요."

한세건의 목소리에 짜증이 깔렸다. 실베스테르를 원망할 일은 아니라는 걸 잘 안다. 앙리 유이가 한 짓은 전인미답의 경지. 과거의 경험이 별 도움이 안 되는 상황이다. 하지만 이렇게 되니 자신이 미끼 때문에 덫에 뛰어든 쥐새끼같이 여겨졌다.

―방법이 없다고는 안 했다.

실베스테르가 투덜거렸다.

─아무리 앙리 유이라 해도 공간을 무한정 비틀진 못할 거다. 예광탄을 쏠 테니까 그걸 참고해. 예광탄은 일직선으로 빛을 뿜으며 날아갈 테고 그것은 빛과 시각, 그리고 직선이란 관념의 정보를 뿌리게 되지. 과연 이 정보를 얼마나 수정할 수 있는지 볼까?

"예광탄도 갖고 다녀요?"

─쓸모가 많거든.

정말 실베스테르가 말한 대로 예광탄이 하늘을 갈랐다.

"…오, 맙소사."

한세건은 무심코 감탄했다. 하늘을 가르는 예광탄을 따라 주위의 대기가 일변한다.

아마도 예광탄이 지나갔다는 정보가 현실에 영향을 미치는 것이리라.

그러나 정보가 정말 실재하는 공간을 뒤바꾼다는 것은 얼마나 무시무시한 일인가?

"이건 좀 미친 것 같군."

한세건은 그 모습을 보며 신음했다. 자신이 디디고 있는 땅과 주위 사물이 얼마나 불안정한 존재인가? 마치 스티로폼 배를 타고 대양을 건너는 자가 된 기분이다. 언제 전복하거나 부서질지 모르는 조악한 배에 목숨을 걸고 있으니 두렵고 혼란스럽다.

─왜? 일이 잘 안 풀렸나?

"너무 잘 풀려서 탈이지요."

한세건의 주위에는 방금 전 그가 손댄 자판기와 시선만 속이고 지나쳤던 커럽티드들이 깔려 있었다. 커럽티드들은 다시 한세건을 인식하고 촉수를 뻗어온다. 마치 플랑크톤을 집어삼키려는 말미잘 같다. 물론 한세건은 플랑크톤이 아니다.

드드르륵!

자신을 먹으려 하는 놈들의 촉수를 향해 한세건의 글록이 불을 뿜었다.

촉수들의 끄트머리에 정확하게 총알이 박히자 커럽티드들이 주춤한다. 그사이 한세건은 빠르게 뛰쳐나가 간격을 벌렸다.

'앙리 유이가 공간을 왜곡해서… 이곳에 못 들어오게 했었지? 그렇다면 여기가 바로 제대로 된 길인가?'

세건이 화교 자본이 세운 주상복합 쇼핑센터로 들어서니 갑자기 공기가 일변했다.

텅 빈 쇼핑센터 안에 에스컬레이터만 혼자 하염없이 돌아가고 있었다. 그 너머 3층쯤에 위치한 발 마사지 가게의 네온사인이 촌스럽게 반짝인다.

"이거 참. 오래 기다리게 해주는군."

발 마사지 가게 앞 손님 대기용 벤치에 앉아 있던 금발 곱슬머리의 남자가 천천히 몸을 일으킨다. 잘 안 보이는 곳에 숨어 있을 수도 있었으리라. 그럼에도 불구하고 굳이 모습을 드러내는 건 그가 오만방자한 뱀파이어 군주, 진마이기 때문이다.

진마 헥토르가 모습을 드러내었다.

"용케도 이 안까지 들어왔군, 황색 피부. 놀랍군."

헥토르는 앙리 유이의 장벽을 깨고 들어온 한세건을 치하했다. 뱀파이어 군주의 치하. 한세건에게는 모욕적인 것이지만 당사자는 마치 커다란 은혜라도 내리는 듯하다. 그 거들먹거리는 태도에 대해서 한세건은 대답 대신 양손에 핸드 건을 들고 총탄을 퍼부었다.

드드드득!

비록 한 발 한 발의 위력은 약하나 정확했다. 피하기 까다로운 공격. 맞으면 진마의 체면이 깎인다.

이에 헥토르는 쇠막대를 각각 하나씩 양손에 들고 맞섰다.

바지지직!

눈부신 전기 아크가 쇠막대 사이에서 방출되며 날아드는 총탄을 걷어낸다. 전기 아크가 접촉하는 순간 총탄이 증발하면서 역으로 한세건을 향해 전기 아크가 날아들었다.

"읍!"

세건은 뒤로 몸을 날려야 했다. 피했다… 고 말하기엔 민망하다.

대기 중 전기 아크의 방출 속도는 음속을 가볍게 상회하니 저 빛은 곧 죽음이다. 일단 눈에 방전이 보이면 피한다는 행동 자체에 의미가 없다.

지지지직!

다행히 전기 아크는 벽체에 명중해 흘러나갔지만…….

잠깐 본 것만으로 눈이 부시고 피부가 익은 듯한 기분이 들었다. 아니, 그것은 기분만이 아니다.

한세건은 맞지도 않았는데 화상을 입었다.

'젠장. 그야말로 걸어 다니는 용접기로군. 위험해… 눈이…

안 보여!'

한세건은 격통 때문에 눈을 감았다. 방금 전 아크라이트를 살짝 본 것만으로 시신경과 원추세포, 간상세포들이 타버린 것이다.

"신음 소리 하나 내지 않다니 제법이군. 아니면 잠깐 기절했나?"

"큭! 이 자식."

"납이 녹는 냄새… 역겹군. 다짜고짜 초면에 총질이라니… 버릇이 사나운 놈이로다."

곱슬머리의 남자 진마 헥토르는 천천히 걸어 나오며 양손의 막대를 빙글빙글 돌렸다.

우우우웅…….

전기가 들끓으며 여기저기서 '세인트 엘모의 불', 즉 유도 대기 방전이 일어난다.

푸른 원추형 불꽃이 쇼핑센터 중앙에 설치된 에스컬레이터와 황금색으로 도장된 용 모양 기둥 곳곳에서 번쩍인다. 마치 당장에라도 용이 승천할 것처럼 보였다.

"크윽!"

한세건은 눈이 보이지 않는 상태에서 몸을 날리며 비스트를 뽑았다. 시신경이 타버려서 보이진 않지만 위치는 알 수 있었다.

투확!

비스트의 총구가 폭염을 내뿜었다. 총이 아니라 대포에 가까운 폭음이다.

치이이익!

헥토르의 머리 옆으로 총탄이 스쳐 지나가며 헥토르의 아크 방전이 비스트의 탄환에 이끌려 터졌다. 납이 들끓으며 무시무시한 폭염이 뒤따랐지만 아쉽게도 명중탄이 아니다.

어찌나 반동이 강한지 한세건의 몸이 밀렸다. 하지만 한세건은 공중에서 빙글 몸을 돌려 간단히 지상에 착지했다. 마치 합을 맞춰둔 액션 영화의 한 장면 같다.

"허… 대단하군."

한세건의 눈이 안 보인다는 건 헥토르 역시 알 수 있었다.

보이지 않는 상황에서 저 무식한 총을 헥토르 옆으로 쏘아 보낸 것도 그렇고… 그 반동을 이용해서 자세를 잡는 것도 놀랍다. 균형 감각이 비정상적으로 뛰어난 것일까?

바지지직!

헥토르는 다시 아크방전을 일으켰지만 그 순간 한세건은 플로어에 설치된 액세서리 가게의 진열용 윈도우를 뛰어넘었다.

펑!

전기 아크가 또 엉뚱한 곳을 때리며 무시무시한 빛과 열, 폭음을 발생시켰다.

"재미있는 녀석이군. 앙리 유이에게 주긴 그런데……."

헥토르는 한세건의 반응에 재미있어했다. 지금까지 인간 중에서는 이만큼 그의 공격을 피해낸 녀석이 없었다. 대부분 처음 아크라이트로 눈이 멀어서 허우적대다 살해당했으며…….

아니, 첫 아크라이트를 피한 적도 없다.

"내 혈족이 될 생각이 없느냐? 아시아인에게는 더할 나위 없는 영광……."

"뱀파이어에 더해서 인종차별주의자냐? 거기에 병신이니 아주 삼관왕 달성이구나?"

한세건의 반응은 격렬했다. 월야의 마수로 이름 높은 한세건에게 회유를 해오는 뱀파이어라니 확실히 제정신이 아니다. 그러나 헥토르는 진심으로 제안했었는지 한세건의 격렬한 거부에 짜증을 낸다.

"역시 하급한 인종으로 태어난 놈은 품성과 교양도 부족한 법인가? 뭐, 안심하도록. 내 뛰어난 인덕의 불기둥으로 다스려 주지."

헥토르는 다시금 아크방전을 일으켰다.

콰르릉!

한세건에게는 천만다행으로 이 쇼핑센터의 중앙에는 커다란 금속제 에스컬레이터와 용 기둥이 있어서 헥토르의 아크방전 상당수가 그곳에 명중했다.

한세건에게 불행한 점은 그렇게 용 기둥과 에스컬레이터에 명중해도 빛과 열 때문에 계속 피해를 입고 있다는 것이다. 빛과 열, 소리는 피할 방도가 없다.

'미친… 이건 답이 안 나오잖아?'

한세건은 기둥에서 멀찍이 떨어져서 허벅지에 고압 주사기를 꽂았다.

푸슉!

뱀파이어의 피와 사이키델릭 문을 미량 섞어서 안정화시킨 재생제가 주입되자 몸에 활력이 샘솟는다.

상처가 재생되는지 눈이 보이기 시작한다. 하지만 시야가 뿌옇다.

시신경은 회복되었지만 아직 깨끗하게 보이지 않는 것이다. 이런 상태로 진마와 싸울 수 있을까? 게다가 저놈은…….

바지직!

매번 아크라이트를 방출한다! 저 빛을 직접 보는 것만으로 사람은 눈이 멀어버린다! 이건 이미 싸움이 되지 않는다.

그러는 동안에도 에스컬레이터와 용 기둥이 전기 방전 때마다 쇳물을 튀긴다. 마치 테슬라 코일 쇼 같다. 금속으로 된 에스컬레이터와 용 기둥이 녹아들어 가며 사방팔방에 쇳물을 뿌리는데 그 모습이 장관이다.

우우우우웅!

쇼핑센터 곳곳에 세인트 엘모의 불이 들끓고 있고 머리카락 탄내가 진동한다.

'젠장. 재생해도 아크라이트가 터지면 끝인데… 이런 걸로는 택도 없을 테고.'

한세건이 뛰어넘은 액세서리 가게에는 관광객들을 위한 선글라스가 진열되어 있었다.

세건은 혹시나 싶어서 그걸 들어서 써봤지만… 용접할 때 쓰는 마스크는 선글라스보다 훨씬 진해서 평상시는 아예 보이지 않을 정도다. 없는 것보단 나을 테지만 권총탄을 종이 한 장으로 막으려는 무모한 시도나 다름없다.

바직!

인근에 전기 아크가 떨어지자 공기가 급팽창하며 폭풍이 일어난다.

헥토르에게서 방출된 전하가 1차적으로 용 기둥에 명중하고 2차적으로 용 기둥에서 플로어로 떨어지면서 세건의 인근에 급습한 것이다.

한세건은 싸구려 선글라스를 낀 채로 데굴데굴 굴러서 피했다.

"젠장!"

분명히 피했는데도 근처에 있는 것만으로도 타격이 심하다.

'이 녀석과는 절대 접근전을 해서는 안 되겠는데?'

그러나 건물 안에 들어선 순간 이미 헥토르의 영역이다. 이 녀석이 광기의 헥토르니 뭐니 하는 거창한 이름으로 불리는 이유를 이해할 것 같은 기분이 들었다.

물론 한세건은 이대로 굴복할 생각이 없었다.

투확!

다시 비스트가 불을 뿜었다.

"흥!"

헥토르가 코웃음 치며 전하를 방출했다.

바지지직!

전기 아크가 혀를 날름거리며 비스트를 막았다. 단번에 비스트의 탄자가 증발했다. 그러나… 그로 인해 발생한 납 증기가 무서운 기세로 날아가 헥토르를 덮쳤다.

"킥?!"

헥토르는 전혀 예상치 못한 고통에 놀라서 얼굴을 찌푸렸다. 마치 뭔가 뜨거운 것에 덴 것 같다. 깜짝 놀란 헥토르가 자신의 몸을 살펴보니 이게 어찌 된 일인가?

단 일격에 헥토르의 왼쪽 팔꿈치 아래가 사라져 버렸다.

비록 증기라 해도 고속, 고열의 가스제트는 위력적이다. 게다가 비스트에는 성자의 성골을 융합해서 만든 성물의 공이치기가 들어 있다.

앙리 유이가 사람들을 죽이고 공포와 의심을 풀어 마법의 힘이 강화되었다. 그런즉슨 성물의 위력도 덩달아 강해졌다는 것이다.

얄궂게도 그 결과, 앙리 유이의 전력인 헥토르에게 불리하게도 비스트의 위력이 강해졌다. 평상시라면 좀 따끔한 화상과 상처에 불과했을 게 팔을 날려 버린 것이다. 맞지도 않았는데, 충분히 방어했는데 팔이 날아가다니 불합리한 위력이다.

"윽……."

한세건은 헥토르가 팔을 잃고 허우적거리는 틈을 보고 마음이 다급해졌다. 즉시 비스트의 탄을 교체하려 했지만…….

슬프게도 이 비스트는 연사가 안 되는 물건이다.

리볼버 형식으로 만들었을 때 너무 무겁고 크고 둔하며 반동도 커서 무의미했다. 그래서 한세건은 그걸 중절식(中絶式)으로 개조했는데 그 결과 연사가 불가능하다. 정작 지금 이 순간은 단지 0.1초 차이도 아쉬운데… 그 차이를 과연 재빠른 손으로 만회할 수 있을까?

과연 한세건이 재장전한 순간 헥토르는 이미 컨디션을 회복했다. 방금 전까지 전혀 피할 생각을 안 하던 헥토르는 몸을 뒤로 날리며 손에 들고 있던 금속 막대를 한세건에게 집어 던졌다.

"…쌍."

헥토르에게서 방출된 전기불꽃이 용 기둥과 에스컬레이터를 강타하고 공중에 떠 있는 금속 막대를 거친 뒤 한세건에게 날아들어 명중했다.

팍!

마치 돌진하는 트럭에 치인 것처럼 한세건의 몸이 퉁 튕겨 나가 진열용 유리장을 부쉈다. 날카로운 굉음이 홀 전체를 뒤흔들었다.

"크억!"

한세건은 그대로 바닥에 쓰러져 일어나질 못했다.

"버릇없는 원숭이에게 아주 좋은 교훈이 되었겠군."

헥토르는 그리 말하고 자신의 날아간 팔을 휙 휘둘렀다. 마치 접이식 안테나가 뽑혀 나오듯 순식간에 상처가 재생되고 새로운 팔이 자라났다.

헥토르는 새로 자란 팔을 매만지며 천천히 발걸음을 내디뎠다.

뚜벅뚜벅…….

발걸음을 감출 생각도 안 한다. 발소리가 다가오는 게 마치 천군만마가 질주하는 것 같다. 하지만 그 발소리가 자신을 위협함에도 한세건은 그저 신음할 뿐이다.

"으으윽… 음……."

아예 의식을 잃어버린 걸까? 그게 아니면 끌어들이기 위한 함정일까?

"어리석군, 인간. 네놈이 함정을 팠다면 기꺼이 빠져주지. 그게 진마고 그게 바로 나다."

헥토르는 한세건이 어떤 함정을 팠다고 해도 두려워하지 않았다. 그에게서 방출되는 아크라이트는 인간 하나쯤 순식간에 증발시킨다.

가까우면 가까울수록 위력도 더 강하다.

"아, 잠깐. 이 친구는 앙리 유이가 눈독을 들이고 있었지? 죽여선 안 되는 거 아닌가?"

한세건을 죽이려 하던 헥토르는 앙리 유이가 그에게 눈독 들이고 있었다는 걸 깨닫고 전화기를 들었다.

유도전류로 주위의 쇠기둥, 에스컬레이터가 녹아내릴 지경인데 그가 들고 있던 전화기는 멀쩡하다. 그는 그걸로 앙리 유이를 호출했다.

"자, 앙리 유이. 한세건이라는 헌터를 제압했다. 어떻게 할까? 잡아갈까? 아니면 죽일까?"

—호오. 나름 진마사냥꾼이라고 하던 친구인데 그렇게 쉽게 제압했다고?

"다른 진마들이랑 날 비교하다니 살짝 상처받을 것 같군. 진정한 귀족은 뭔가 다른 법이지. 나야말로 진정한 귀족이 아닌가?"

헥토르는 별일 아니라는 듯 말하다 입을 쩍 벌렸다. 그의 눈에 도저히 상상하기 힘든 일이 벌어졌기 때문이다.

쇼핑센터의 입구 쪽에 두 사람이 걸어 들어왔다. 데님 차림의 백발 청년과 검은 머리칼에 방탄복 차림의 청년이었다.

진마 아르곤과 테트라 아낙스의 수장 서린이 몸소 행차한 것이다.

"아, 이런⋯⋯."

헥토르가 무의식중에 전화기를 내려놓았다.

"오래 산 뱀파이어들은 정말 선제공격을 별로 좋아하지 않는 군요."

서린은 그렇게 말하고 쓴웃음을 지었다. 헥토르가 서린과 아르곤을 발견하고도 멍하니 서 있는데 아르곤도, 그 자신도 그 틈을 노려 공격할 마음이 들지 않기 때문이었다.

한세건이라면 이 틈에 가차 없이 공격했겠지.

그러나 뱀파이어들은 일종의 동업자 의식이 있어서 그게 쉽지 않았다.

"기나긴 세월을 살아가는 뱀파이어들 입장에서 보면 같은 뱀파이어는 미우나 고우나 동반자일 수밖에 없거든."

아르곤이 대신 대답했다.

"물론 아웃로나 저런 친구들은 예외로 치지만."

"아르곤⋯⋯."

헥토르는 아르곤을 발견하고 혀를 찼다. 그의 눈에 적개심이 떠올랐다. 그러나 헥토르 역시 선제공격에 나서지는 않았다.

진마나 정식 클랜의 일원이라면 정말 이러니저러니 해도 미운정이 들 수밖에 없다.

수백 년을 살아보면 남는 건 뱀파이어뿐이니까 당연하다.

외국 이민자들이 같은 인종, 같은 민족 출신에게 느끼는 동질 감? 그런 게 뱀파이어들 사이에 있었다.

"지긋지긋하군. 여기서 널 보게 될 줄이야."

헥토르는 아르곤을 발견하고 쓴웃음을 지었다. 그러자 서린이 대신 답했다.

"뱀파이어 입장에서 다른 인간들은 눈 깜빡하면 스쳐 지나가는 환영에 불과하지요. 같은 뱀파이어만이 같은 시간을 공유할 수 있어요. 천 년의 시간이 지나더라도 말이죠. 그러니까 과거의 일은 잊고 화해 좀 하시지요?"

서린은 그렇게 말했다. 아르곤과 헥토르가 다시 만난 게 딱 천 년 정도 경과했기 때문이다.

"그래서, 나에게 동족 의식을 느끼나? 그게 너무 강해서 선제공격을 안 할 만큼? 천 년 만에 만난 친구로 느껴지나?"

헥토르는 그렇게 반문했다. 그러자 아르곤이 어깨를 으쓱했다.

"난 별로 당신에게 감정이 없어, 헥토르. 내 기억에는… 내가 이득 보는 관계였던 것 같은데?"

당시 헥토르는 동로마제국의 귀족이었고, 아르곤은 훗날 노르만공국을 세우는 지중해 노르만 세력의 일원이었다.

자칭 타칭 덴마크 왕족 출신, 바이킹의 두목이던 아르곤은 헥토르에게 정말 악몽 같은 골칫거리였다. 헥토르는 그때 이미 뱀파이어였지만 당시에는 뱀파이어의 힘과 세력이 지금처럼 강하지 않던 때라 강력한 힘을 가지고도 아르곤 일당에게 속수무책으로 당할 수밖에 없었다.

"자자, 그러지 말고 아무리 철천지원수라도 일단 이야기를 해야 하지 않겠어요? 그리고 당신과 저는 원수도 아닙니다."

서린은 둘 사이의 공기가 기묘해지자 헥토르의 주의를 환기시켰다.

"날 회유할 생각은 안 하는 게 좋아. 내게는 너의 말이 의미가 없다."

헥토르는 그리 말하고 아르곤을 노려보았다.

"저 야만인 놈… 감히 내 앞에 어슬렁어슬렁 나타나? 그리고 진마가 되었다고? 난 인정 못 해. 진정한 귀족은 나다. 너 같은 야만인 놈이 아니라!"

"어휴, 요즘 민주주의가 유행이야. 귀족 같은 소리 하고 있네. 그렇게 유행도 못 따라가니까 다리가 안 자라지. 숏다리."

아르곤이 헥토르를 비웃었다.

'음, 이런 방식의 교감도 있을 수 있겠군.'

방금 전까지 감상에 젖어 있던 서린의 마음을 확 뒤집어엎는 아르곤의 언행이었다. 이 언행에 헥토르의 표정이 확 구겨졌다.

"아르곤! 이 야만인 놈이!"

"천 년 전에는 내가 더 야만인이었던 거 인정하지. 그런데 지금은 너랑 나중에 네가 더 야만인일걸?"

"뭣?!"

"요새 유행이 뭔지 알고 있냐? 영화는 봤냐? 전자 제품 작동법은 알고 있냐? 하다못해 비디오게임은 할 줄 아냐?"

"……."

헥토르의 표정이 구겨졌다. 그 말을 듣고 있던 서린이 한숨을 내쉬었다.

'게임 시연대에 하루 진종일 달라붙어서 엔딩까지 깨는 작자가 뭐 자랑이라고 그런 걸로 입씨름을 하고 있어? 정말 애 같다.'

그런데 헥토르에겐 이런 게 먹힌다. 헥토르의 표정이 일그러진다.

"그런 시답잖은 놀이는 시간만 있으면 얼마든지……."

"아 놀이에는 관심이 없으시다? 그럼 학문 이야기를 해볼까? 너 인수분해는 할 수 있냐? 요새 애들은 그 정도 산수 문제는 열네 살 때 배운다? 그거 못하면 너 진짜 멍청한 거야."

아르곤이 물어보자 헥토르의 얼굴이 수치심으로 붉으락푸르락해졌다.

헥토르 입장에서는 아르곤이 덴마크 왕족이라는 건 아무리 봐도 허풍이었고 설령 그게 사실이라 해도 그 행동거지만 보면 교양과 품격의 편린조차 찾을 수 없었다. 귀족적인 것을 최고의 가치로 여기는 헥토르에게 아르곤은 혐오스럽기 그지없는 야만인이었다. 그게 아니더라도 자신의 기반을 위협하는 적이고 원수였다.

그런데 시간이 지난 지금 오히려 그때의 야만인이 헥토르를 보고 무식하다고 모욕을 주고 있다.

'문제는 대응할 방법이 없다는 거지! 인수분해가 뭐지?'

물론 헥토르가 무식한 것은 수면형 뱀파이어인 탓이 크다. 언어능력은 혈족들을 키우고 그 혈족들이 습득한 언어를 혈족 동조, 엠파시 능력으로 빠르게 배울 수 있었지만……

언어와 달리 수학 같은 일반 학문은 엠파시 능력으로도 배울 수 없었다. 아르곤이 그 점을 들어서 헥토르를 도발하니 가슴속에서 울화가 치밀어 오르는데 딱히 반박할 말이 없다. 그래서 더 미칠 지경이다.

'이 새끼, 내 특수성은 잘 알면서 그걸 가지고 모욕하다니! 짜증 나! 하지만 그렇다고 내 특수성을 적인 저놈에게 이해해 달라고 궁상떠는 것도 싫어! 쳐버릴까? 그러나 만만한 놈이 아닌데. 게다가 아낙스도 곁에 있어……'

헥토르는 거의 애원하듯 아낙스를 바라보았다. 상식을 갖춘 아낙스가 이 상황을 정리해 주길 바란 것이다. 그 눈빛이 하도 애절해서 서린이 품 하고 웃음을 터뜨렸다.

"대략 천 년 전의 일로 다투다니 나 참. 다 큰 어른들이 뭐 하는 겁니까? 아, 일단 세건 형을 좀 치우죠."

서린은 그리 말하고 성큼성큼, 헥토르의 공격 범위 안으로 걸어 들어가 쓰러져 있던 한세건을 조심스럽게 들어 올렸다. 한세건은 여전히 의식이 날아가 있었는데 사실 헥토르의 아크 공격을 감안하면 살아 있는 게 신기한 지경이었다.

"잠깐… 아낙스!"

헥토르의 몸에서 전하 불꽃이 번뜩이자 아르곤이 미리 준비한 크리스를 들고 빙글빙글 손에서 돌리기 시작했다. 크리스의 칼날로부터 새하얀 냉기가 뿜어져 나와 순식간에 실내를 서늘하게 했다.

헥토르가 서린을 공격하면 바로 아르곤의 공격이 이어질 터, 잠시 팽팽한 긴장이 감돌았다. 그 긴장을 깬 것은… 외부에서의 간섭이었다.

위이이잉…….

전기 모터가 돌아가는 소리가 쇼핑센터 2층 좌우에서 들려왔다.

"오, 맙소사."

"젠장. 피하자!"

아르곤은 서린을 돌아보고 몸을 돌렸다. 과연 패왕별희의 항우 가면을 쓴 남자 둘이 쇼핑센터 홀로 동쪽과 서쪽 통로를 통해 등장하고 있는데 그들 손에는 전동 모터로 돌아가는 미니 건이 들려 있었다.

베오울프의 대원들일까? 미니 건이 불을 뿜으며 방금 전 서린과 아르곤이 서 있던 일대를 찢어발기기 시작했다.

第22夜

강신제

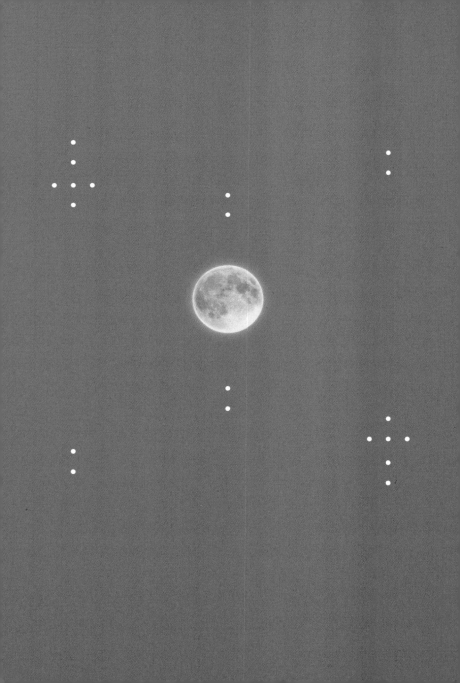

1

일본과 자카르타에서 연달아 일어난 아웃레이지 사건으로 전 세계의 증시는 폭락했다.

막대한 자본이 일거에 증발한 지금, 깁슨 인베스트먼트의 오너 로우 깁슨은 태평하게 휴가를 즐기고 있었다.

와이오밍에 사설 레이싱 트랙을 건설하고 그 트랙을 달리는 것이 로우 깁슨의 취미였다. 뱀파이어인 그에게 자신의 뜻대로 움직이지 않는 머신을 달리게 하고 필요에 따라 튜닝하는 것은 매우 좋은 취미였다.

그가 트랙을 소화하고 피트에 돌아오자 직원들이 타이어를 교체한다. 랩타임 보드를 바라보며 음료수를 마시는 로우 깁슨의 옆에서 한 소년이 중얼거렸다.

"어차피 풋에 걸어두었으니 이득이군요. 이렇게 탱자탱자 노셔도 돈이 쑥쑥 들어올 테니 말입니다."

로우 깁슨의 충직한 심복, 빌헬름의 목소리에 가시가 돋쳐 있었다.

성실한 성격인 빌헬름은 어딘지 불성실해 보이는 자신의 주인, 로우 깁슨의 태도에 늘 불만을 품고 있었다. 그렇지만 이번에는 좀 달랐다.

"앙리 유이 일당을 제압하기 위해 테트라 아낙스가 직접 나섰습니다."

"…가급적 그런 말은 하지 말아주지그래? 휴가를 마음 편하게 즐기게 말이야."

"일 년 삼백육십오 일이 휴가이신 것 같습니다만?"

"태어날 때부터 건실한 삶과는 거리가 있었지."

로우 깁슨, 아니, 진마 팬텀이라 불리는 뱀파이어는 그렇게 답하고 쓴웃음을 지었다. 롤 케이지를 장착한 코닉세그 차량에서 슈트 차림으로 나온 그는 재킷을 걸치면서 자신의 비서를 돌아보았다.

"뭔가 특이 사항이라도?"

"테트라 아낙스와의 연락이 끊겼습니다."

"몇 분 정도?"

"삼십 분 전입니다."

"그럼 뭐 죽었다고 할 수는 없지. 아니, 설령 앙리에게 테트라 아낙스를 개미처럼 짓눌러 죽일 힘이 있다고 해도 그가 그렇게 쉽게 테트라 아낙스를 죽일 리 없어."

살려서 박제해 둔 채 집 안에 진열해 두면 모를까……

팬텀은 앙리가 아낙스에게 가지는 열등감을 잘 알고 있었다. 팬텀 자신도 한때 느꼈던 그 감정을 앙리 유이는 저열하고 저속한 방식으로 휘두른다.

팬텀은 그 감정을 받아들이고 포기했고, 앙리 유이는 그 감정을 그대로 자신의 정책에 반영했다.

"앙리 유이를 지금 이 상태로 몰고 간 건 아낙스다. 그러니까 아낙스를 걱정할 필요는 없어."

"한세건은 어떻습니까?"

"그도 걱정할 필요가 없어. 서린은 절대로 한세건을 죽게 내버려 두지 않는다. 난 트랙이나 한두 번 더 돌지. 다음 차는 뭐지?"

"부가티 베이론입니다만."

"음… 뉘르부르크링 타임도 낮게 나오는 걸 타느니 차라리 아메리칸 머슬카를 타겠어. 머슬카들은 튜닝을 좀 해주면 재밌게 나온단 말이지. 이번엔 맥라렌을 타볼까?"

팬텀은 충동구매로 구입한 부가티 베이론에 악평을 날리고 다음 차량을 골랐다.

자카르타에서 벌어지는 일이 전혀 그의 마음을 흔들지 못하는 것 같았지만… 빌헬름은 알고 있었다.

평소 그의 마스터는 코너링이 많은 코스를 중시하긴 하지만 남이 공들여 만든 물건에 대놓고 악평을 가하는 인물은 아니라는 걸······.

팬텀은 지금 동요하고 있다.

그리고 지금 아르곤은 화끈하게 동요하고 있었다.

"으와아아아······."

사방팔방에서 미니 건 탄환이 쏟아진다. 아르곤은 얼음장벽을 만들어보았지만 미니 건 탄이면 얼음장벽도 순식간에 부서진다.

"이거 어떻게 한담?"

아르곤이 허둥지둥하면서 달린다. 물론 역전의 용사 아르곤이 미니 건 세례 정도에 당황한 건 아니다. 미니 건 세례가 중요한 게 아니라 테트라 아낙스, 그리고 기절한 한세건이 함께 있는데 미니 건 세례가 쏟아지는 게 문제다.

서린은 그런 아르곤에게 아직도 정신 못 차리고 있는 한세건을 던져 주었다.

"데리고 피해요!"

"너는?!"

"싸웁니다!"

그 순간 서린의 손에서 검은 그림자가 떠올랐다.

쉬이익!

뭔가 증기 뿜는 듯한 소리와 함께 검은 그림자가 요동친다. 서린은 그 그림자를 바닥에 깔고 슈트에서 검은색 케이블을 뽑았다.

"그건?!"

"뭐겠어요?"

서린은 검은색 케이블을 그림자 안으로 던져 넣었다. 그러자… 동관과 서관 통로에서 미니 건을 난사하고 있는 놈들의 발밑에서 검은 케이블이 뛰쳐나와 그들을 감았다.

"흡!"

서린이 케이블을 당기자 중간에 연결된 집게 플러그가 빠지며 그 순간 전기불꽃이 튀었다. 케이블이 순식간에 점화되며 폭발한다.

투칵!

동관과 서관 복도에 핏물이 튀며 미니 건 사수들이 산산조각 났다.

"야… 그건… 지나치게 용감한데?"

헥토르와의 싸움에서는 헥토르가 조금만 전기를 끌어 써도 사방팔방에 세인트 엘모의 불이 당겨진다. 이런 상황에서 도폭선 같은 무기는 위험하다. 사실 한세건이 도폭선을 사용하는 방식은 자칫 잘못하면 자신이 폭사할 위험이 있었다.

그런 방식을 무려 뱀파이어의 왕, 테트라 아낙스가 사용하다니?

'용맹무쌍한 게 아니라 무모하다고 해야겠지?'

코로나 방전이 시작되면 도폭선이 점화될 수 있는데 그런 걸 가져왔단 말인가? 아르곤이 그 점을 불안하게 여겼지만 서린은 고개를 끄덕였다.

"장비는 다 소환하는 거니까 괜찮아요."

"장비 소환 마법은 비싸지 않나?"

"돈 아껴뒀다 죽을 때 싸 들고 갈 것도 아니잖아요?"

"일반적인 속담 같은데 뱀파이어 입장에서는 참신하군."

아르곤이 그렇게 말할 때 다시 미니 건이 아르곤 머리 위로 날아들었다.

"그런 식이면 테트라 아낙스에게 돈 걱정 하라는 게 웃긴 일이지요. 전 세계 개미 투자자가 다 내 지갑인데."

"방금 그 대사 들으니 너도 악당이 다 되었구나, 서린."

아르곤이 그렇게 말하자 서린이 엄지를 추켜세웠다.

"아직 적을 다 무력화시키지 못했으니 피해요! 세건 형 머리카락이라도 그슬리면 책임을 물을 테니까!"

서린은 그렇게 말하고 이번엔 그레네이드 런처를 소환했다.

"아낙스!"

헥토르가 가볍게 미니 건 사수를 쓰러뜨린 서린을 부르며 전하를 끌어 올리기 시작했다.

바지지직!

쇼핑센터 곳곳에 세인트 엘모의 불이 지펴지고 서린이 들고 있는 그레네이드 런처에서도 세인트 엘모의 불이 피어오른다. 이 세인트 엘모의 불은 곧 낙뢰가 떨어진다는 신호다. 하지만 서린은 아랑곳하지 않았다.

"흡!"

서린이 발로 지면을 차자 바닥 타일과 콘크리트 파편이 벌떡 일어났다. 서린은 그걸 방벽으로 삼고 그 방벽 옆으로 런처를 발사했다.

투왁!

"음!"

깜짝 놀란 헥토르가 방전을 중지했다. 헥토르의 옆으로 20㎜ 그레네이드들이 떨어졌는데 터지지 않고 불발했다.

거리가 너무 가까워서 안전장치가 풀리지 않은 것이다. 하지만 헥토르가 방전을 중지하지 않았다면 전기 아크에 유폭되었을 거다.

"휴……."

이건 서린에게도 모험이었다. 세인트 엘모의 불, 전기불꽃이 들고 있던 유탄 발사기에도 들끓었는데 만약 잘못해서 유탄 발사기 탄창이 유폭되었으면 서린의 몸이 산산조각 났을 판이었다.

"자, 그럼!"

서린은 엄폐물이던 타일 모서리를 잡고 훌쩍 뛰어올라 문 설트 점프를 하면서 헥토르에게 접근했다. 깜짝 놀란 헥토르가 팔을 들어 막았지만 서린의 킥이 방어하는 팔째로 헥토르를 내리꽂았다.

우지직!

"컥!"

헥토르의 무릎이 꺾였다. 그 순간 서린이 빙글 제자리에서 몸을 틀며 착지와 동시에 킥을 날렸다.

뿌드드득.

깔끔한 뒤돌아차기가 헥토르의 늑골에 꽂혔다. 종이 박스 밟
아서 구겨지는 것 같은 소리와 함께 헥토르의 입에서 피가 튀
었다.

"윽… 뭐 이런… 테트라 아낙스가 직접 육탄전이라니?"

헥토르는 전하를 끌어 올리려 했지만 그의 주변에 불발탄이
박혀 있다. 방전을 시작하면 유폭될 건 불을 보듯 뻔한 일, 대신
헥토르는 쇠막대를 들어 서린을 겨누었다.

'레일건?'

쇠막대의 안이 텅 비어 있는 파이프 형상, 아니, 총구에 가깝
다는 걸 깨달은 서린은 헥토르의 안면을 그레네이드 런처의 개
머리판으로 강타했다.

으적!

그 모습을 지켜보던 아르곤이 휘파람을 불 만큼 괜찮은 일격
이었다. 접근전에서 서린은 헥토르를 완전히 압도했다. 그런
데…….

위이이잉.

미니 건 돌아가는 소리가 들렸다. 서린이 도폭선으로 조각낸
놈들이 안 죽고 다시 미니 건을 돌리기 시작한 것이다.

"이런!"

미니 건의 총탄이 서린에게 퍼부어지고 그와 동시에 뒤로 몸
을 날린 헥토르가 레일건을 방출했다.

콰쾅!

전기불꽃의 탄환이 날아와 지면에 명중함과 동시에 서린이 깔아둔 20㎜ 불발탄들도 일제히 폭발했다.

"윽… 해냈나……."

헥토르는 서린에게 두들겨 맞아 엉망이 된 몸을 질질 끌며 뒤로 물러났다. 그때 앙리 유이의 목소리가 들려왔다.

—피해, 헥토르. 네가 감당할 수 있는 상대가 아니다.

"뭣? 하지만……."

—시간은 충분히 끌었다. 이제 곧 내가 만든 신이 강림한다. 설마 그 장면을 놓치고 싶은 건 아니겠지? 볼만할 거야.

"……."

그 말을 들은 헥토르는 더 이상의 미련을 버리고 뒤로 몸을 날려 쇼핑센터 북쪽 통로로 빠져나갔다.

카날 시티, 즉 운하 거리 형식으로 쭉 이어진 쇼핑센터 2층 난간 위를 달리며 힐끔 곁을 보니 중국 가면들을 무수히 뒤집어쓴 커럽티드들이 나타났다.

그 커럽티드들은 놀랍게도 미니 건을 들고 서린과 아르곤에게 총포를 퍼부어대고 있었다.

보통 커럽티드가 되면 이성을 잃게 마련인데… 다른 커럽티드들과 달리 목적성이 부여된 그 모습을 보니 저것들을 뚫는 건 그리 쉽지 않으리라.

"귀환하도록 하지!"

헥토르는 그리 말하고 카날 쇼핑센터를 빠져나갔다.

2

실베스테르는 계속해서 마력이 빠져나가는 몸으로도 사법의 비 아래를 걷고 있었다.

비를 맞을 때마다 몸에 걸린 방어 술식이 작동해서 빛이 번쩍인다. 그뿐만이 아니다.

스슥… 스스슥…….

벌레 떼가 기어가는 듯한 소리와 함께 몸의 일부분이 변형된다. 실제로 실베스테르의 피부를 뚫고 지네 같은 벌레가 자라난다.

"윽……."

사법이 담고 있는 정보가 실베스테르의 육신을 변형시키는 것이다.

"망할……."

그러나 그는 세건을 지원하기 위해 세건이 들어선 건물을 향해 무거운 발길을 옮겼다.

턱…….

M82A3 바렛을 지팡이 삼아 걷는다. 총열이 바닥에 닿아 쇳소리를 낸다.

정밀사격을 위한 무기를 지팡으로 삼는 것은 그리 좋은 일이 아니나…….

그렇게 하지 않고선 걸을 수 없을 만큼 쇠약해져 있었다.

"여기까지 와서 아무것도 안 할 수는 없다. 나는……."

"왜 당신이 여기서 싸우지?"

실베스테르의 뒤에는 어느새 서현이 서 있었다. 회색 머리칼의 라이칸스로프 청년은 라이플과 도검을 준비하고 걸어오고 있었다. 잠깐 주위를 돌면서 죽어 있는 경찰의 시신에서 무기를 주워 온 모양이다.

"라이칸스로프……."

실베스테르는 서현이 다가온 것을 보며 눈살을 찌푸렸다. 마치 인간 아닌 것과 교류하지 않겠다고 당장에라도 외칠 듯한 기세다.

그러나 서현 입장에서 보면 실베스테르야말로 이질적인 존재다. 인간도, 뱀파이어도, 라이칸스로프도 혼자가 아니다.

반면 실베스테르와 같은 마인은 유니크하다. 아니, 유니크…… 하진 않지.

'바티칸 몰타 기사단이나 그리스 정교회에 마인들이 하나씩 더 있던가? 유니크하진 않군. 셋 정도였나?

어찌 되었든 뱀파이어나 라이칸스로프보다 훨씬 희소한 존재임은 분명하다.

그런 그가 뱀파이어를 명백히 적대하고…….

적대자가 아닌 그를 라이칸스로프라는 이유만으로 배척하는 이유가 궁금했다.

물론 평상시의 실베스테르라면 물어도 대답할 리 없다. 차라리 죽고 말지.

그러나 지금 같은 상황이면 대답하지 않을까?

과연 실베스테르는 한숨을 내쉬더니 말했다.

"'우리가 누군가를 미워하는 경우, 그것은 단지 그의 모습을 빌려서 자신 안에 있는 무언가를 미워하는 것이다. 자신의 안에 없는 것은 절대로 자신을 흥분시키지 않는다.'"

"헤르만 헤세, 데미안이군."

"이게 대답이 되었나?"

"……."

서현은 실베스테르에게 다가가 그를 부축했다.

실베스테르는 자신에게 다가온 서현의 존재에 소스라치게 놀랐으나… 서현에게서 힘이 들어오는 것을 보고 놀랐다.

"사법의 정보로부터 잠깐은 괜찮을 거야."

실베스테르의 몸에서 다시 은색 문신이 빛을 발한다. 그의 몸을 좀먹던 벌레들이 사라지고 활기가 차오른다.

"무슨… 너는 카타볼릭 상태다. 사람을 잡아먹을 셈이냐?"

"내 다이어트에 관해서는 신경 쓰지 마시지?"

서현은 그렇게 말하고 어깨를 으쓱해 보였다.

"당신이 나에게서 자신을 보고 날 미워한다면 내가 당신에게서 나를 보고 친절을 베풀 수도 있겠지. 그래……."

문득 한니발이 떠올랐다.

"그렇군. 그에게서 나는 나를 봤던 것인가?"

그렇게 생각하니 비록 한니발의 존재가 악덕의 화신이라 하더라도 서현은 자신이 자랑스러워졌다.

"이제 보니 나도 꽤 자애가 넘치는 인물이 아닌가?"

"그건 아니지. 광견병 바이러스가 골수에 미친 모양이군."

실베스테르는 서현의 자아도취에 일침을 가했다.

"…뭘 또 그런 말을."

"이제 됐다."

충분히 기력을 회복한 실베스테르는 서현에게서 몸을 떼고 움직여 보았다. 컨디션이 완전하진 않지만 이 이상 바라면 염치가 없는 거겠지.

"한세건이 안에 들어갔고 안에서 불꽃이 번쩍번쩍하는 걸 보니 헥토르가 있는 것 같다. 그리고……."

"그리고?"

"테트라 아낙스와 아르곤이 나타났다."

"나타나?"

"갑자기……."

"흠… 이 안쪽의 시공이 왜곡되어 있으니까 그렇게 느껴진 거겠지."

서현은 단번에 현 상황을 파악했다.

"그럼 일단 같이 움직여야겠군. 시공의 미아가 되고 싶진 않으니, 서로서로 관측하면서 움직이면서 관측하고 있다는 정보를 발생시켜야 우리가 안전할 거야."

실베스테르가 예광탄을 날린다는 '정보'를 발생시켜 앙리 유이의 환영진을 깼던 것처럼, 2인 1조로 움직이는 게 관측자 없는 단독보다 훨씬 나으리라.

그렇지만 실베스테르가 말한 대로 그는 서현을 증오한다.

인간 아닌 자.

순간의 격정으로 폭력을 휘두를 수 있고 그것이 남에게 치명상을 주는 존재…….

즉, 괴물!

그런 것들과 접하면 실베스테르는 자신이 괴물이라는 사실을 싫어도 뼈저리게 자각할 수밖에 없다.

인간의 도덕성은 인류라는 공동체에서 나오니 인간이 아닌 그는 무뢰한의 천성을 타고났다.

고독하고, 무뢰(無賴:어디에도 소속되지 않음)하며 부도덕한 존재다.

그리고 스스로 느끼는 감정의 결여가 그를 괴롭혔다.

서현이 리림임을 자각하고 받았던 고통처럼 그 역시 고통 속에 살아왔던 것이다.

하지만…….

"그러지."

실베스테르는 서현과의 동행을 허락했다.

3

"헥토르가 한세건을 죽이진 않았다. 하지만 기절시켰지."

앙리 유이는 그렇게 말했다.

"그 결과 한세건이 쓰러진 덕분에… 너로 결정이 된 것 같군.

아주 근소한 차이였다."

앙리 유이는 아담을 바라보며 쓴웃음을 지었다.

우우웅…….

공기가 떨린다. 망자들이 울부짖는다. 그들의 울부짖음 속에서 소년, 강아담은 가부좌를 틀고 앉아 있었다.

"네… 저는 이렇게 되는 걸 갈망하고 있었으니까요."

아담에게 사법의 힘이 집중되고 있었다.

동경과 자카르타, 두 지역에서 아웃레이지가 몰살시킨 사람들의 영적인 힘이 한 소년의 몸에 집중된다.

애초에 저 힘을, 저 정보를 받아들이기 위해 만들어진 소년의 몸에서 변화가 일어나고 있었다.

"갈망이라."

앙리 유이는 실소했다.

이 소년은 그를 추종하게 만들어져 있었다.

즉 소년의 갈망은 그의 의도였다.

그러니 이 소년이 자신의 자아를 파괴할 막대한 힘을 받아들이는 것을 비웃어선 안 될 것이다.

하지만 자신을 사랑하지 않고 스스로 자신을 파괴하는 소년의 행동을 비웃지 않는다면 이성에 대한 모독이 되리라.

그 자신이 저 소년을 저리 어리석게 만들었으면서 어리석다 비웃는 것은 너무 부도덕하지 않은가?

만약 소년이 조금이라도 위화감을 느끼고 이 일에서 탈출한다면?

준비한 모든 포석이 날아가겠지만 앙리 유이의 이성은 즐거움을 느낄 것이다.

그러나 소년은 그러지 않았다.

"정말 이렇게 되고 난 후의 저를 제어하실 수 있을까요?"

소년은 앙리 유이를 걱정했다.

테트라 아낙스, 고든은 과거 릴리쓰를 봉인하는 데 성공했다.

하지만 봉인되어 있는 동안 릴리쓰는 자신의 소체였던 육체를 변이시켰고 봉인이 풀린 순간 바로 탈출했다.

릴리쓰 탈출 후 남겨진 잔영은 프레스터 존의 성구라는 이름으로 죄인 유다의 몸에 이식되었고 그는 처단자가 되었다.

총화기가 발달하기 전, 인류를 위해 뱀파이어에 대항하는 무기로서 쓰였던 것이다.

즉 릴리쓰의 잔영만으로도 진마를 능가한다고 할 수 있으리라. 그만큼 릴리쓰는 거대한 힘이었다.

과연 그 힘을 앙리 유이가 제어는 할 수 있을 것인가? 만약 제어하지 못한다면?

그때는 과연 앙리 유이가 살아남을 수 있을 것인가?

이 순간에도 소년은 자신의 주인인 앙리 유이를 걱정했다.

"네가 날 걱정해 주는구나, 아담. 하지만 그럴 필요가 없다."

"…하나."

"지금은 우선 너의 일에 집중해라. 너는 릴리쓰의 배우자, 진정한 아담카드몬이 될 것이다."

앙리 유이는 아담의 걱정을 일축했다.

그때 그들의 방문이 열리고 헥토르가 걸어 들어왔다.

"앙리 유이, 내가 말하지 않아도 알겠지만."

"테트라 아낙스가 친정했나?"

"그렇다. 놀라운 일이더군."

헥토르는 그리 말하고 앙리 유이의 맞은편에 마련된 코치에 몸을 던졌다.

"왜 그대가 그 젊은 친구를 인정하지 않는지 모르겠군. 그는 분명히 아낙스였다."

"…정말 그렇게 생각하나?"

"물론 보통의 아낙스라면 친정을 안 하겠지만 내가 본 바로는 그렇게 폄하당할 이유는 없었다. 그의 기량은 충분해!"

앙리 유이는 현재의 아낙스를 인정하지 못해서 반역을 일으켰다.

그러나 헥토르가 보기에 서린은 아낙스로서 인정받을 만한 기량이 있었다.

"그럼 내 편에서 이탈하고 아낙스에게 꼬리를 흔들겠나?"

"아니. 이런 재미있는 일에 한몫 거들지 않을 수는 없지."

헥토르는 그리 말하고 숨을 골랐다.

이제 곧 인간, 아니, 뱀파이어의 손으로 신이 만들어진다. 릴리쓰와 필적, 혹은 능가하는 새로운 신, 아담카드몬이 강림한다.

4

볼코프의 뒤를 따라 용병업계로 뛰어들었던 라이칸스로프 여단, 그들은 지금 인도네시아 해에서 테트라 아낙스의 사설 부대 진입을 차단하고 있었다.

테트라 아낙스의 부대는 그로 인해서 거점을 잃었고 볼코프 일당은 테트라 아낙스가 지니고 있던 각종 전투 장비를 손에 넣었다.

하지만 지금 볼코프는 자카르타에 들어와 있었다.

그의 부하들은 테트라 아낙스의 바다 쪽 진입을 막고 있으며 그만이 길잡이와 함께 자카르타에 들어와 있었다.

"본래 앙리 유이는 당신이 이곳에 상륙하는 걸 원하지 않았습니다만."

길잡이는 교활한 인상의 젊은 청년이었다. 젊고 파릇파릇한 외모, 미남이지만 어딘지 모르게 불성실해 보이는 인상은 호감을 주지 않는다.

하지만 이미 지옥으로 변한 자카르타 시내를 산보하듯 거닐고 있는 모습에서 그가 겉보기만으로 판단할 수 없는 자라는 건 명확하다.

그는 크림전쟁 시절에 기병대를 이끌던 라이칸스로프였다.

"뭐, 그래서 내게 선심 쓴다 이건가?"

"아니요, 설마. 전 그런 이야기를 하려는 게 아닙니다. 앙리 유이가 당신을 경계하고 있다는 사실을 주지해 달라는 거지요."

"물론 나는 주의하고 있다. 그래서… 레온, 저게 뭔가?"

볼코프는 팔짱을 낀 채로 걷고 있었다.

복장은 반팔에 반바지 차림, 흡사 관광지를 배회하는 거구의 프로레슬러 같아 보인다.

군복을 입기엔 너무 더운 자카르타의 날씨가 그를 고통스럽게 했다. 다행히 하늘에는 먹구름이, 사법의 비구름이 빛을 차단하고 있다만 이걸 다행이라고 해야 할까?

그런 불만을 품고 걷는 볼코프의 앞에는 한때 그의 부하이던 남자, 레온이 걷고 있었다.

뱀파이어가 아닌 라이칸스로프들은 보통 인간의 3배 정도의 수명을 갖는다. 길면 300년 정도 산다.

그러나 레온은 분명히 일반적인 라이칸스로프보다 월등히 긴 수명을 가지고 있으면서 늙지도 않는다. 그렇다고 뱀파이어와의 하이브리드인 것도 아니다.

정체를 모를 녀석이니 믿을 수 없다. 물론 이런 녀석은 정체를 명확히 알고 있다고 해도 결코 신뢰해서는 안 된다.

하지만 길잡이로 못 써먹을 정도는 아니다.

"강신제입니다."

레온은 그렇게 답했다. 이 정도면 가이드 역할은 훌륭히 수행한 셈이다.

강신제라는 이름만으로도 저것의 성격을 단번에 알 수 있었으니까.

"강신제… 그럼 정말 신을 부르는 거란 말인가?"

볼코프는 심드렁했다. 그 태도로 보아 반신반의하고 있음에 분명하다.

물론 앙리 유이가 하는 일이니 이 정도는 당연하다. 의심할 여지 없이 저것은 강신제임이 분명하다. 볼코프가 의심하고 있는 대상은 앙리 유이가 아니라 신 그 자체인 것이다.

"신이라는 것의 정의를 어떻게 내리십니까?"

"전지전능한 존재? 너무나 위대해서 그 결과 그렇지 않은 우리의 존재를 하찮게 만드는 것이지. 인간이라면, 혹은 라이칸스로프라면 응당 전력을 다해 타도하거나 지배해야 할 존재다."

평생을 투쟁으로 일관해 온 자의 입에서 나올 법한 말이다. 레온은 미소를 지었다.

가느다란 눈이 더더욱 가늘어져 여우처럼 보인다.

"정말 소장님다운 말씀이로군요. 뭐, 비슷하긴 합니다만. 그렇다면 왜 앙리 유이와 손을 잡으셨습니까? 인간과 라이칸스로프를 하찮게 만드는 존재를 이 세상에 불러들이는 일인데?"

레온의 눈이 데굴데굴 구르며 볼코프를 엿본다. 조금의 허점이라도 찾아내서 목덜미를 물어뜯을 것 같다.

그러나 호랑이는 결코 여우를 두려워하지 않는다.

"내 삶은 얼마 남지 않았다. 크림전쟁에 참전하고도 탱탱한 피부를 가진 그대와 달리 말이지."

"다 꾸준한 관리 덕분이지요. 여기서 제가 어딘가에 있을 카메라를 보고 특정 피부 관리 제품을 홍보한다면 완벽할 텐데 말입니다. 존슨즈 베이비오일이라든가."

"…프록터 앤 갬블과 존슨 앤 존슨보다 그대의 삶이 오래되었다는 건 잘 알지. 허튼소린 하지 말도록."

볼코프는 경솔한 레온의 태도에 일침을 가했다.

"나는 싸우는 것 외에는 사물과 관계를 맺는 법을 모른다. 내 딸이 릴리쓰에 침식되었을 때도 그랬고 그로 인해서 태어난 놈들에게도 그랬어. 나는 매정하고 무정한 존재였다. 이제 와서 그런 삶의 태도를 바꾸기에 나는 너무 나이가 들었고 그럴 염치도 없지."

볼코프의 입가에 고소가 어렸다. 서현과의 대화를 떠올린다. 비록 혈육의 정을 나누지 못한 사이이건만 서현, 서린은 그를 원망하지 않고 증오하지 않았다.

그 아이들에게 볼코프의 행동은 배신이 될 터. 하지만 볼코프는 해야만 했다. 그 아이들이 자신을 배려해 주면 줄수록 더더욱……!

"그래서 손자들의 적과 손을 잡으신 겁니까?"

"물론이지. 서현은 몰라도 서린은… 테트라 아낙스다. 테트라 아낙스의 정신을 좀먹는 것을 막기 위해서는 강대한 적이 필요하다는 것쯤은 알고 있지. 강대한 적, 뱀파이어들의 수를 줄여 줄 잔혹한 적수가……."

"…그것참 애정 넘치는 할아버지로군요."

레온은 빈정거리듯, 혹은 감탄하듯 종잡을 수 없는 어투로 말했다.

"덤으로 내 마지막 불꽃을 불태우고 싶기도 하고. 이제 와서 내가 흘린 것들을 주워 담느니 내 방식대로 그들에게 벽이 되고 싶다."

스스로 이게 잘못되었다는 건 안다. 하지만 그걸 고치기에는 그동안 너무 잘못 살아왔다. 이제 와서 값싼 참회의 눈물을 흘려서 누군가에게 동정받고 용서받는다는 걸 감내하기엔 볼코프는 너무 거친 남자였고 너무 나약했다.

스스로 이것이 강인함이 아니라 사실은 비겁함이라는 걸 안다.

그렇지만 남아 있는 수명도 얼마 안 남은 지금, 끝까지 이 비겁함을 관철하고 싶다.

그게 볼코프의 뜻이었다.

"그런 걸 세간에서는 중2병이라고 한답니다. 쓸데없는 자의식이에요. 한 번 실패한 정도로는 그 자의식의 불길이 꺼지지 않나 보군요."

방금 전까지 저자세로 나오던 레온은 대놓고 볼코프를 비난했다.

그러나 입에서 튀어나온 비난의 칼날이 볼코프를 난도질해 그를 멈출 수 있었다면 그의 흉명이 이렇게 드높을 수 없다.

"물론 나는 내 손자들의 적이 될 생각이지만 그렇다고 앙리 유이에게 마냥 이용당할 생각도 없다. 나는 태어나서 지금까지 쭉 내가 살고 싶은 대로 살아온 맹수일 뿐이야. 그리고 그 태도를 관철하는 게 내 손주들에게도 좋은 모습이 되겠지. 자, 그러니까 레온, 쓸데없이 착한 사람 흉내는 그만두고 안내해 봐. 무슨 생각이 있으니까 이렇게 온 거겠지?"

레온이 앙리 유이의 부하가 아니라는 것을 볼코프는 확신하고 있었다.

"네. 신을 만드는 건 아마도 앙리 유이나 테트라 아낙스, 그리고 전성기의 팬텀 정도에게나 가능한 일일 것입니다. 그러나 그걸 제어할 수 있는 사람은 극히 드물겠지요."

"넌 제어 가능한가?"

"아니요. 제 손으로도 불가능합니다. 하지만 앙리 유이를 빼앗음으로써 가능해지겠지요."

"…마치 앙리 유이가 무슨 TV 리모컨이라도 되는 것처럼 말하는군. 최강의 마법사 중 하나며 진마라면서? 사법사의 수장일 텐데 그게 가능한가?"

볼코프는 결코 앙리 유이를 만만히 보지 않는다.

뱀파이어는 제아무리 강력한 놈이라 해도 두렵지 않았으나 마법사는 종종 이해할 수 없는 방법으로 그를 괴롭혀 왔다.

뱀파이어이면서 마법사인 놈이라면 그야말로 최악의 적이라 할 수 있으리라.

"가능하지요. 그렇기 때문에 제가 여기 있는 겁니다."

"그건 그렇다 치고 그래서 넌 뭘 원하지?"

"충족된 행복입니다."

"재미있는 농담이군. 진실로 재미있어."

볼코프는 레온의 반응에 혀를 찼다.

"진담입니다. 불로불사의 존재이면서 고통받는 이유를 원천에서 제거하고 싶다고 생각해 왔으니까요. 우리는 가이아의 자식으로서… 다시 가이아와 하나 될 것입니다."

레온이 말하는 가이아가 가이아 이론의 그것이라는 걸 볼코프는 안다.

과거에 레온과 한 전장에 섰을 때부터 레온은 가이아 이론의 신봉자였다.

즉 지구의 생명 시스템 그 자체가 일종의 거대한 생명체나 다름없으며 인간과 다른 생물들은 그 생명체를 유지하는 장기나 혈액 같은 존재라고 말했던 것을 기억한다.

그것만이라면 뭐 골수 환경론자라고 볼 수 있겠지만 라이칸스로프이기에 이해할 수 있다.

라이칸스로프이기에 가이아 이론에 깊이 빠질 수밖에 없다는 걸 이해할 수 있단 말이다.

라이칸스로프는 릴리쓰에 의해서 태어나기도 하지만 인간들 사이에서 태어나기도 한다. 그들은 인간을 잡아먹음으로써 인간 문명이 자연을 파괴하는 걸 늦추고 샤머니즘과 광신을 인간 세상에 퍼뜨려 문명을 안에서부터 무너뜨리는 존재였다.

"우리는 인간을 죽이게 만들어진 존재입니다. 하지만 우리의 인성, 이성은 인간에게 종속되어 있지요. 만약 인간들이 없다면 우리가 입고 있는 옷, 우리가 듣고 즐기는 음악, 술과 향신료, 문명과 문화, 모든 것이 사라지겠지요. 무슨 뜻인지 아십니까?"

"알지."

볼코프도 라이칸스로프고 그뿐만 아니라 다른 모든 라이칸스로프가 갖게 되는 고통이다.

"우리는 인간을 사랑할 수밖에 없으면서 인간을 살해해야 하는 존재입니다. 우리에게 주어진 목적이 우리를 불행하고 고통스럽게 만들지요. 즉 우리는 가이아의 도구이며 가이아에 의해 학대받는 존재란 말입니다."

"신을 강림시킴으로써 그로부터 벗어날 수 있다?"

"네. 그렇게 할 겁니다."

레온은 그렇게 말했다. 비록 불성실한 태도의 남자이건만 그가 말하는 것은 진실로 여겨졌다.

"재미있는 이론이로군. 뭐, 좋아. 그게 진실이든 아니든 간에 곧 죽을 늙은이에게 재미있는 여흥이 되겠어."

볼코프는 쓴웃음을 지었다.

"하지만 베오울프가 붙어 있지 않던가?"

볼코프도 베오울프는 알고 있었다.

베오울프의 새 단장, 한니발이 앙리 유이와 손을 잡았다는 사실도 알고 있다.

베오울프, 라이칸스로프 여단보다 더한 라이칸스로프 용병 회사.

한때 정규군이었던 라이칸스로프 여단에 비하면 실전 경험은 오히려 그들이 더 많다.

그런 베오울프가 붙어 있는데 앙리 유이를 과연 손에 넣을 수 있을까?

물론 볼코프는 자신이 있었다. 비록 수명이 다해가는 그이지만 자신이야말로 최강의 라이칸스로프라고 굳게 믿고 있었다.

혹독한 무예를 수련해 왔고, 그 마음은 항상 전장에 있었으며, 상시 투쟁을 갈구하고, 적의 피로 목을 축여왔다.

그 폭력에의 갈망과 야심 때문에 혈육의 정마저 자신의 손으로 끊어냈다. 그러니 볼코프가 베오울프를 언급한 것은 자신에 대한 걱정 때문이 아니다.

레온이 과연 어떤 대책을 세웠는지 궁금해서 물어본 것뿐이다.

"설마 내가 베오울프에 대한 대책이라는 건 아니겠지? 만약 그런 생각이라면 레온, 나는 그대가 조종하기엔 너무 벅찬 존재라는 걸 입증해 보일 것이다."

"그럴 리가요?"

레온은 볼코프의 협박을 웃어넘겼다.

"진실한 행복을 얻고자 하는 제 열망을 너무 과소평가하시는군요."

볼코프와 레온은 커다란 검은 장벽, 차원이 유리된 앙리 유이의 세계 앞에 섰다.

그곳에는 이미 선객이 와 있었다.

반흑반백, 마치 프랑켄슈타인 박사가 만들어낸 괴물 같은 용모의 청년, 살육의 구도자 한니발이 결계의 앞에 서 있었다.

"들어갈 것인가, 말 것인가. 그것이 문제로다."

한니발은 갈등하고 있었다.

앙리 유이가 하는 강신제는 실패할 확률이 높다. 그냥 실패만 있다면 모르겠는데 시도 자체가 자살행위다. 마치 도산검림에서 명주실 하나를 붙잡고 길을 더듬어 올라가는 것과 같다.

깜깜한 어둠 속에서 한 걸음 내디딜 때마다 보이지 않는 칼날이 자신의 살을 자르고 피를 흘리게 한다. 베이지 않는 방법은 앞으로 나가지 않는 것, 그러나 어둠 속에 가만히 있다가는 언제까지고 목적지에 당도하지 못한다.

앙리 유이는 그 상황을 해결하기 위해서 인과율을 건드리는 강력한 마법을 시전했다.

사법 결계, 그러나 사법사들이 다루는 힘은 쓰면 쓸수록 그 자신을 좀먹어 들어가는 양날의 검, 앙리 유이가 사법 결계를 펼친 대가는 클 것이다.

즉 앙리 유이는 스스로를 희생할 각오를 다지고 이 일을 벌이고 있는 것이다.

그런데 만약 한니발이 그 안에 들어갔을 때 그로 인해서 결계가 훼손된다면 어떻게 될까?

한니발은 아라한으로, 그가 가진 바라밀다의 힘은 마법을 부정한다. 물론 넓게 펼치지 않는다면, 앙리 유이와 접촉하지 않는다면 한니발의 힘에 의해서 앙리 유이가 방해받진 않을 것이다. 그러나 약간이라도 실패할 가능성이 있다면 들어가선 안 되겠지.

"모든 금과 보석, 채권의 이동이 끝났습니다. 이제 여기서 할 일은 다 했습니다. 빠져나가면 됩니다."

아타왈리는 한니발이 갈등하는 것을 보며 답답해했다.

한니발은 서현에게 집착하고 있었다.

서현과 만났기 때문에 지금의 한니발이 있는 것이니 집착하는 것도 이해는 한다. 자신의 인생의 갈림길에 크나큰 영향을 준 이정표가 있다면 어찌 집착하지 않겠는가?

하나 한니발을 따르는 베오울프의 대원들이 있는 한 조직을 이끄는 장으로서 사적인 집착을 우선하는 것은 올바른 일이 아니다.

강도 짓을 한 용병대가 이제 와서 올바른 일, 올바르지 않은 일을 따지는 게 우습긴 하지만.

"금과 보석의 이동이 끝났다고 지금 빠져야 할 이유는 없잖아? 아직 시간은 있을 텐데?"

"테트라 아낙스의 육상 부대가 자카르타 외곽에서 교전 중입니다. 얼른 피하는 게 좋을 것 같습니다만……."

"아니, 그들은 아마 살아남은 사람들, 민간인들을 구조하기 위한 부대이지 결코 이 안에 직접 들어오진 않을 거야."

"…무슨 근거로 그렇게 판단하십니까?"

아타왈리는 내심 찔렸지만 한니발을 추궁해 보았다.

"앙리 유이라는 머리를 죽이지 않으면 저 아웃레이지라는 약물로 얼마든지 병력을 뽑아낼 수 있어. 머리를 죽이지 않고 몸만 쳐봤자 쓸모없을뿐더러 오히려 희생만 늘어난단 말이지. 테트라 아낙스의 입장을 생각해 보면 쉽게 알 수 있는 일 아닌가?"

"……."

"인간 대비 뱀파이어의 수가 줄어들면 줄어들수록 테트라 아낙스에게는 이득이다. 뭘 모르는 놈들은 테트라 아낙스가 뱀파이어들의 수호자라고 생각하지만… 글쎄. 동물원 사육사가 과연 그 종의 수호자인지는 의문이군."

"테트라 아낙스는 뱀파이어를 가둬둔 동물원의 사육사라 그겁니까?"

"그래. 뱀파이어의 24계통, 그 유전정보, 아니, 이 경우는 VT인자 정보라고 해야겠지? VT인자의 정보가 소실되는 걸 막는 게 테트라 아낙스의 궁극의 사명이다. 그 점을 제외하면 오히려 인간의 수호자라고 해도 좋을걸? 뱀파이어들이 무분별하게 사람을 먹어치우는 걸 막고 있는 게 바로 그니까."

테트라 아낙스라는 통치자가 없다면 뱀파이어들이 폭주할 것이라는 것은 부정할 수 없는 사실. 실제로 앙리 유이가 동경도와 자카르타에서 벌인 이번 사건으로 어마어마한 재산 피해와 인명 피해가 발생했다.

"그래서 자카르타 외곽에서 벌어지는 일은 섬멸전이 아니라 어디까지나 민간인 탈출을 유인하기 위함이다? 테트라 아낙스는 인간을 지키는 자라서?"

"그렇지. 앙리 유이에게 섬멸전을 걸면 테트라 아낙스가 원하는 정반대의 일이 일어나. 아웃레이지로 인간을 뱀파이어로 만든다. 그 결과 더 많은 사람이 죽게 되지."

아타왈리는 한니발의 말에 혀를 내둘렀다.

뛰어난 통찰력이 있는 건 좋은데 그게 어째 어떻게든 서현과 한 번 더 맞붙고 싶어서 억지를 쓰는 것 같다는 생각이 드는 건 왜일까?

"뭐, 베오울프 전체를 위험하게 할 수는 없지. 다음 사장은 너다, 아타왈리. 날 남겨두고 철수하도록 해."

"그럴 수는 없습니다."

아타왈리는 고개를 저었다. 그런데 그때였다.

저벅… 저벅…….

발소리를 죽일 생각도 없는 이들의 발걸음 소리가 들려왔다.

"이건 뭔가?"

거구의 노인과 얍삽해 보이는 젊은 청년이 생지옥으로 변한 자카르타 시내를 관광이라도 하듯 느긋하게 걸어온다. 그를 본 한니발이 혀를 찼다.

"하… 볼코프 준장이잖아?"

"네놈은 뭐지?"

볼코프는 한니발을 보면서 눈살을 찌푸렸다. 쪼그려 앉아 있던 한니발이 일어나자 눈높이가 볼코프와 비슷, 아니, 약간 더 높다.

지금까지 체격에서 항상 압도적이던 볼코프였는데 이 괴물 같은 놈은 그보다 아주 약간 더 컸다. 그래서일까? 왠지 보기만 해도 껄끄럽다.

"아타왈리, 대신 드려라."

"…네."

아타왈리는 한니발을 대신해 명함을 한 장 볼코프에게 날려 주었다. 명함을 받아 든 볼코프의 눈썹이 널을 뛰었다.

"베오울프의 수장 한니발이 이런 놈이었나? 소문은 들었는데 직접 보는 건 처음이군."

베오울프를 걱정하고 있었는데 그 수장과 바로 맞닥뜨렸다는 사실을 깨달은 것이다.

물론 볼코프에게 두려움 따윈 없다. 비록 노쇠가 그의 생명을 좀먹고 있지만 지금까지 그는 자신을 위협할 만한 강적을 만난 적이 없었다. 하지만 한니발이라는 이자는 대체 이 무슨 불길함인가? 마치 재액이 인간의 형상을 입고 걸어 다니는 것 같다.

"당신들은… 말레이반도 인근에서 해상 세력을 막는 역할일 텐데… 어째서 여기 와계신 겁니까?"

한니발은 그렇게 물어보면서 볼코프의 공격 범위 안에 성큼 성큼 걸어와 섰다. 볼코프가 자신의 위치를 지키지 않고 혼자 잠입한 걸 보면 딴마음을 먹고 있다는 걸 모를 리 없을 텐데 공격 범위 안에 들어오다니.

언제 공격해도 괜찮다는 뜻일까?

"내 역할을 자네가 규정해서 강제라도 하겠다는 건가? 이렇게 재미있는 일에 한번 현장 답사 좀 올 수 있는 거지. 그게 불만인가?"

볼코프는 어이가 없어서 너털웃음을 터뜨렸다.

"…할 일 제대로 안 하시면 배당을 나눠 드릴 의무는 없을 것 같으니까 말이지요."

베오울프가 은행을 턴 금과 보석, 채권의 일부는 북쪽 바다를 차단하고 있는 라이칸스로프 여단에 주기로 약정되어 있었다.

하지만 역시 불한당들끼리의 거래는 잘 이뤄지지 않는 법인가? 라이칸스로프 여단이 딴마음을 품기 시작했음이 분명해지자 한니발은 쓴웃음을 지었다.

"그건 곤란하군. 나야 살날이 얼마 안 남아서 돈에 그다지 미련이 없지만 내 부하들의 장래를 생각해서 그 돈은 반드시 필요하거든?"

"그럼… 뭘 하시게요? 안에 들어가시게?"

한니발이 물어보자 볼코프가 어깨를 으쓱해 보였다.

"소문보다 훨씬 더 꼬리를 잘 흔드는 성격이로군. 그렇게 앙리 유이의 밑에 찰싹 붙어 있고 싶은 건가?"

"그런 당신은 소문보다 훨씬 엉덩이가 가볍군요. 죽을 날이 다가오니까 가벼운 엉덩이를 들썩이고 싶습니까? 하긴 요양 병원에서는 노인네가 한자리에 오래 누워 있으면 욕창이 생기니까 빙글빙글 돌려줘야 한다던데… 엉덩이에 욕창이라도 생기셨는지?"

"……."

"……."

둘 다 서로서로를 도발하니 분위기가 험악해졌다. 아타왈리와 레온이 다 함께 한 발짝 뒤로 물러섰다.

"이거 참… 좋은 주먹 놔두고 말로 하는 우를 범했구만."

그 순간 볼코프의 주먹이 허공을 갈랐다.

퍽!

한니발은 가볍게 옆으로 돌아서며 볼코프의 손목을 끌어당겨서 그를 흔들고 관자놀이에 팜 블로를 한 방 먹였다.

그러나 이 공격으로 볼코프에게 타격을 주는 건 불가능하다.

신체의 강도를 극한으로 끌어 올리는 강체화 능력을 각인 능력으로 가지고 있는 볼코프는 각인 능력을 사용하면서 체킹 훅을 날렸다.

시야의 사각에서 들어가는 왼쪽 훅은 아웃복서의 움직임에 짜 맞춰 넣으면 눈 감고도 명중한다.

볼코프의 체격, 강체 능력 앞에서 대부분의 인간은 싫어도 아웃복싱을 펼쳐야 했고 그런 놈들을 낚아 올려 분쇄해 버리는 게 바로 이 체킹 훅이다. 하지만 한니발은 체킹 훅도 예측했는지 가볍게 피하고 볼코프의 늑골과 턱에 역으로 주먹을 뿌렸다.

한니발의 왼손이 볼코프의 턱과 복부를 가르는 십자가를 그렸다.

'빠르군. 반응 속도가 몇 배는 더 위에 있어.'

레온은 한니발과 볼코프의 차이를 바로 꿰뚫어 보았다. 게다가 어찌 된 일인지 볼코프의 얼굴이 피투성이가 되었다. 2차 세계대전 때 쓰였던 독일군 88㎜ 대공포를 몸으로 받아도 버티는 남자가 바로 볼코프인데 고작 가벼운 주먹 몇 발에 피를 본다는 건 말도 안 된다.

하지만 한니발의 바라밀다는 접근하는 순간 볼코프의 각인 능력을 중화시켜 버리는 것이다.

"이런……."

볼코프도 자신의 능력이 중화되는 걸 깨닫고 당황했다. 하지만 그 순간 볼코프는 한니발의 옷깃을 잡았다.

"헤……."

한니발은 그런 볼코프를 비웃었다. 더운 지방이라면 모를까 현재 그가 입고 있는 옷은 얇다. 게다가 볼코프가 잡은 옷깃은 뒷목 깃이나 가슴 깃이 아니라 배 쪽 깃이다.

'여길 잡아서 던질 수 있나?'

한니발이 그런 의문을 품은 순간 볼코프가 자신의 전완에 한니발의 배 쪽 깃을 감으면서 몸을 빙글 돌린다. 한니발의 옷이 볼코프의 팔에 말려들어 가면서 볼코프의 반대쪽 손이 한니발의 혁대를 잡은 순간…….

한니발의 몸이 붕 날아간다.

변형 옷깃 감아 던지기가 작렬하며 한니발의 몸이 바닥에 떨어졌다.

"컥!"

원래 볼코프의 힘을 감안하면 옷이 찢어지면서 한니발의 몸은 땅으로, 볼코프는 그 반동으로 하늘로 날아올라야 할 지경이었으나 한니발의 능력 중화가 작용해서 그런 사태는 피했다.

그렇지만 한니발에게도 적지 않은 타격이다.

"윽!"

한니발이 몸을 일으켜 세웠지만 볼코프는 옷깃을 바꿔 잡아서 이제 한니발의 뒷목 깃, 그리고 소맷단을 잡았다.

한니발은 즉시 볼코프에게서 몸을 빼냈다. 투둑 하고 옷이 찢어졌지만…….

볼코프는 아랑곳하지 않고 뛰어들어 한니발의 겨드랑이를 팔로 걸고 우치마타, 허벅다리걸기를 걸어왔다.

텅!

보통의 허벅다리완 다르다. 미리 알고 있음에도 불구하고 저항할 수 없는 허벅다리라고 할까? 볼코프가 발을 하늘로 쭉 차올리자 한니발은 저항하지 못하고 앞으로 구를 수밖에 없었다.

"이런… 빌어먹을……."

한니발은 땅에 손을 짚고 빙글 구르면서 바닥에 떨어지는 걸 면했지만 그 순간 볼코프의 주먹이 날아왔다.

한니발이 미처 피하지 못하고 방어하자 그의 몸이 몇 걸음이나 뒤로 물러나고 방어한 팔에서 피가 흐른다. 팔만이 아니라 코와 입술도 터져서 피가 주르륵 흘렀다.

'이런, 맙소사. 뭐 저런 늙은이가 다 있지? 사장님의 중화 결계 안에서 저렇게 싸울 수 있다니?'

아타왈리는 그 모습을 보고 혀를 찼다. 지금까지 베오울프에서 한니발이 싸우는 걸 지켜본 그지만 한니발을 이렇게 몰아붙인 상대는 처음 봤다.

능력이 중화된 상태에서도 볼코프의 무력은 상상을 초월한다.

"…재미있는 재주를 쓰는 친구로군. 하지만 그 재주가 다라면 자넨 오늘 내 손에 죽는다."

볼코프는 흐르는 피를 닦아내고 한니발을 노려보았다. 한니발도 팔을 어루만지며 쓴웃음을 지었다.

"역시 라이칸스로프 여단의 리더답군. 재미있는데?"

한니발과 볼코프가 전의를 불사르자 레온과 아타왈리가 발을 동동 굴렀다.

"아니, 지금 여기서 싸우실 겁니까? 준장님?"

레온은 지금 당장에라도 앙리 유이에게 쳐들어가야 하는데 엉뚱한 놈에게 발목 잡힌 볼코프가 안쓰러웠고……

"앙리 유이를 위해서 수문장 역할을 할 필요는 없지 않습니까, 사장님?"

아타왈리는 미운 놈 떡 하나 더 준다고 앙리 유이를 위해 피까지 흘리는 한니발이 안쓰러웠다.

그러나 정작 당사자들은 그만둘 기미가 보이지 않았다.

5

서현은 뒤통수가 가려운 느낌을 받고 벅벅 긁었다.

"씻고 살아라, 라이칸스로프."

실베스테르가 그런 서현에게 핀잔을 주었다.

"내 몸엔 항진균성이 있어서 비듬이나 무좀에 면역이 있어. 그냥 이건 육감이 간지러워서……"

서현은 그렇게 대답하고 실베스테르에게 눈을 흘겼다.

"그런데 보자 보자 하니까 내 덕에 몸 건사하면서 말을 너무

막 하시는군.”

“난 뱀파이어나 라이칸스로프랑은 공과를 나누지 않거든. 철저히 받아먹어도 입 싹 씻는다. 뱀파이어에 대해서 난 항상 모라토리엄 선언 상태지.”

“…자랑이다. 그러니까 한세건의 스승이란 소리를 듣지.”

서현은 뻔뻔한 실베스테르의 태도에 엄지손가락을 추켜세웠다.

그때 그들의 앞에… 부서진 잔해들이 모습을 드러냈다.

얼어붙은 커럽티드들이 거대한 얼음기둥으로 변해 있고 그 한복판엔 진마 아르곤과 의식을 잃은 한세건, 그리고 놀랍게도 테트라 아낙스의 수장이 된 서린이 있었다.

“음.”

서현은 낮게 신음했다. 테트라 아낙스의 손을 빌려서 이곳에 왔을 때부터 서린이 직접 개입할 거라는 건 알고 있었지만 하필 이런 때 만나게 될 줄이야.

“진마 아르곤, 그리고 테트라 아낙스로군. 내가 미친 게 아니라면 말이지.”

실베스테르는 중얼거리며 바렛 라이플을 들었다.

“잠깐. 뭐 하는 거야?”

“뱀파이어 헌터들의 입장에서 테트라 아낙스는 가시덩굴과 용, 불타는 해자가 지키는 성안에 잠든 잠자는 미녀와 같지.”

“왕자가 잠자는 숲속의 미녀에게 총을 쏴서 머리통을 날려 버렸다면 무수한 학부모가 디즈니를 보이콧할걸? 다짜고짜…….”

"저 녀석이 두문불출하면서 손가락 하나로 얼마나 많은 놈을 유린했는데? 그렇군, 라이칸스로프. 넌 테트라 아낙스가 심어둔 자였지!"

실베스테르는 정말 그가 선언한 대로 서현이 그에게 베푼 것은 전혀 고려하지 않는다. 과연 걸어 다니는 부도수표답다고 할까?

탕!

하지만 실베스테르가 든 바렛의 총구는 엉뚱한 방향으로 휘어졌다. 서현이 그 총열을 붙잡고 밀어버렸기 때문이었다.

"아?"

"맙소사."

그제야 서린과 아르곤이 서현과 실베스테르의 접근을 눈치챘다.

"…으음……."

실베스테르가 분노가 배어 나오는 한숨을 내쉬었다.

설마 테트라 아낙스와 진마 아르곤이 무방비 상태였다니?!

'아마도 이 공간의 특수성 때문이겠지.'

거의 의무감으로 기습 공격을 가하면서도 사실 별 기대는 안 했었다.

그런데 서현의 방해가 없으면 정말 명중시킬 수 있었다니… 그렇게 생각하니 매우 괘씸하다. 테트라 아낙스에게 꽤 뼈아픈 타격을 입히고 시작할 수 있었는데 이 녀석이 다 망쳐놓은 것이다.

"자… 잠깐! 기다려 봐요!"

그때 당황한 서린이 기절한 한세건을 집어 들고 실베스테르와 서현의 앞에 세웠다.

인간 방패인가?

"……."

순간 정적이 감돌았다.

실베스테르나 서현은 물론 서린의 곁에 있던 아르곤조차 침묵을 지키고 있었다.

그 침묵이 거북해서일까?

"콜록콜록……?"

어색한 헛기침과 함께 아르곤이 서린의 발등을 살짝 밟았다.

"뭐 하는 거야?"

서현이 기가 막혀서 한마디 했다.

"아, 아니, 그냥. 무심결에."

서린 자신도 스스로의 행동에 당황했다. 그러자 아르곤이 고개를 절레절레 저었다.

"아니, 뭐, 테트라 아낙스, 서린의 행동을 옹호할 생각은 없는데, 그쪽은 먼저 충격을 가했잖아? 그래놓고서 이쪽이 반사적으로 인질을 잡은 게 비난의 대상이 된단 말이야? 너무하는데, 정말?"

"아니, 그렇게 쉽게 그쪽이라고 하지 마. 나는 이쪽이랑 좀 달라."

서현은 실베스테르에게서 한 걸음 떨어졌다.

"나를 이 걸어 다니는 부도수표랑 한자리에 두지 말라고."

진마사냥꾼 실베스테르가 뱀파이어 헌터들 사이에서 받는 평가를 생각해 볼 때 '걸어 다니는 부도수표' 라는 칭호는 너무 야박한 게 아닐까 싶었다. 그러나 실베스테르는 그 칭호에 전혀 개의치 않았다.

"그래, 네놈은 그럴 줄 알았다."

탕!

그 순간 실베스테르는 바렛을 들고 다시 서린의 머리를 노렸다.

한세건을 인간 방패로 앞세우고 있음에도 불구하고 거리낌 없는 공격을 감행한 것이다.

"왁!"

"젠장!"

아르곤과 서린이 한세건을 집어 든 채로 뒤로 몸을 피해 녹아 내린 금속 용 기둥 뒤로 숨었다.

"야, 차원이 유리되어서 동시에 뛰어들지 않으면 만나기 힘들다고 하지 않았어? 한세건도 만나고 실베스테르도 만나고… 그야말로 만남의 광장인데, 여기?"

아르곤이 투덜거리자 서린이 머쓱해져서 손가락으로 볼을 긁적였다.

"아마도 저들과 우리가 만나는 게 앙리 유이에게 더 좋은 결과이기 때문일 겁니다. 봐요. 말을 도통 안 듣잖아요."

서린이 투덜거리는 그 순간이었다.

치이이익!

실베스테르의 은사가 허공을 날아 용 기둥을 감아들었다. 기둥 뒤에 숨어 있어도 찾아오는 이 공격은 정확하게 서린과 아르곤을 노렸지만 어쩨 은사로부터 스스로 불꽃이 튀고 있었다.

"느슨한데?"

아르곤은 나이프를 뽑아 들고 실베스테르의 은사가 감기기 전에 칼날로 받아냈다.

팅!

팽팽하게 당겨진 기타 줄이 끊어지듯 은사가 맥없이 끊어졌다.

"마력을 못 쓰는 걸 겁니다. 구조를 강화하지 않으면 텅스텐 코일이든 카본 파이버든 나이프에 잘리는 게 당연하지요. 참… 상태도 별로 안 좋을 텐데 징하게도 뱀파이어가 싫나 봅니다."

서린이 그렇게 말하고 AA—12 샷건을 꺼내 들고 용 기둥 밖으로 손을 내밀어 샷건을 난사했다.

투콰콰콱!

총화기가 금속 폭풍을 불러일으킨다. 뱀파이어의 왕, 어둠의 군주 테트라 아낙스가 놀랍게도 직접 현대 화기를 퍼부어대는 것이다. 이번엔 실베스테르와 서현이 그 공격을 피해 진열장 뒤로 숨었다.

진열장이 부서지면서 가짜 롤렉스와 오메가 같은 시계들, 그리고 계산대에 들어 있던 지폐가 우수수 쏟아져 내렸다.

서현은 혀를 찼다.

"테트라 아낙스가 직접 총을 손에 들고 뭘 하는 거야?"

"내가 탈권위주의적인 리더를 지향하고 있어서 그래, 형!"

"아~ 탈권위… 좋지. 더해서 아예 사바세상에서 탈출시켜주마."

서현이 으르렁거리며 무기를 준비하자 서린이 한숨을 내쉬었다.

"실베스테르야 그렇다 치고 형까지 왜 그래? 좀 말려봐, 형."

"…너와 내가 그럴 사이는 아니지. 하지만 뭔가 좀 해봐!"

"물론 대가는 치러야지."

그렇게 말한 서린은 바닥에 굴러다니는 커다란 쇠파이프를 들었다. 쇠파이프를 드는 순간 또 실베스테르의 총격이 아슬아슬하게 서린의 팔을 노리고 지나갔다.

"눈 감아."

서린의 말이 끝남과 동시에 청록색의 체렌코프 방사광(전자가 매질 내에서 빛의 속도보다 더 빨리 움직일 때 전자기파를 방출하는 현상. 그 빛이 보통 청색으로 번쩍이며 원자로 등에서 볼 수 있다)이 번쩍이며 대기 중으로 퍼져 나갔다.

딸그락…….

50그램짜리 금괴들이 서린의 손에서 바닥으로 떨어졌다. 쇠파이프가 금괴로 변환된 것이다.

"…무슨!"

이미 총격을 퍼부으며 교전 중이던 실베스테르가 그걸 보고 경악했다. 적개심을 불태우던 실베스테르가 놀라 경악했으니 서현도 깜짝 놀랄 수밖에 없었다.

원래 서양 마술의 근원은 연금술에 있다고 해도 과언이 아니다.

그러나 다른 마법과 마술은 얼마든지 실용화된 지금에 와서도 연금술을 성공한 이는 없었다.

간혹 별명이 연금술사인 자들, 예를 들면 사혁과 같은 이가 있었지만 그것은 빈정거림이었지 결코 단어 그대로의 뜻이 아니다.

그런데 아무리 테트라 아낙스라지만 저렇게 쉽게, 그것도 쇠파이프를 사용해서 연금에 성공하다니?

"이봐, 일단 그걸론 좀 부족하긴 한데… 잠깐, 하지 마."

서현은 그걸로 부족하다고 말하자 더 바꾸려는 서린을 말렸다.

"옛날이야기에 나오는 미다스 대왕도 아니고 온 세상을 금 천지로 바꿀 셈인가?"

서현이 따지자 서린이 어깨를 으쓱해 보였다.

"어떻게 한 건가? 그걸 지금 해 보이는 건… 무슨 의미지?"

실베스테르조차 적개심보다 호기심이 앞선 모양이었다. 물론 엄폐물 밖으로 나가는 우를 범하진 않았다. 마치 서로서로 참호에 몸을 숨긴 채 대화를 나누는 적성국의 병사들처럼 말만이 공기 중을 날아다녔다.

"앙리 유이가 펼친 사법 결계를 응용한 거지요. 현실을 이루고 있는 정보가 불규칙하기 때문에… 이렇게."

서린은 바닥에 떨어진 콘크리트 덩어리를 들어 보이고 힘을 집중시켰다. 그러자 콘크리트 덩어리에서 역시 체렌코프 방사광이 퍼져 나가며 콘크리트 덩어리 대신 금괴가 바닥에 굴러떨어졌다.

"…주로 금괴네?"

서현은 바닥에 떨어진 금괴를 보며 혀를 찼다.

"코카인으로 바꿀 수도 있어."

"그래, 코카인이 더 비싸지. 아, 아니, 그런 이야기를 하는 게 아니라……."

그 순간 서현은 아차 하고 혀를 찼다.

테트라 아낙스는 체스로 치자면 왕과 같은 존재, 어지간하면 적진에 뛰어들지 않는다.

그럼에도 불구하고 적진 한복판에 왕이 뛰어들었다면 그것에는 분명 이유가 있다.

그리고 방금 서린은 그것을 보여주었다.

이런 게 가능한 마법사가 몇이나 될까?

'이 녀석이 여기 들어온 건 결코 무모한 성격이어서가 아니야. 그가 여기에 들어온 것은 여기에 들어올 필요가 있기 때문이겠지? 그렇다면 역시…….'

"앙리 유이가 하려는 짓은 성공해도 인류 문명을 파괴할 겁니다. 하지만 그게 경우의 수로 따지면 가장 좋은 경우예요. 만약 실패해서 폭주하기 시작하면 그때는 우리 모두가 태초의 개념으로 돌아갈 겁니다. 제가 연금술을 보여준 것은 지금 이 현실이 얼마나 빈약한지 보여주기 위함이었습니다. 그리고 좀 충격

요법으로 주의를 환기시킬 필요도 있었구요."

실제로 서린이 연금술을 보여주자 총격을 퍼붓던 주의가 환기되어 버렸다.

"저는 강신제를 막습니다. 그 목적을 위해서 하는 말인데……."

서린은 그리 말하고 일어났다.

"일단 휴전하면 안 될까요?"

합리적인 제안이다.

더 큰 위협을 막기 위해 협력까진 아니더라도 휴전을 제안하는 건 상식적이다.

그러나 서현은 이미 뱀파이어 헌터들이 상식과 동떨어진 존재라는 걸 안다.

상식적이었으면 뱀파이어 헌터가 될 리가 없지. 그리고 그건 실베스테르도 마찬가지였다.

"웃기지 마라, 테트라 아낙스. 네가 맨몸으로 이 땅에 내려오는 게 흔히 있는 일인가? 너 같은 타락한 존재가 지상을 배회하는 꼴을 보고 참아 넘기라고?"

"우선 전 맨몸이 아닙니다. 그렇지요?"

서린이 아르곤을 바라보자 아르곤이 흠칫 놀랐다.

"아, 맞아."

"하지만 당신이 걱정하는 것도 이해는 하지요."

서린은 심호흡을 했다. 이 사법의 비 아래 일반적인 뱀파이어들은 별 도움이 안 된다.

강력한 진마나 뱀파이어 헌터가 아니면 커럽티드로 변화할 위험이 있었기 때문이다.

만약 말 몇 마디로 저들을 설득시킬 수 있다면 매우 큰 힘이 되겠지만, 그런 게 불가능하다는 걸 안다.

그래도 말은 해볼 가치가 있다.

"절대적인 우위에 있는 강자가 우연히 가라앉는 배에서 사람들을 구조하기 위해 자신의 목숨을 위험에 노출시켰을 때, 그 목을 따두지 않으면 언제 이런 기회가 올지 몰라서 아쉬워하는 게 소인배들의 마음일 테니까요."

아니, 그런데 지금 이걸 설득이라고 한 건가?

"…성격이 많이 변했구나."

서현은 대놓고 빈정대는 서린의 태도에 깜짝 놀랐다. 그러나 서린은 고개를 가로저었다.

"빈정대는 게 아냐, 형. 나는 그에 합당한 것은 내놓을 생각이니까."

"……."

서린이 말한 대로라면 실베스테르와 서현은 그들이 피치 못할 사정으로 약점을 드러냈을 때 앞뒤 가리지 않고 약점을 공격하는 불한당이었다.

그런데 그 '불한당의 어드밴티지'를 존중해 주겠다는 것인가?

"무슨 수로?"

실베스테르가 궁금해져서 물어보았다. 그러자 서린이 대답했다.

"흡혈귀의 눈물… 에 대해서 제가 알고 있는 걸 가르쳐 드리지요."

눈물을 흘리는 흡혈귀를 찾아 모든 흡혈귀를 사냥하고 다니는 자.

실베스테르는 뱀파이어의 눈물을 얻기 위해 이 월야를 배회하는 마인이다.

그런데 지금 뱀파이어의 왕인 서린이 바로 실베스테르가 그토록 찾아 헤매던 것에 대한 단서를 제공하겠다고 나섰다.

그것도 '불한당의 어드밴티지'에 대한 보상으로서!

이성적으로 생각하면 이 이상 좋은 조건이 없을 것이다.

서현은 실베스테르가 이걸 받아들이리라고 생각했다. 머리로 생각할 수 있는 놈 중에 그렇게 생각하지 않을 자가 있을까?

그러나 실베스테르의 반응은 서현의 상상을 초월했다.

"보노보 생식기 빠는 소리 하고 있군."

실베스테르는 그토록 갈망하던 것의 실마리가 튀어나왔음에도 불구하고 시큰둥했다.

"하지만 잠깐. 받아먹을 건 받아먹고 모라토리엄 선언을 한다고 하지 않았던가?"

너무나 놀라서 서현이 끼어들었다.

"왜 이건 안 받아먹고 그러는데? 받아먹고 째버리면 될 것을?"

서현이 물어보자 실베스테르가 코웃음 치고 데저트 이글을 뽑아 들어 서린을 겨누었다.

"나는 내 답을 스스로 찾을 것이다. 누군가 답을 떡하니 내어

주면 내 것이 될 수 없다는 것은 너무나 당연한 일 아닌가?"

"…네."

서린도 실베스테르의 반응이 저럴 줄 알았다는 듯 순순히 고개를 끄덕였다.

"건강관리를 위해서 하루에 1마일씩 달리는 사람이 있다 치자. 그 사람을 차량으로 1마일 뒤에 옮겨주면 무슨 의미가 있지? 과정이 중요한 것이지 목적지에 바로 당도해 버린다면 그것은 답이 될 수 없다."

"그럼 눈물을 흘리는 흡혈귀를 찾는 것은 과정이다?"

"그래. 나는 그 과정 안에서 해답을 찾아낼 것이다. 그러니 너의 제안은 거절해야겠군."

실베스테르는 단호하게 서린이 제시한 보답을 거절했다.

솔직히 그전까지 서현은 실베스테르를 그렇게 존경하거나 존중진 않았다.

인간이면서 혹독한 운명에 맞서서 진마사냥꾼이 된 한세건에 비해 실베스테르는 어떤 의미로는 뱀파이어나 라이칸스로프보다 더한 마물이다.

하지만 실베스테르가 지닌 마음가짐을 들어보니 그 역시 단지 마물로 태어나서 이런 길을 걸어온 게 아니라는 걸 알 수 있었다.

"그리고 그게 아니더라도 테트라 아낙스와의 거래 따윈 할 수 없다."

"…네, 그럼."

그 순간 서린과 아르곤은 휙 몸을 날려서 쇼핑센터에서 빠졌다. 실베스테르가 그런 서린과 아르곤을 향해 총을 겨눴지만 서현이 다시 실베스테르의 팔을 막았다.

"무슨 짓이냐?"

"일단 한세건이 인질로 잡혀 있으니 함부로 오발하지 말라고 해두지."

아르곤이 기절한 한세건을 붙잡고 있긴 하지만 실베스테르가 오발로 한세건을 쏠 것 같지는 않다. 아니, 쏜다 하더라도 개의치 않겠지. 그러나 실베스테르는 총구를 내렸다.

"아, 진짜… 이거 뭐 내가 말리는 시누이도 아니고."

"한국어 정말 잘하는군."

실베스테르가 감탄했다. 아마도 유창하게 속담을 인용하는 서현의 모습에 감명받은 모양이다.

물론 시어미보다 말리는 시누이가 더 밉다는 말의 용법과 어긋난 경우긴 하지만 둘 다 그것까지는 생각이 안 미치는 모양이다.

지금 중요한 것은 그게 아니니까.

"…당신이나 한세건이나 똑같네, 진짜. 어디 틀에 넣고 쓱 뽑아낸 것 같다."

서현은 실베스테르가 적극적으로 맞힐 생각이 없다는 걸 확인하고 쓴웃음을 지었다.

뱀파이어와 타협은 할 수 없다.

언제나 뱀파이어를 보면 최대한 적대한다는 방침을 세워두고 살아가겠다.

나는 이런 원칙을 세우고 그에 입각해 움직일 테니 아쉬운 놈이 우물 판다고 너희가 굽혀라.

실베스테르나 한세건이 뱀파이어를 상대할 때는 항상 이런 식이었다.

여기에 뱀파이어들이 가지는 진마니 뭐니 하는 특권 의식이 충돌하면 대형 유혈 사태로 번지게 된다.

아마 서린이 아닌, 이전의 테트라 아낙스였다면 죽었으면 죽었지 물러나진 않았으리라.

당장 다른 많은 멍청한 뱀파이어, 아니, 뱀파이어뿐만 아니라 인간들에게도 해당되는 말이지만…….

자존심을 굽히면 될 걸 괜히 뻗대다가 자존심 대신 척추가 굽혀지는 불상사를 맞이하곤 하지 않는가?

"무슨 소리를 하는 건지? 도대체 모르겠군. 방금 전 교전으로 마력을 소모했는데 채워줄 수 있나?"

"…맡겨두신 거 찾아가는 것 같군. 당신 정말… 아니, 말을 말자."

서현은 실베스테르의 뻔뻔함에 기막혀했다. 그도 카타볼릭 상태에서 남는 거 아닌데 주었거늘 멋대로 써버리고 더 달라고 하다니…….

하지만 아쉬운 놈이 우물 파는 것은 동서고금 어디에서나 통하는 진리인지라 결국 서현은 실베스테르의 요구에 굴할 수밖에 없었다.

"아."

달리던 아르곤은 그제야 자신이 여전히 한세건을 집어 들고 있다는 걸 깨달았다.

"두고 올 걸 그랬나? 저쪽에 맡기는 게 괜찮았을 텐데."

"아니요. 뭐, 이렇게 된 거 들고 가지요. 어디 내려뒀다가 죽기라도 하면 곤란해요."

쿵.

"방금 어디 부딪힌 것 같은데?"

아르곤이 그렇게 답하며 손을 내밀자 서린은 아르곤에게 풍선껌을 던져 주었다.

"어라? 어디서 났어?"

"아까 전에 연금술 쇼를 했을 때 만들었어요."

"…그, 그런 걸 먹어도 되나?"

그렇게 말하면서도 아르곤은 풍선껌 포장을 뜯고 입에 던져 넣었다. 그렇게 던져놓고 자신도 놀랐는지 아차 하고 입을 벌렸다.

"연금 과정에서 약간의 과도한 방사선이 발생했었지만 물질 자체에 방사능 물질은 남지 않아요. 동질량의 물질로 변화하면서 차변만큼 방사선으로 방출하는 거지 방사능 물질을 만든 게 아니니까요. 극히 안전합니다."

"극히 안전이라는 용어가 상당히 신경 쓰이는데 말이야. 아, 일어났다."

아르곤에게 허리띠를 잡힌 채 질질 끌려가던 한세건이 눈을 떴다. 아르곤이 들고 다니면서 정말 어딘가 부딪혔고 그 충격 때문에 깨어난 것이다.

만약 한세건이 지나치게 건강한 신체를 가지고 있지 않았다면, 혹은 부딪힌 곳이 심각하게 안 좋은 곳이었다면 역으로 그 충격으로 인해 영원히 깨어나지 못했을지도 모른다.

"큭!"

한세건은 즉시 부츠에 꽂아두었던 나이프를 뽑아서 자신을 잡고 있는 아르곤에게 휘둘렀다.

"웃차."

그러나 칼날은 허공을 갈랐다. 아르곤은 한세건이 깨어나자마자 공격적으로 나올 것을 알고 있었기 때문이다.

가볍게 움직이는 것만으로 한세건의 공격을 피한 아르곤은 침착하게 말했다.

"말로 하지? 아무리 나라도 상처받는다고. 여러 가지 의미로."

"…왜 여기 테트라 아낙스가 있지?"

기절했던 한세건 입장에서는 헥토르를 상대하고 있었는데 갑자기 서린이 나타난 셈이다.

아르곤이야 있을 법해도 테트라 아낙스의 리더가 직접 친정한다는 건 상식적으로 있을 수 없는 일이다.

전 세계의 부와 권력을 손가락 끝으로 움직일 수 있는 자가 직접 위험에 자신을 노출시키다니? 이래서야 자신의 정신착란을 의심해도 이상하지 않은 상황이다. 하지만 눈앞에 있는 서린은 어깨를 으쓱해 보이곤 우아하게 인사를 했다.

"테트라 아낙스는 클랜 이름이고. 저는 서린입니다. 그새 까먹었을 리는 없을 텐데요?"

"내 기억과는 너무나도 다르군."

서린은 빈티 나지만 낙천적이고 쾌활한 녀석이었다. 뭐 그런 점은 지금도 마찬가지이지만 지금의 서린에게는 전에 없던 고통의 깊이가 느껴졌다.

아마도 아낙스와의 융합이 그에게 변화를 촉구한 것이겠지만……

"오래간만이에요, 형. 시간이 오래되었으니 달라질 만도 하지요. 안 본 지 삼 일이면 괄목상대라고……."

"너 같은 동생 둔 적 없다."

서린은 어깨를 으쓱해 보였다.

"그럼 형의 기억을 자극하기 위해 또 그 노래를 불러야겠다."

타탕!

한세건이 전광석화 같은 빠르기로 권총을 뽑아서 서린에게 갈겨 버렸다. 서린이 팔짝 뛰면서 피해 다녔지만 총탄이 등짝에 명중했다.

"그만!"

아르곤이 그런 한세건의 앞을 막아섰다. 한세건이 글록 18을 아르곤에게 향한 채 방아쇠를 당겼지만……

철컥!

단번에 탄피가 걸리고 말았다. 근접한 순간 아르곤이 짧은 볼펜을 쿠보탄(손에 쥐고 내려쳐 찍는 방식으로 사용하는 작은 호신 무기)처럼 쥐고 탄피 배출구를 누르면서 한세건의 권총을 쳐낸 것이다.

게다가 쳐내는 것과 동시에 짧은 잽을 안면에 날렸다.

중국 권법인 영춘권이나 실랏, 칼리 같은 남방 무술의 동작이다.

한세건이 그것을 피하며 미들킥을 날렸지만 아르곤은 볼펜으로 한세건의 허벅다리를 찍고 킥은 무릎으로 커트해 버렸다.

"윽……."

공방에서 손해를 본 한세건이 휘청거리며 뒤로 물러났다.

철컥.

그 순간 서린이 AA—12를 한세건에게 겨누었다.

"……."

한세건은 꼼짝달싹할 수가 없다.

거리가 너무 절묘해서 뛰어들어서 총격을 못 하게 막자니 너무 멀고, 피하자니 샷건 유효범위다.

조금만 더 가깝다면 뛰어들어 보았을 텐데, 혹은 조금만 더 멀었다면 옆으로 피했을 텐데 그 어느 것도 할 수 없는 위치다.

"자, 형. 일단 가만히… 이야기 좀 하지요."

서린은 한 손으로 연발 샷건을 들고 다른 한 손으로 몸에 박힌 탄환을 빼내서 짤랑짤랑 흔들고 있었다.

"너무 까불거리더니만… 자신이 뭐 맞지도 않을 거라고 자부했는데 헥토르 때도 그렇고 지금도 그렇고 너무 잘 맞는 거 아니야? 테트라 아낙스가 모처럼 친정을 했는데 물가에 애 내놓고 키우는 기분이 들잖아."

아르곤이 서린에게 핀잔을 주었다. 그렇지만 이런 대화를 나누는 것만 해도 기막힐 정도로 여유로운 것이다.

코끼리가 개미를 두려워하지 않듯, 뱀파이어 헌터는 아무리 용을 써도 테트라 아낙스를 위협할 수 없다고 생각하는 것일지도 모른다. 한세건 입장에서는 무력감마저 느껴진다.

"테트라 아낙스랑 할 이야기는 없다. 쏘지그래?"

한세건은 그리 말하며 다리에 박힌 볼펜을 뽑았다. 통증보다도 분노가 앞서서 눈앞이 어지럽다. 헥토르에게 맞은 것 때문일지도 모르겠다.

"아……."

아르곤은 태연하게 한세건에게 손을 내밀었는데 볼펜을 돌려달라는 것 같다.

"흥."

세건은 볼펜을 계단 통로 쪽으로 홱 집어 던졌다.

"앗……."

아르곤이 놀랍도록 동요했다.

'그래도 진마라는 녀석이 싸구려 볼펜 하나에 표정이 구겨지는 게 가관이군.'

볼펜을 던진 한세건이 역으로 놀랄 지경이었다. 어찌 되었든 아르곤이 과민하게 반응하는 덕분에 아르곤과 서린의 의식이 볼펜에 쏠렸다.

한세건은 그 틈을 타서 빙글 몸을 돌려서 콘크리트 기둥 뒤로 피신했다.

'이렇게 피할 수 있는 걸 보니 역시 이 안에서 서린은 테트라아낙스의 예지 능력을 쓸 수 없나 보군.'

한세건은 냉정하게 생각하며 무기를 준비했다. 이것도 사실 서린의 계략이라든가 아니면 서린이 한세건과의 옛정을 생각해서 느슨하게 대응하는 것일 수도 있지만… 그런 식으로 생각하면 끝이 없다.

한세건은 서린과 싸울 생각이었다.

"하아. 세건 형, 정말 형은 변함이 없군요."

서린은 굳이 자신에게서 몸을 빼는 한세건을 쫓지 않았다.

지금 그는 여기서 한세건이나 실베스테르 같은 뱀파이어 헌터들과 싸우면서 시간을 낭비할 처지가 아니었다. 한세건이 장기전을 위해서 거리를 벌린다면 그 순간을 이용해서 빠져나가면 된다.

서린이 한세건을 그저 남으로 생각한다면 그렇게 했을 것이다.

"아까 전에 실베스테르도 설득하지 못했으니까 형을 설득할 생각은 없고… 그냥 이제부터 난 앙리 유이를 막으러 갈 거야. 그러니까 형은 앙리 유이를 도와줘. 테트라 아낙스를 반드시 막아야 해."

"뭣?"

한세건은 뱀파이어와 타협하지 않고 뱀파이어의 말은 듣지 않는다. 아마도 그래서 저렇게 말하는 거겠지만…….

'이건 뭐 동화 속 청개구리도 아니고…….'

반대로 말해서 사람을 컨트롤하겠다는 것인가? 테트라 아낙스가 신경 써준다고 한 말인 건 알겠는데 너무 사람을 우습게 보는 게 아닌가 짜증이 난다.

"이게 대체 날 뭐로 보고……."

"그런 의미에서 하는 말이 아니야. 내 설명이 부족해서 형이 이해를 못 하는 것도 당연하지만… 시간을 더 지체하고 싶진 않으니까 여기서 더 설명하진 않을 거야."

서린은 그렇게 말하고 물러나려 했지만…….

지지지지직!

공기가 흔들리고 벽이 일렁이기 시작한다.

"…아."

"너무 늦었잖아."

아르곤이 혀를 찼다. 앞으로 한 걸음 내딛기만 해도 수압이 몸을 짓누르는 바다처럼 압도적인 힘이 몸을 짓누른다. 덕분에 앙리 유이가 일을 벌이는 곳은 보지 않아도 알 수 있을 정도다. 이런 상황이 될 때까지 헌터들에게 시간을 낭비하다니.

"정말 짜증 나네요. 이게 다 헌터들 때문입니다. 헌터들을 탓하세요."

정작 서린은 태연자약했다.

"아니, 농담할 때가 아니라 대책 있어?"

"뭐 그렇게 3분 전자레인지 요리처럼 띵~ 하고 되진 않을 거예요."

"대단히 신뢰성이 떨어지는 태도인데? 언제나 온 세상일을 그럴 줄 알았다면서 톱니바퀴 맞추듯 착착 맞춰 경영하던 테트라아낙스가 이렇게 두루뭉술하게 말하는 걸 보게 될 줄이야……."

"언제부터 그런 걸 신경 썼다고 그래요? 갑시다."

서린은 그리 말하고 몸을 돌렸다.

헥토르는 발걸음을 멈추고 옆을 바라보았다. 주상복합건물의 거주 구역 복도 옆에 난 창으로 거리가 보인다.

자카르타 시내 곳곳에는 거대한 문어 다리가 넘실거리고 사람의 얼굴들로 이뤄진 탑이 하늘을 찌를 듯 솟구치고 있었다.

평상시 이 도시의 모습을 기억하는 사람이라면 자신이 악몽의 안에 갇혀 있는 게 아닐까 의심할 광경이었다. 확실히 이 모습은 제아무리 뱀파이어라 해도 모골이 송연한 장면이었다.

하늘은 검게 물들고 검은 비가 내리며 사방팔방에서 혐오감을 불러일으키는 괴물들이 배회한다.

"쓸데없는 짓을……."

헥토르는 그 모습을 보며 혀를 찼다. 아웃레이지를 충분히 공급했음에도 불구하고 보탁 연합의 구성원들이 커럽티드로 변해 자카르타 시내를 배회한다.

하지만 저것들로는 테트라아낙스나 헌터를 막을 수 없다.

헥토르는 한숨을 내쉬며 품 안에 들고 있던 전화기를 꺼냈다.

앙리 유이에게 현 상황을 보고하고 다음 이야기를 들어보기 위해서였다. 그러나 전화기는 새카맣게 타버렸다. 전자기력을 사용하는 헥토르와 휴대폰은 그렇게 좋은 궁합이 아니다.

으으으으으으……

그때 유리창에 서리가 맺히기 시작했다. 하늘이 어두컴컴해졌다 해도 적도의 자카르타는 여전히 뜨겁다. 그런데 유리창에 서리가 맺히는 것은 어불성설. 헥토르는 이것이 앙리 유이의 마법이라는 걸 깨닫고 가만히 있었다.

으어어어어……

유리창에 낀 성에 너머로 새하얀 서리의 사람 얼굴이 나타났다. 그것은 침을 질질 흘리며 손가락으로 소화전을 가리켰다. 헥토르가 그 소화전 박스를 뜯어 열어보니 안에는 새로운 전화기와 헤드셋이 들어 있었다.

헥토르가 그 헤드셋을 끼니 앙리 유이의 목소리가 들렸다.

—살아 있었군. 다행이야.

"…일은 잘되고 있나?"

헥토르는 그것부터 물어보았다.

기껏 그가 지금 여기서 시간을 끌어봤자… 앙리 유이가 하는 짓이 실패해 버리면 헛짓이 된다.

물론 그렇기 때문에 앙리 유이는 잘된다고 말할 수밖에 없을 터. 이건 물어보나 마나다. 직접 보지 않고서야……

—현재까지는 순조롭다. 마침내 내가 이 열등감에서 해방되겠지.

"자네의 열등감 해소는 내게 관심이 없네."

헥토르는 앙리 유이가 기뻐하는 것을 느끼며 안도의 한숨을 내쉬었다.

앙리 유이가 저렇게 자신만만하다면 정말 신을 만들고, 그로 인해서 테트라 아낙스에 대한 자신의 열등감을 극복할 수 있기 때문일 것이다.

그렇다면 헥토르가 갈망하던 것도 손에 넣을 수 있지 않을까?

―물론… 더 이상 잘 필요 없는 몸으로 만들어주지. 무엇이든 가능하다.

동면형 뱀파이어를 위협하는 가장 강력한 적은 동면 그 자체였다.

자신의 제어를 잃어버린 채 외부의 압력에 무저항인 상태로 잠들어야 하는 것은 얼마나 두려운 일인가.

또한 매번 깨어날 때마다 단절된 정보, 현실감은 얼마나 큰 악영향을 미치는가.

이 잠을 피할 수만 있다면 헥토르는 영혼이라도 기꺼이 내놓았을 것이다.

물론 뱀파이어의 영혼에 얼마나 가치가 있는지 모르겠지만 말이다.

그런 상황에서 평소 헥토르에게 눈독을 들이고 여러 가지 편의를 봐주던 앙리 유이가 자신의 계획에 협력하면 헥토르의 소망을 이룰 수 있게 해주겠다고 약속했다.

헥토르가 수면을 피하고자 하는 열망을 감안하면…….

또한 앙리 유이가 그에게 베푸는 편의가 얼마나 큰가를 감안한다면 결과는 명백하다.

헥토르는 그 제안을 거절할 수가 없었다.

그런데 그 꿈이 이제 곧 이뤄질 거라고? 기쁘다. 기쁜 한편으로는 의심스럽다.

망해가는 이들은 자신들의 망조를 눈치채고 조직의 구성원이 이탈하는 게 두려워서 허풍을 떨게 마련이다.

"설마 그렇게 말하고 죽어버리면 더 이상 잠을 잘 필요가 없다, 뭐 그렇게 말하는 건 아니겠지?"

헥토르가 그렇게 물어보자 앙리 유이가 껄껄 웃었다.

─하하하. 재밌는 농담이군. 내가 그렇게 유치할 것 같은가?

'확실히 유치하긴 하지. 테트라 아낙스에 대한 열등감이라니…….'

헥토르는 그렇게 생각했지만 말하면 무한의 평행선을 그릴 게 분명하기 때문에 입을 다물었다.

─조금만 더 시간을 끌어주면 좋겠군. 이제 얼마 남지 않았어.

"믿어도 될까?"

─물론. 정확하게 시간으로 말해서 앞으로 약…….

그러나 헥토르는 그다음을 듣지 못했다. 갑자기 벽이 무너지며 나타난 서린이 헥토르를 뻥 걷어차 버렸기 때문이었다.

"큭!"

헥토르가 능력을 발동시키기도 전에 그의 배를 한 자루 항왜도(抗倭刀:중국군 병사들이 청일전쟁 시절 일본군과 싸울 때 쓰던 거대한 중국도. 일반 연무용 중국도보다 두껍고 직도에 가깝다)가 꿰뚫었다.

서린이 그를 아르곤에게 걷어찼고 아르곤이 항왜도로 단번에
헥토르를 관통한 것이다.

"어… 어떻게?"

"마법의 힘이 강해진 지금… 전 최강의 마법사입니다. 그런
절 상대로 당했다고 그런 표정을 지으실 필요는 없지요."

서린은 어깨를 으쓱해 보였다.

"크악!"

헥토르는 혈인 능력을 끌어 올리려 했지만 전기 방전은 서린
에게 닿지 않고 엉뚱한 방향으로 흘러나갔다.

아르곤의 동결 능력이 닿는 부분으로 전기 방전이 이뤄지지
않고 있었다.

아르곤의 동결 능력은 단순한 냉기가 아니라 움직임 그 자체
를 정지시키는 힘이다. 이것이 헥토르의 능력을 방해한다.

헥토르의 능력은 전하를 방출하는 것. 일단 방출된 전자는 가장
저항이 적은, 전기적으로 최단 거리를 향해 달려가게 되어 있다.

즉 아르곤이 만들어내는 동결의 힘은 그 자체로 헥토르의 능
력을 완전히 차단한다.

최악의 상성이다.

전하 방전으로 아르곤을 공격하려면 근접해서 뿜어낼 수밖에
없다. 하지만 서린은 외려 그런 헥토르를 기습해서 치명상을 입
혀 버렸다.

"커억… 아르곤, 이 비겁한 녀석!"

"아니, 그, 그렇게 말해도 뭐랄까. 그것참, 지금 그럴 때가 아

니잖아."

아르곤은 자신의 기습에 대해서 비난을 퍼붓는 헥토르를 보며 어쩔 줄 몰라 했다.

사실 이미 적으로 갈라선 이상 기습이 비난받을 이유는 없다. 그러나 아르곤 자신도 왜인지 모르게 얼굴이 달아올랐다.

"어… 어떻게 이런 거냐? 왜 내 능력이 네게 방해받지?"

"그건 능력 해석의 차이다."

과거 아르곤은 자신의 능력이 얼음이라고 생각했었다. 그러나 그것은 어디까지나 극히 일부일 뿐, 밝혀진 그의 진정한 능력은 '안티키네틱 에너지(Anti—kinetic Energy)'. 그중 미세 영역에서 강력한 힘을 발휘하기에 물질을 얼릴 뿐이다.

"인간의 과학이 발달하면서 덩달아서 우리의 능력도 더더욱 깊은 이해의 영역에 들어설 수 있게 되었습니다. 당신이 잠들어 있던 사이에 말이지요."

서린이 대신 대답해 주었다.

"크아아악! 테트라 아낙스라는 자가 기습을 하다니?"

"기습이 아니었다 해도 별수는 없었을 텐데요? 너무 좋은 능력을 가지고 있어서 과신하고 있는 것 같은데… 뱀파이어 헌터들 상대로야 상성이 좋으니까 방만하게 굴어도 되지만 저랑 아르곤 상대로 정면 승부였다 해도 당신이 이길 수 있을 리가?"

"으윽… 아, 안 돼. 이제 곧 내 숙원이 이뤄질 터인데……."

"안심하세요. 당신의 숙원은 다른 방식으로 이뤄 드릴 테니까. 잠잘 필요 없는 상태로 만들어 드리지요."

서린이 그리 말하고 어깨를 으쓱해 보였다. 헥토르의 복부에 순식간에 얼음이 들러붙으면서 헥토르는 완전히 거대한 얼음기둥으로 변하고 있었다.

"카아아악!"

헥토르가 전기 방전을 일으키며 몸부림쳤다. 원하는 방향으로 컨트롤해서 맞힐 수 없다면 아예 방출량을 늘려서 감싸 버리겠다는 의도일까?

그러나 아르곤이 항왜도를 내려놓고 뒤로 물러나는 동시에 서린이 샷건을 들었다. 그렇게 거리를 벌리는 것과 동시에 서린의 공격이 시작되었다.

투콱!

헥토르의 머리가 총 맞은 수박처럼 날아갔다. 물론 진마인 헥토르는 그걸 순식간에 복구해 냈지만 서린은 연거푸 총탄을 퍼부어 헥토르를 다진 고기로 만들어 버렸다.

한세건을 상대할 때와는 전혀 다른 냉혹하고 무자비한 태도였다.

"크어억……."

헥토르는 비명을 지르며 허우적거렸다. 전신이 부서져서 폐부가 공기 중에 노출되고 마치 구멍 난 애드벌룬에서 바람 빠지는 듯한 소리가 몸통에서 흘러나왔다.

"여기서 더 약화시키면 커럽티드가 될 수도 있으니 이 정도로 하지요. 구속합니다."

"우… 웃기지 마. 아낙스도 아닌 너 같은 애송이에게 당할……."

"하지만 당했지요?"

서린은 아무렇지도 않게 손을 쑥 내뻗어 단숨에 헥토르의 심장을 관통했다.

우직!

뼈가 부러지고 살점이 찢어지는 소리와 함께 헥토르의 심장이 뽑혀 나왔다. 서린은 아직도 펄떡거리는 헥토르의 심장을 머리 위로 뽑아 들고 나직이 주문을 외웠다.

그러자 지면에서 은색 실들이 뿜어져 나와 헥토르의 몸과 서린의 손에 들린 심장을 휘감았다.

헥토르의 몸을 가사 상태로 봉인하는 마법이었다.

"아… 안 돼!"

놀란 헥토르가 저항하려고 했지만 이미 소용이 없었다. 재생 능력을 방해하는 아르곤의 동결과 재생하든 말든 휘감아서 봉인하는 마도구의 힘이 헥토르의 저항을 억누르고 있었다.

"완전히 죽이는 건 아니니 안심하세요. 전 24개 혈통을 온전히 보존하고 기록하는 의무를 가지고 있으니까요."

"웃기지 마… 넌 네게 저항하는 뱀파이어들을 박제할 뿐이지……."

헥토르는 그렇게 말했지만 은색 실들이 그의 입을 휘감아 누에고치처럼 만들고 있었다. 눈만 끔뻑이는 헥토르를 향해 서린은 싸늘한 미소를 지어 보였다.

"당신에게 저항하다 살해당한 사람들을 조금이라도 마음에 두고 있다면 이 정도 가지고 엄살떨 염치가 없을 텐데? 너무 얼굴에 철판을 깔고 있는 것 같군요. 하여튼 뱀파이어들이란……."

봉인의 은사가 헥토르를 완전히 휘감은 순간…….

으적!

순식간에 압축된 은사의 고치는 부활절 계란만 한 크기의 금속 덩이가 되었다. 바닥에 떨어진 그 은의 달걀을 전술백에 챙겨 넣은 서린은 어깨를 으쓱해 보였다.

"이제 앙리 유이 하나 남았군요. 가볼까요?"

"…아, 그, 그래."

아르곤은 서린의 과격하고 잔인한 일면에 놀랐다.

과거의 아낙스 역시 잔혹한 자였지만 직접 손을 대지 않았기 때문에 지금 이 순간 서린이 보이는 모습과는 느낌이 다르다.

아니, 아낙스도 너무 자기 몸에 실험을 많이 해서 휠체어 신세가 되지 않았다면 직접 총으로 다른 뱀파이어를 쏴버리고 다녔을지도 모르겠다.

그러나 아르곤이 보기에 지금의 서린은 확실히 과거의 아낙스와 달랐다.

"헌터들의 도움은 별반 필요 없는 거 아니었나?"

아르곤은 그렇게 물어보며 혀를 찼다. 사실 지금 보여준 서린의 능력을 보면 그의 도움도 필요 없었던 것 같다. 하지만 서린은 고개를 저었다.

"설마요. 그들이 활약해서 앙리 유이의 세력을 적당히 분산시켜 주었으니까 지금 이렇게 일이 쉬워진 거지요. 그리고……."

서린은 쾌활하게 말하다 말꼬리를 흐렸다.

"응?"

"아뇨, 기우이길 빌어야지요."

서린은 그리 말하며 비상계단을 올랐다.

앙리 유이가 벌이는 강신제를 완성하기 위해서는 살해당한 인간들의 원념과 정념이 모여들 만한 곳, 개방되어 있는 곳이 필요하다.

그래서 지금 앙리 유이는 화교 자본이 투입된 주상복합건물의 최상층 플로어에서 소년 강아담에게 그 정보를 투영시키고 있었다. 하늘에서부터 거대한 검은 영기가 마치 토네이도처럼 회전하며 내려와 소년 아담의 몸을 뚫고 지나간다.

저게 바람이라면 제아무리 뱀파이어라 해도 하늘로 날아가 버리겠지만 이것은 정보의 흐름이다. 영적인 정보의 흐름은 물질을 투과하고 지나가서 소년 강아담의 몸 전체를 변이시키고 있었다. 자칫 잘못하면 커럽티드가 될 뿐이지만, 이미 완전히 그릇으로 완성된 강아담은 커럽티드가 되지 않고 꿋꿋이 그 정보와 힘을 받아들이고 있었다.

"어떤가, 느낌이?"

앙리 유이는 자신의 정보를 받아들이고 있는 아담의 상태를 파악해 보았다. 그냥 신이 되어버리면 아담은 그저 초월적인 괴물이 될 뿐이다. 앙리 유이가 원하는 것은 자신이 통제할 수 있는 존재, 그게 아니면 자신을 통제할 존재였다.

말과 이치가 통하지 않는 괴물이 아니라 제어 가능한 존재로 만들려면 아담이란 소년의 의식, 그의 복종심과 충성심이 남아 있어야 한다. 그래서 앙리 유이는 의식 중인 아담에게 계속 말을 걸어서 그의 의식을 붙잡아두고 있었다.

"모르겠습니다. 이건… 이건 마치, 내가 모든 것을 알게 되는 것 같아요. 이 도시에 살던 사람들, 죽어가던 사람들의 기억이 계속 밀려들어 오고 있습니다."

아담은 눈을 감고 가부좌를 튼 채로 앉아서 자신의 몸을 관통하는 영적인 정보들을 받아들이고 있었다.

"너의 몸은 그것들을 받아들이게 되어 있다. 그런 세세한 것에 집중하지 말고 오직 네 목적에만 집중하도록 해라. 그러지 않으면 넌 자아를 잃게 된다."

"예……."

"의식을 집중하면서 내 이야기를 듣도록 해라. 지금 우리가 만들고자 하는 존재를 이해함으로써 너는 너 자신을 지킬 수 있을 것이다."

앙리 유이는 계속 말을 걸면서 그 역시 의식에 집중하고 있었다. 하지만 그는 지금 이 순간 헥토르가 당했다는 걸 느끼고 있었다.

그는 서린을 테트라 아낙스라고 인정하지 않고 있지만 그것과 별개로 서린의 강력함은 의심의 여지가 없다.

헥토르의 능력은 무시무시하지만 슬프게도 그는 아직 자신의 능력인 전하 방출과 전자기력을 조종하는 힘을 쓸 줄 모른다.

헥토르가 전자기학에 대해서 알고 있다면 다양한 방식으로 응용해서 아르곤을 상대할 수 있겠지만 슬프게도 헥토르는 수면형 뱀파이어다.

물론 지금 사용하는 아크 방출 방식으로도 총화기에 의존해야 하는 헌터들에게는 최악의 적이라 할 수 있었다.

그러나 아르곤 상대로는 최악의 상성이다.

진마 아르곤만 해도 위험한데 서린 자신도 강력하니 그들 둘이 헥토르를 물리치는 것도 이상할 게 없다.

'아그니가 있었다면 좀 달랐을 테지만… 아그니와 헥토르의 사이는 너무 나쁘지. 이거 나도 참… 슬프군.'

앙리 유이는 자신의 인망 없음에 슬퍼했다.

테트라 아낙스를 상대로 이 정도로 성과를 보여주었으면 많은 뱀파이어가 그에게 가세해서 도와주었으면 좋겠는데… 평소 인망이 부족한 그는 헥토르와 아그니 등 다른 뱀파이어들에겐 이단시되는 이들만이 붙었다.

테트라 아낙스의 병력 상당수를 섬멸하고 오라클 시스템도 붕괴시켰다.

사실상 테트라 아낙스의 지배 체계를 파괴했으며 그 결과 테트라 아낙스는 일본 동경과 인도네시아 자카르타에서 벌어진 아웃레이지를 막지 못했다.

비셔스 바이러스라는 변명으로 뒷수습을 했을 뿐 철저히 앙리 유이의 세력에 농락당한 것이다.

그러나 이렇게까지 성과를 내도 따라오지 않다니? 앙리 유이의 인망이 없기 때문이라고 해도 이 정도라면 비참하다.

물론 그런 식으로 따지자면 앙리 유이가 잠깐 보인 성과보다 테트라 아낙스가 그동안 보여온 성과가 압도적으로 더 크기 때문일 것이다.

테트라 아낙스의 환생을 인정하지 않는 것은 앙리 유이뿐이고 다른 뱀파이어들은 서린이 테트라 아낙스의 환생임을 인정하기 때문에 관점의 차이가 생길 수밖에 없다.

그리고 그들의 선택은 결국 이런 결과를 불렀다.

"제가 말한 대로지요? 3분 요리처럼 그렇게 빠르게 될 일이 아니라니까요."

서린이 등장한 것이다.

서린과 아르곤은 놀랍게도 맨바닥에서 나타났다.

아니, 정확히 말하면 방금 전까지 맨바닥이던 곳을 계단으로 바꾸고 그 계단을 따라 나타난 것이다.

이 사법 결계의 안에서 현실은 마치 거대한 신기루와 같다고 하지만 저렇게나 자유자재로 현실을 바꿀 수 있다니?

저런 모습을 보면 서린은 확실히 아낙스의 환생이고 최강의 마법사임에 분명하다는 걸 알 수 있었다. 그럼에도 불구하고 앙리 유이는 그에게 강렬한 적개심을 느꼈다.

"감히!"

미리 대기하고 있던 사법사들이 일제히 서린과 아르곤을 에워쌌다. 검은색 법복으로 몸을 가린 이들이 가차 없이 사법을 시전했다.

검은 신의 번개, 가장 원초적이면서 강력한 고대 주술이다.

애니미즘, 토테미즘으로 대표되는 고대 신앙에서 이어지는,

자연령을 섬기는 드루이드들이 공식적으로는 가장 오래된 주술사들이다.

그러나 이들, 네크로폴리스의 사법사들은 외령(外靈:Outer Spirit)을 다룬다. 이것은 자연령의 힘들보다 훨씬 강력하며 파괴적이다.

뱀파이어와의 상성도 아주 강력해서 제아무리 진마라 해도 오히려 그 재생력을 파괴하고 거대한 테라토마로 바꾸어 버린다.

하지만 서린은 간단히 그걸 피해냈다.

"슬픈 일이군. 난 휠체어 타고 있던 그 노인네가 아니라고."

공중으로 뛰어올라 그 공격을 피해낸 서린은 허공에서 도폭선을 뿌렸다.

취익!

사법사들이 그 도폭선을 피하기 위해 몸을 굴렸지만 도폭선이 허공에서 춤추며 직각으로 꺾여 사법사들을 추적했다.

펑!

도폭선들이 폭발하며 사법사들을 쓰러뜨렸다. 그러나 도폭선이 감기기 전에 터뜨려서일까? 쓰러졌던 사법사들이 어기적거리며 일어난다.

"흐… 뱀파이어보다 튼튼하네."

서린은 사법사들의 옷이 찢어져 드러난 몸을 보고 혀를 찼다. 갑각류의 껍질이나 각종 어린아이의 얼굴 등… 이미 이들도 걸어 다니는 테라토마가 되어 있었다.

커럽티드이지만 이성이 있는 커럽티드라고 해야 할까?

그러나 서린은 코웃음 치며 AA—12를 들어 사법사들을 쏴 갈기고 아직 의식에 집중 중인 앙리 유이에게 다가갔다. 정작 이런 상황임에도 불구하고 앙리 유이는 의식에 집중하느라 손을 뗄 수 없었다.

"아낙스라면 절대 직접 손을 쓰지 않았을 거다. 넌 역시 서린 이지 아낙스가 아니야."

"당신의 망상 속에 있는 아낙스를 나에게 강요하지 마, 앙리 유이! 세계를 파괴하려 한 죄로 그대를 처단하겠다!"

서린은 드럼탄창을 내버리고 새로운 탄창을 갈아 끼워 앙리 유이를 겨누었다.

그러나 그때 앙리 유이가 쓴웃음을 지었다.

"역시… 넌 아낙스가 아니야."

"뭣?"

그 순간 갑자기 눈부신 빛이 자카르타 시내를 백열의 섬광으로 태워 버렸다.

그리고 그 빛의 한가운데에서, 서린은 아담이 익숙한 모습으로 변화하는 걸 보아야 했다.

타오르는 듯한 붉은 금발, 마치 성자처럼 머리에 위광, 헤일로를 두르고 있는 남자가, 신이 자카르타에 내려섰다.

"…아낙스……!"

서린은 상대를 알아보고 나지막이 혀를 찼다.

第23夜

ID크라이시스

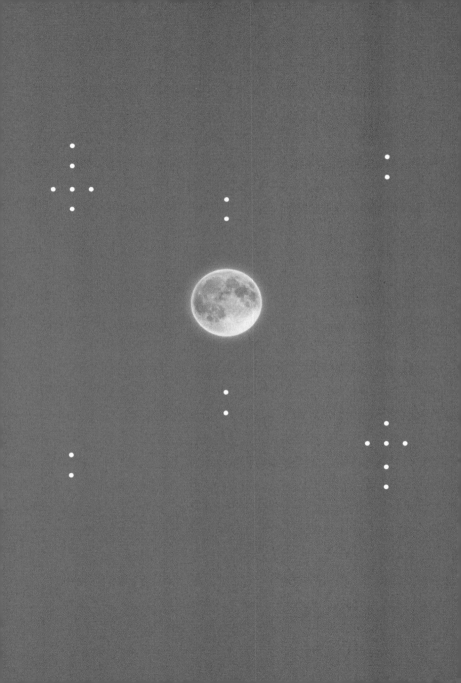

1

자카르타 시 전체를 에워싸고 있던 영적인 에너지가 한곳에 집중되어 사라졌다.

소년 강아담.

이 정보를 받아들이기 위해 만들어진 이가 그 모든 영적인 정보와 에너지를 한 몸에 받아낸 것이었다.

본래 저런 식으로 한곳에 정보를 집중시키게 되면 필연적으로 붕괴가 일어난다.

원래 있어야 할 형질이 아닌, 전혀 다른 조직으로 분화하는 암세포…….

테라토마가 대량으로 발생하는 것, 그것을 뱀파이어들은 커럽티드라 부르고 있었다.

저건 커럽티드가 되고자 용을 쓰는 짓이나 다름없다.

하지만 그 모든 에너지가 집결되었을 때 소년 강아담은 커럽티드와는 전혀 다른 모습으로 변해 이 땅에 내려섰다.

"…아낙스!"

서린은 그것을 원래 그의 이름이어야 할 것으로 불렀다.

"저게 아낙스라고?!"

아르곤은 서린이 부르는 이름을 듣고 경악했다.

테트라 아낙스는 서린 그 자신이 아닌가?

테트라 아낙스와 아낙스, 무슨 차이가 있지?

그렇게 자문한 아르곤은 혀를 찼다.

'이런… 내 기억이 무뎌졌군.'

아르곤은 분명히 눈앞의 저걸 본 적이 있었다.

아낙스가 휠체어에 올라탄 노인, 고든이 되기 전의 모습!

하지만 이미 천 년 전의 모습인지라 지금에 와서 기억해 내라는 건 무리가 있다.

아르곤은 다른 뱀파이어들에 비해 매 순간순간을 충실하게 살았고, 그 결과 그의 천 년은 다른 뱀파이어들의 천 년보다 훨씬 다채로웠던 것이다.

'그렇지만 이렇게 보니 정말 다르군.'

아낙스가 타락하고 나서 태어난 것이 바로 테트라 아낙스. 그 이전의 아낙스는 분명히 테트라 아낙스와는 다른 존재였다.

앙리 유이가 괜히 테트라 아낙스를 인정 못 하겠다고 설친 것이 아니다.

아낙스와 테트라 아낙스 간에는 분명히 현격한 차이가 있었지.

'하지만 그건 눈앞의 이게 진짜 아낙스라는 증거가 있을 때지.'

그러고 보면 눈앞의 존재는 이상하다.

붉은 기운이 감도는 허니블론드, 타오르는 듯한 호박색 눈동자를 가진 여성인지 남성인지 알기 힘든 저 모습은 분명히 아낙스와 닮아 있었다.

최근 보아왔던 휠체어를 탄 노인이 아니라 그보다 더 전, 타락이 그를 좀먹기 전의 아낙스와 닮았다. 아니, 닮은 정도가 아니다. 그 외엔 설명할 수가 없다.

그러나 지금 여기 테트라 아낙스가 있는 이상 아낙스는 존재할 수가 없었다.

"…맙소사. 엽기 변태 짓의 극치잖아? 아무리 아낙스가 그리웠어도 보통 이렇게까지 하냐? 동서고금의 변태들을 다 합쳐도 네놈 반도 못 따라갈 거다, 앙리 유이!"

아르곤은 항왜도를 역수로 잡고 만약의 사태에 대응하기 위해 전신의 긴장감을 끌어 올렸다.

그러나 저자는 아르곤의 존재에 대해서 전혀 눈길을 주지 않았다.

아르곤뿐만이 아니라 바로 눈앞에 있는 서린도 무시하고 오직 그 자신에게만 관심을 보이고 있었다.

"이상한 일이로군."

그것은 자신의 손을 들어 손가락 사이로 스쳐 지나가는 빛을 바라보며 중얼거렸다.

"어째서 내가 여기에 있을 수 있는가?"

하긴 의문을 품는 게 당연했다.

그 의문을 앙리 유이가 대답했다.

"그대는 아담카드몬이다."

"아담카드몬?"

강아담이던 것은 눈썹을 씰룩였다.

아담카드몬, 그것은 궁극의 인간이다.

지구상에 존재하는 생물의 유전자를 풀어보면 그 안에 무수히 많은 다른 생물이었던 흔적들이 남아 있는 것처럼……

인간의 영적 정보 밑에는 무수히 많은 영적 존재의 흔적이 남아 있다.

그 모든 걸 수렴하는 궁극의 존재, 최초로 지상에 선 인간이 바로 아담카드몬이다.

신에게 구원을 갈구할 필요 없이 이미 구원받은 온전한 존재, 모든 질문에 대한 답을 가지고 있으며 모든 비술과 마법에 통달하고 아담이라는 이름으로 성을 부여받았지만 사실 성별조차 초월한 존재일 거라고 마법사들은 말했다.

물론 아담카드몬은 지금까지 이론만 오갈 뿐 실재한 적이 없었다.

그 존재가 실재한 적이 없으니 아담카드몬은 자신의 진가를 증명해 본 일이 없다.

그러나 단지 허상일 뿐이라도 많은 마법사와 연금술사들을 매료시키기엔 충분했다.

세상의 답은 이성에 있으며 이성을 잉태하는 것은 인간이다. 온전한 이성을 집결시킴으로서 비의가 드러나리라!

많은 연금술사가 아담카드몬을 만들기 위해 막대한 희생을 치렀다.

돈과 재물, 심지어 목숨까지 바쳐가면서 무수히 많은 호문클루스나 마인을 만들었다.

저 실베스테르조차, 아마도 아담카드몬을 만들려다 나온 실패작인 것이다.

그렇지만 앙리 유이는 지금 여기에 자신이 아담카드몬을 만들었음을 선언했다.

"무수히 많은 사람을 희생시켜 가면서, 그리고 가장 아담카드몬에 가까웠던 타락 이전의 아낙스를 청사진으로 삼아서… 나는 아담카드몬을 만들어냈다."

앙리 유이는 자신이 이룬 위업을 자랑스러워했다.

눈앞에 있는 이것이 아담카드몬으로 되살아난 아낙스라면 앙리 유이는 그 위업을 자랑할 만하다.

그러나 과연 그러한가?

"…그게 당신의 변태 짓의 근원인가."

서린은 쓴웃음을 지으며 앙리 유이를 비웃었다.

"너무 저열해! 고작 그런 이유로 천 년을 넘게 살아오면서 이렇게 많은 사람을 죽였나! 앙리 유이!"

서린의 손이 AA—12를 잡고 앙리 유이를 겨누었다.

"네가 나에게 말할 처지는 아니지! 서린! 네놈이 방해했기 때문에 이렇게 할 수밖에 없었던 거다!"

앙리 유이 역시 사법의 힘을 전력 개방해 서린에 맞섰다.

그러나…….

충돌은 없었다.

"……."

"아."

제일 처음 이변을 느낀 건 서린이었다.

총의 방아쇠를 당기지 않았다.

앙리 유이 역시 마찬가지였다. 사법을 끌어 올리지도 않았다.

그들은 마치 약속이나 한 것처럼 서로서로를 공격하지 않았다. 그리고 그들을 지켜보고 있는 건 헤일로를 뿌리며 서 있는 아낙스.

"나는 그대들이 내 앞에서 싸우는 것을 허락하지 않았다."

아낙스는 그렇게 말했다.

그야말로 신이 하계의 미천한 벌레들에게 하명하는 것과 같았다.

"흐음, 그렇군. 이 몸은 아담카드몬인가? 과연. 확실히 과거의 어떤 기억이나 정보와는 다르군."

되살아난 아낙스는 그리 말하며 서린을 바라보았다.

"우선… 놀라운 일이군. 릴리쓰의 아들이여, 그대는 분명히 테트라 아낙스라는 존재를 먹어치우기 위해 만들어진 함정이지만… 테트라 아낙스는 이런 상황까지 예측하고 있었군."

"그래……."

서린은 고든을 흡수한 시점에서는 이 사실을 몰랐다.

그러나 그 후 다른 테트라 아낙스들을 통해 알게 되었다.

고든은 자신의 흡수가 역으로 먹힐 가능성도 계산하고 있었으며 그런 상황에서 오히려 리림의 힘과 육신을 흡수할 기회를 엿보기 위해 어느 계획을 세워두고 있었다는 사실을…….

그 계획의 방아쇠를 바로 앙리 유이가 쥐고 있다는 것까지도 알려주었다.

그런데 알고 있음에도 불구하고 당했다.

"여기에 오지 말았어야 했지. 하지만 그럼 그때마다 저놈이……."

서린은 앙리 유이를 손가락질했다.

"더 많은 사람을 죽일 테고, 죽이고, 죽이고 또 죽여 나갔을 것이다. 단지 내가 진정한 아낙스가 아니라는 이유만으로 계속 그것을 반복했을 테지."

앙리 유이가 사람을 죽이면 테트라 아낙스로서는 함정이라는 걸 알면서도 끌려올 수밖에 없었다.

"신념 때문에 몸소 전장에 나왔군. 과연 너는 고든이 아니구나, 서린."

아낙스는 서린의 선택을 듣고 그렇게 말했다.

이번에는 그가 앙리 유이를 돌아보았다.

"아담카드몬을 만들어내었다라… 그렇다면 그대는 과거의 나

보다 더 뛰어난 마법사란 말인가? 놀랍군, 확실히 그대는 나를 초월한 대마법사다."

"…아, 그걸 순순히 말해 버리나. 그런 건 말해주면 안 되지."

듣고 있던 아르곤이 한마디 했다.

앙리 유이가 아낙스에게 열등감을 터뜨리고 그에게 인정받고 싶어 한다는 건 알 만한 사람은 다 알고 있는 사실이다.

그 동기가 테트라 아낙스에게 반기를 들게 할 정도로 심각한 것이라는 걸 감안하면 이 동기를 바로 해소시켜 주는 것도 문제가 있다.

반에서 1등 하려고 열심히 하던 애가 정작 반에서 1등 해버리고 난 뒤 사실 인생엔 별반 변화가 없다는 걸 확인하게 되면 그다음은 마음 다잡기 더더욱 힘들어지는 것과 같다.

비유가 우스꽝스러울지 몰라도 천 년 이상 살아온 뱀파이어의 동기부여라는 걸 생각하면 절대 웃어넘길 일이 아니다.

"그런데 앙리 유이가 만들어낸, 자칭 아낙스라는 놈이 앙리 유이의 얼굴에 금칠을 하다니… 보고 있는 내 입장도 생각해 주시지. 삼류 포르노 영화의 스토리도 이것보다는 더 복잡한 만족감을 주도록 구성되어 있을걸……."

아낙스는 자신에게 다가오는 아르곤을 바라보았다. 아르곤 역시 항왜도를 잡고 능력을 끌어 올리고 있었다.

전의로 가득 차 있다. 그런 아르곤의 모습을 보며 아낙스는 손을 들어 보였다.

"진마 아르곤, 아직은 그대 차례가 아니다. 나는 이자에게 물어볼 게 더 남아 있어."

"아니. 난 참을 수 없어!"

아르곤은 앞으로 뛰어들며 좌완 정권을 찔러 넣었다.

냉기돌풍이 앞서 나가는 것과 동시에 아르곤의 발이 지면을 박찼다.

그러나…….

그다음 순간 아르곤은 자신이 움직이지 않고 있다는 걸 깨달았다.

"안됐군. 꽤 훌륭한 의지지만 그대 역시 움직이지 못한다."

"아?!"

아르곤이 미처 반응하기도 전에 아낙스의 손길이 아르곤의 옆구리에 닿았다.

빨랐나? 그렇지 않다. 반응할 시간은 충분했다.

그런데 마치… 주사기를 두려워하는 아이가 숨죽이면서도 결국엔 주사를 맞는 것처럼… 아르곤 역시 숨죽이며 이 느린 공격이 자신의 몸에 적중하는 걸 지켜봐야 했다.

우드드득!

"큭!"

아르곤의 늑골이 부러지고 어깨가 탈구되었다.

그럼에도 불구하고 아낙스의 손은 계속 아르곤의 몸 안으로 밀고 들어온다.

이래서야 마치 아르곤이 칼날에 몸을 밀고 스스로를 잘라 버리려 하는 것 같다.

아낙스의 손은 완만한 속도로 밀고 들어오는데 아르곤이 움직이지 않고 있으니… 간단히 미는 행동만으로도 몸이 부서진다.

"안 돼!"

그러나 그때 서린이 움직여 아르곤을 잡아당겼다.

간신히 아낙스의 공격 범위에서 아르곤이 빠져나왔다.

"…뭐, 어차피 나는 아직 앙리 유이에게 질문이 남아 있다. 지금 이건 시끄러우니 치우려 했을 뿐, 조용히만 하고 있다면 그 정도로 해두지."

아낙스는 그리 말하고 진마 아르곤의 피가 묻은 손을 털었다. 그리고 아무 일도 없었던 것처럼 다시 질문을 던지는 것이었다.

"그래서 그대가 원하는 건 뭐지, 앙리 유이?"

"……."

앙리 유이도 이제야 이 상황이 그에게 유리한 상황이 아니라는 걸 깨달았다.

그러나 아낙스는 호박색 눈을 빛내며 천천히 그에게 접근해 오고 있었다.

자카르타 시 중앙, 화교 거리를 휘감고 있던 사법 결계는 사라지고 커럽티드들이 일제히 붕괴해 쓰러지고 있었다.

서현과 실베스테르가 있는 공간에도 사법 결계가 사라지고 공간 왜곡과 정보 변이 또한 사라졌다. 통상 공간으로 돌아오자 실베스테르는 완전히 원래 컨디션을 되찾았다.

물론 마력이 완충된 상태에 비하면 별로 좋은 상태는 아니지만 죽음이나 존재의 소멸까지 각오했던 것에 비하면 천국에 온 것 같은 기분이다.

그러나 실베스테르는 기뻐할 수가 없었다.

"그 미친놈이 성공했나 보군."

앙리 유이의 의식이 성공한 게 분명하다. 그렇지 않으면 이렇게 쉽게 사법 결계가 풀릴 리 없다.

서린이 앙리 유이를 살해한다 하더라도 사법 결계는 남아서 그 독을 사방팔방에 뿌리는 게 정상이다.

말하자면 일단 한번 쇳가루의 비가 내리면 설령 그 뒤 비를 뿌리는 바람이 잠든다 해도 일단 뿌려진 쇳가루가 대기 중을 날며 사방팔방 더럽게 마련이다.

그러나 어떤 놈이 그 공기 중의 쇳가루를 전부 끌어모아 강철 선박을 만들겠다고 선언한다면?

당연히 그건 물리적으로 막대한 에너지를 소모하고, 그럴 바엔 그냥 제철소에서 철을 사다 만드는 게 빠르다.

다들 그의 말을 무시하고 그를 미친 자 취급 할 것이다.

그런데 어느 날 갑자기 하늘을 날아다니던 쇳가루 먼지가 일제히 사라지게 되면 이제 그 미친 소리도 매우 설득력 있게 다가오는 것이다.

이런 상황에서 공기가 깨끗해졌다고 기뻐할 수 있을까?

누군가가 사법 결계의 핵심인 사령, 외령을 다 영적 에너지로 치환해서 먹어버린 것이다.

"성공이라면 앙리 유이가? 그럴 리가."

서현은 앙리 유이가 하려는 짓이 얼마나 무모한 짓인지 잘 알고 있었다.

흑연을 압축시켜 인공다이아몬드로 만들듯, 사령과 외령, 각종 영적 에너지를 강아담이라는 일종의 형틀 안으로 집어넣어 아담카드몬으로 각성시키겠다.

이론상 가능하기는 하지만 현실적으로는 불가능하다.

아무리 사법 결계를 펼쳐 앙리 유이가 원하는 확률을 높이는 세계를 만들어내었다고 해도 그런 뽑기가 성공하려면 얼마나 많은 요소가 운 좋게 맞아 들어가야 할까?

'설령 다이아몬드까지는 뽑았다 하더라도 그게 과연 원하던 것일지는?

그리 생각하며 앞으로 걷던 서현은 곧 한세건과 만났다.

놀랍게도 한세건은 평상시 입던 방탄방검복을 꺼내 입고 있었다. 아무리 더워도 이걸 입는 게 저 끔찍한 뱀파이어들과 맨몸으로 상대하는 것보다는 낫다는 결론이 선 거겠지.

그렇지만 어디서 저 장비를 꺼냈나? 마법 부적인가?

사법 결계 안에서는 마법 부적이 제대로 작동하지 않았으리라는 걸 감안하면 정말 앙리 유이가 뭔가 성공하긴 한 모양이었다.

"…있었냐?"

"그럼 포기하고 집에 갔겠어?"

한세건은 그렇게 답하고 고개를 돌렸지만…….

부끄러워한다.

귀 끝까지 새빨개졌다.

'알기 쉽네. 누군가에게 처맞고 뻗어 있었었구나.'

그렇게 생각한 서현은 한세건을 위로하기 위해 말을 꺼냈다.

"원래 인간 새끼가 여기저기 처맞고 뻗는 건 흔히 있는 일이니까 그런 걸로 부끄러워할 필요는 없어. 그래도 자신이 수치스러워서 벌을 주고 싶다면 저기 가서 벽 보고 손 들고 서 있지그래?"

"…아가리 다물어라."

한세건은 물론 지금 자신의 처지를 부끄러워하고 있다.

헥토르에게 패하고 적이라 생각하고 있던 서린이나 아르곤에게 구조받은 것에서 자신의 무력함을 통감했다.

하지만 그렇다고 해서 서현에게 한 소리 들을 이유는 없었다.

"미안하군, 내가 지원을 해주지 못해서. 하다못해 헥토르와의 교전 경험에 대해서 전파했어야 하는데. 헥토르의 상성은 아그니와 마찬가지로 우리들에게 최악이니까."

실베스테르도 한세건에게 사과했다.

"어……?"

그 순간 한세건의 표정이 구겨졌다.

실베스테르가 미안하다고 순순히 사과할 작자가 아니라는 건 그간 실베스테르와 함께해 왔던 한세건이 가장 잘 알고 있었다.

그런데 그럼 지금 눈앞에 이건 누군가?

"뭐… 심경 변화가 조금 있었던 것 같아. 인간쓰레기 등급의 작자가 어느 날 갑자기 헛바람이 들어서 조금쯤 나아 보이는 것도 흔한 경우니까 그렇게 이상하게 여길 건 없잖아?"

"…이놈 주둥이가 꽤 거칠군. 샌딩 머신이나 대패로 밀면 좀 매끄러워질까?"

실베스테르도 자신을 도와준 서현을 보면서 으르렁거렸다. 하지만 서현 입장에서는 한세건이나 실베스테르나. 기껏 도와줘도 라이칸스로프니 서린의 형이니 하는 이유로 차별하는데 비뚤어지지 말라는 게 이상한 일이다.

"그보다 말이야……"

서현이 한세건에게 물어보았다.

"헥토르가 상대라면 널 살려두지 않았을 테지. 아르곤과 서린이 지나갔나?"

"그래. 그들은 날 살려두고 갔지. 대체 무슨 이유로 테트라 아낙스가 여기까지 온 거지?"

한세건은 그리 말하고 라이더 슈트를 입은 채로 몸을 움직여 보았다.

레이싱 슈트를 입기만 했을 뿐인데도 열기가 훅훅 뿜어져 나오고 땀이 배어 나온다.

솔직히 도저히 견딜 수 있는 상태가 아니다.

차라리 사이키델릭 문에 폐인이 되었을 때는 더위도 추위도 느껴지지 않았는데 그때가 그립다는 생각마저 들었다.

그런 한세건에게 서현이 손을 내밀었다.

"지속 냉각을 걸 수 있는데 어때? 살짝 걸면 얼어붙지 않고 오히려 냉각 효과를 얻어서 아무리 두꺼운 방호복을 입어도 버틸 만할 거야."

"…그런 게 가능하다고?"

순간 세건의 표정에 화색이 돌았다.

장비에 큰 영향을 받는 한세건으로서는 대량의 장비를 들고 다니지 못하게 하는 이곳의 폭염이 가장 큰 문제였다. 그런데 그걸 해결해 줄 수 있다니?

"나야 초상 능력 쇼핑센터지."

"아니, 가만… 그런 게 가능하면 진작 하지."

"누구 콧대가 하도 드세서 공짜로 가진 거 다 챙겨주고 싶지 아니하더이다? 대체 그게 누구 탓일까?"

"뭐? 그럼 지금 네놈은 내게 공치사를 듣고 싶어서 그러는 것이라고? 뭐가 더 중요한지 분간도 안 가냐?!"

"그래. 공치사 들어야겠다, 어쩔래. 아니면 폭염에 뱀파이어들에게 맨땅에 헤딩하듯 달려가다가 탈수로 쓰러지든가. 자기는 항상 뱀파이어들에게 난 무조건 너희들 조질 테니까 너희들이 알아서 내 심기 맞추라고 강짜 부리면서 이럴 때만 자기 편한 대로 굴지?"

서현과 한세건이 서로 으르렁거리기 시작하자 그걸 보던 실베스테르가 한마디 했다.

"사이가 좋군."

"어째서 결론이 그렇게……."

"…하긴, 좋은 주먹 놔두고 말로 싸우니까."

어쨌거나 지금은 한세건이 말한 대로 이런 걸 가지고 다툴 시간이 없다. 서현은 간단히 한세건에게 지속 냉각을 걸어주었다.

"내가 원하는 것……."

앙리 유이는 그 말을 되새기며 쓴웃음을 지었다.

어린 시절부터 앙리 유이에게는 거대한 길이 깔려 있었다.

생존을 위해서 악의 종사가 되는 길. 이 길을 따라가지 않으면 죽거나 목숨의 위협을 느끼기 때문에 어쩔 수 없이 그는 악의 종사가 되었다.

하지만 아낙스를 만났을 때 앙리는 자신이 부끄러웠다.

그는 저런 존재가 되고 싶었다. 자애롭고 강력하고 위대한 존재.

그래서 그는 아담카드몬을 만들어냄으로써 자신의 뜻을 이루었다. 이제 그는 명실상부하게 위대한 마법사다.

그러나 그 위대함은 그가 바라던 위대함과는 다르다.

'아아, 만들어놓고 보니 이게 아니었다… 라는 건 흔한 일이지.'

앙리 유이는 자신의 허기를 달랠 수 없다는 사실에 혀를 찼다. 자신의 상상력의 빈약함에, 자신의 천박함에 절망했다.

아낙스의 위대함은 그가 강력한 힘을 가지고 있음에도 고결했기에 가능한 일이었다.

앙리 유이는 그것을 직관적으로 이해하고 있었지만 그처럼 고결해질 수는 없었다.

하지만 일단 그 사실을 인정하면 저 아낙스를 컨트롤하기 힘들어질 가능성이 있었다.

우선은 서린을, 테트라 아낙스의 수장을 무력화시켜야 한다.

"신의 힘이지. 자, 아낙스… 해보지요. 우선 이 친구를 구해주시오."

"내가 그대의 말을 들어야 할 이유가……."

아낙스는 그리 말했지만 잠시 후 흠 하고 혀를 찼다.

마치 아무 생각 없이 집어삼켰던 음식에서 생선 가시를 발견한 것 같은 약간의 이물감이 그의 얼굴 위로 떠올랐다.

"반딧불이의 불빛처럼 흐릿한 사명감과 충성심, 애정이 남아있다만… 무시할 수가 없구나."

소년 강아담이 가지고 있던 앙리 유이에 대한 무한한 충성심이 반딧불이에 비교되었다.

그렇다고는 해도 아낙스의 가치관을 앙리 유이 쪽으로 기울게 하는 데는 그 반딧불이 하나로도 충분했다.

아낙스는 서린에게 손을 뻗었다.

"내가 이미 칠흑의 심연 안에 있으니 반딧불이의 불빛 정도면 충분한 동기가 되지!"

앙리 유이가 만들어낸 아담카드몬이 그 뜻에 따라 움직이기 시작했다.

"쳇!"

서린은 피할 수 있는 상황이 아니다.

이미 아낙스의 손길에 호된 중상을 입었던 아르곤이 대신 뛰어나와 서린의 앞을 막고 얼음벽을 만들어냈지만…….

퍽!

얼음벽이 간단히 깨지고 아르곤이 튕겨 나갔다.

하지만 아르곤은 튕겨 나가면서 서린을 한 팔로 끌어안고 그를 잡아당겨 무사히 아낙스의 공격에서 서린을 지켜냈다.

"…이런!"

그러나 서린의 품에서 부활절 달걀만 한 은색 구슬이 떨어져 내렸다.

챙!

바닥에 떨어졌던 은색 구슬이 아낙스의 손에 빨려 들어갔다.

"이것 말인가?"

아낙스가 그 구슬을 손톱으로 쓱 긋자 봉인이 풀리고 헥토르가 풀려났다.

"젠장."

서린이 분개해서 샷건을 겨누었지만… 여전히 쏠 수가 없다.

서린과 아르곤이 손도 못쓰고 우물쭈물하는 사이 봉인에서 헥토르가 깨어났다.

서린이 봉인했던 헥토르는 멍한 표정으로 봉인에서 깨어나 주위를 둘러보았다.

"내가 지금 환각을 보는 것인가?"

그의 눈앞에는 여전히 서린과 아르곤이 있었다.

그들과 싸워본 헥토르니까 단언할 수 있는 게 있다.

저놈들은 강하다. 어중간한 뱀파이어들은 어디 슈퍼볼 경기

장 가득 메울 정도로 있다고 해도 별 위협이 못 될 것이다.

그런데 어째 위축된 표정이다.

저것들을 위축시키는 건 불가능할 테니까 이건 환상일 게 분명하다.

"일어나라, 헥토르. 그대를 억누르는 숙명을 지금 바꾸어 주지."

아낙스는 그리 말하고 헥토르의 머리에 손을 얹었다.

귀족적인 성품을 가진 뱀파이어 헥토르는 누가 자신의 머리를 함부로 만지게 허락할 생각이 없었다.

'감히 나를 능멸하다니!'

그를 능멸한 적의 심장을 단번에 도려내려고 했는데… 정신을 차려보니 어느새 공손하게 손을 모으고 자신의 머리에 그가 손을 올리는 것을 받아들이고 있었다.

이것 역시 지금 이게 환상이라는 증거일 것이다.

"어라?"

마치 악몽 속에서 신체의 자유를 빼앗긴 것 같은 기분이다.

"자, 어떻게 할까?"

아낙스는 헥토르를 간단히 제압하고 앙리 유이를 돌아보았다.

"우선 그를 동면에서 해방시켜 줘. 그리고 흡혈 욕구도 제거하면 좋겠군."

"잠을 자지 않게 해달라? 알겠다."

아낙스는 앙리 유이의 말을 듣고 헥토르의 머리를 손으로 움켜쥐었다.

우득!

아낙스의 손톱이 헥토르의 피부를 찢고 이마를 파고들어 가는데도 헥토르는 억 하곤 신음성만 토할 뿐 꼼짝도 못 했다.

광기의 화신이라고 불릴 정도로 난폭하고, 위험한 능력을 갖추고 있는 진마가 어린아이처럼 무력하게 잡혀 있는 것을 보고 서린은 혀를 찼다.

"그대는 더 이상 생존을 위해 잠을 잘 필요가 없다."

아낙스가 선언했다.

"웃기지 마. 그게 그렇게 쉽게 해결될 리가 없잖아!"

너무나 놀라운 내용이라 헥토르가 고함을 빽 질렀다.

"이건 꿈이다! 악몽이야! 아… 그래!"

"더 이상 생존을 위해 인간의 피를 마실 필요도 없으며 더 이상 일광이 널 해칠 리도 없다. 이제 피를 마시면 네 식도 안에 상처가 난 게 아닐까 염려하여 네 몸이 먹은 걸 토해내게 할 것인즉 이는 사람과 같으니라."

아낙스는 헥토르가 거부를 하든 발광을 하든 개의치 않고 그렇게 선언하고 헥토르의 머리에 손톱을 박아 넣은 채 번쩍 치켜들었다.

"자… 그러면 이제 어떻게 하지?"

"놔줘."

앙리 유이가 말하자 아낙스는 흥 하고 콧김을 내뿜었다.

"밋밋하군. 그게 끝인가?"

"앞으로 계속 써먹으려고 동면을 못하게 막은 거야. 갖고 놀다 죽이려고 선물을 주는 게 아니란 말이지."

앙리 유이가 그렇게 말하자 아낙스는 헥토르를 앙리 유이에게 집어 던졌다. 헥토르가 두 발로 지면을 짚으며 허우적거리며 걸어와 앙리 유이에게 부딪혔다.

"크억……."

낭패를 본 헥토르는 수치심으로 얼굴이 시뻘게졌지만… 감히 아낙스를 쳐다보지도 못했다.

격이 다른 존재라는 걸 피부에 꽂힌 바늘처럼 선명하게 느낄 수밖에 없었기 때문이다.

"마… 맙소사. 이, 이게 앙리 유이 당신이 만든 건가? 이런 걸 만들려고 한 건가?!"

"내가 말했지? 신을 강림시키겠다고. 저건 걸어 다니는 기적의 권화(權化)다. 자, 그럼 확인해 볼까?"

앙리 유이는 그리 말하고 손을 풀장으로 향했다.

"동면을 하는지 안 하는지 확인하기 힘들지만 대신 이걸로 확인해 보면 되겠지!"

주상복합의 최상층 플로어에는 거품 목욕용 욕조와 비정형 형태의 풀장이 있었는데 풀장 안에는 물 대신 시체가 잔뜩 버려져 있었다.

그중 사람의 손목, 핏덩이가 굳어 있는 손목이 앙리 유이의 손으로 빨려들듯 날아왔다.

앙리 유이가 그걸 헥토르에게 던지자 헥토르는 반신반의하면서 손을 받았다.

"방금 봉인에서 풀려난 탓인지, 아니면 아낙스의 말 때문인지 정말 역겹게 보여."

"그래도 테스트해 봐."

"적도 눈앞에 있는데, 음······."

헥토르는 심호흡을 하고 마음을 가다듬은 뒤 잘린 손목을 물어뜯었다.

"컥··· 이럴 수가."

역한 피 냄새 때문에 구역질이 나서 견딜 수 없다.

본래 피와 생명이 가지는 달짝지근한 향기를 좋아하던 헥토르였다.

필요 이상으로 피를 탐닉하던 그인데 좀 신선도가 떨어졌기로서니 피를 입에 대지도 못하다니?

아낙스가 단지 손을 댄 것만으로 그를 이렇게 변화시켰단 말인가?

"이봐, 변태 짓도 작작 하지. 대체 그것의 어디가 아낙스인 거야?"

보고 있던 서린이 참지 못하고 입을 열었다.

"아담카드몬! 너는 기억이 없고 자아가 없다. 그런 너에게 자아를 불어넣기 위해서 저놈은 자신의 이상적인 아낙스를 너에게 투영시켰을 뿐이야. 너는 진짜 아낙스가 아니다."

"그건 알고 있다."

아낙스는 당연하다는 듯 답했다.

자신의 자아를 부정하는 말을 듣고도 저렇게 담백한 반응이라니! 하지만 아담카드몬의 특수성 때문일까? 그는 고민하지 않고 역으로 물었다.

"그럼 너는 진정한 아낙스인가?"

아담카드몬 아낙스가 그렇게 물어보았다.

"그래, 저것은 타락한 당신의 그림자일 뿐이다. 보기 역겨우니 빨리 제거하는 게 좋겠지."

앙리 유이가 그렇게 말했다.

아마도 지금까지 그가 테트라 아낙스에게 느끼고 있던 감정을 여과 없이 드러낸 것이리라.

서린은 그 반응에 쓴웃음을 지으며 말했다.

"내가 당신의 타락한 그림자라기보다는 저것이 타락한 이상의 그림자겠지."

"타락?"

"그래. 역시 앙리 유이의 망상으로 만들어져서 아직 그런 것까지는 모르는 모양이군."

아담카드몬이라 해도 서린의 대답이나 반응에서 정보를 갈구하고 있다. 이건 매우 좋은 징조다.

만약 서린이 말로 할 필요도 없이 그가 과거의 기억들이나 생각을 다 읽어내서 자신의 것으로 바꿀 수 있었다면 이런 질문을 던지지 않았을 것이다.

그렇다면 과연 서린은 이 상황을 타개하기 위해 어떻게 할 것인가?

'일단은 피해야겠군.'

상대가 회화에 뭔가 기대를 걸고 있다면 적극적으로 공격해 올 리는 없다. 괜히 여기서 상대의 능력의 한계도 모르는 상황에서 공격하기보다는 내버려 두면 알아서 자연히 정리될 것이다.

앙리 유이가 과거 아낙스와 접촉해서 불화를 일으켰던 것은 앙리 유이가 기본적으로 1등이 아니면 견딜 수 없는 체질이기 때문이다.

자신보다 우월한 존재가 있으면 화를 내는 인간이 자신보다 우월한 존재를 만들어서 남에게 자신을 인정하게 하겠다니?

전형적인 주객전도라고 할 수 있었다.

이런 녀석은 그냥 내버려 두면 알아서 서로서로 마찰을 일으키고 정리되게 되어 있다.

서로의 틈이 벌어질 때까지 시간을 끌면 될 것을 여기서 육탄전을 벌이는 건 자살행위다.

아르곤과 함께 호흡을 맞춰서 이 자리를 피하고 좀 더 상황을 컨트롤해야겠다.

그러나…….

'뭐지? 피하려 하는 것도 잘 안 되나?'

피하려고 마음먹는 것도 잘되지 않는다. 이성적으로 서린은 이 자리를 피하고, 아르곤과 함께 다음의 기회를 노리기로 결정했는데 그 결정을 행동으로 옮기는 순간만이 마치 비디오테이프에서 지워진 장면처럼 빠져 있었다.

아낙스가 그에게 지금 이 자리에 있을 것을 강요하고 있는 것이다.

"타락이란 무엇이지? 왜 그대는 나와 동일한 영적인 흐름을 가지고 있는 건가?"

"왜냐면 나 역시 아낙스이기 때문이지. 과거 아낙스는 더 많은 뱀파이어를 지키고 효과적으로 늘어나는 정보를 제어하기 위해서 자신을 복제했다! 문제는… 아낙스가 지니는 특수성은 단순한 혈인 능력이라고 생각할 수 있는 게 아니었던 것이지."

아낙스 자신을 복제하거나 혈족을 늘리려는 시도는 실패했다.

복제를 해도 복제된 것은 압도적인 정보 능력의 홍수에 의해 자아가 형성되지 못하고 미쳐 버린 것이다.

자아가 형성된 자들도 아낙스의 능력을 일부분이라도 받으면 미쳐 버렸다.

이런 상황에서 아낙스는 자신의 머리를 쪼개는 걸 선택했다.

스스로 타락해서 테트라 아낙스라는 존재로 변이되고 나서야 아낙스는 일반적인 뱀파이어처럼 혈족을 만들고 자신을 늘일 수 있었다.

그래서 타락으로 태어난 네 마리 뱀 중 주인 격인 고든이 서린에게 흡수되면서 서린은 새로운 테트라 아낙스의 수장이 되었다.

"그런데 이제 와서 이전의 아낙스라니… 기분 나쁘군."

"왜 기분이 나쁘지?"

아낙스가 되물어보았다.

"너는 릴리쓰가 안배한 함정이다. 아낙스를 집어삼키고 그 역할을 대행하도록 만들어진. 네 존재가 아낙스에게도 불쾌하리라고는 생각지 않나?"

그렇게 말하던 아낙스의 눈이 변했다. 호박색 눈동자가 일그러지며 일렁이는 불길이 그 내면에서 겉으로 뿜어져 나왔다.

"이런… 말하고 보니 진짜 혐오스럽군. 릴리쓰의 자식……."

스스로 아낙스라고 인지하고 있는 그가 서린을 증오해야 할 이유를 말하고 나니 진심으로 서린을 증오하게 된 것이다.

이런 상황을 피해야 할 텐데…….

저 아담카드몬─아낙스를 상대로는 피하는 것조차 여의치 않다.

그런데 바로 그 순간이었다.

취이이이익.

마치 독사가 위협하는 듯한 소리와 함께 도폭선과 은사가 동시에 춤추며 주상복합건물 최상층의 수영장, 가림막을 지탱하는 기둥들에 감겼다.

은사에는 TNT 바가 매달려 있고 도폭선은 그 은사에 감겨서 TNT를 언제든지 점화할 수 있게 되어 있다.

이것들이 마치 사방팔방에서 조여오는 그물처럼 아담카드몬 아낙스와 서린, 그리고 앙리 유이와 헥토르를 휘감았다.

"흡!"

"하지 마!"

헥토르가 반사적으로 전광을 발하려 하자 앙리 유이가 그를 말렸다.

여기서 전기 아크 방출을 일으키면 대폭발이 일어나 모두 휩쓸린다. 아담카드몬 아낙스라면 뭔가 할 수 있을 것이다.

그러나…….

아담카드몬 아낙스에게 뭔가가 명중했다.

퍽!

12게이지 슬러그 탄과 12게이지 스턴 셸, 전기 충격으로 무력화를 노리는 탄이 반반씩 섞여서 폭풍처럼 쏟아졌다.

서현이 드럼탄창이 장착된 USAS—12를 들고 약 20여 미터 높이를 날아들면서 상공에서 공격을 가한 것이다.

"윽… 형?! 어떻게 공격할 수 있는 거야?"

아담카드몬 아낙스에게 아무렇지도 않게 공격을 가하는 서현을 보며 서린은 기겁했다.

그나 아르곤이나 손도 발도 못 쓰던 상대에게 통상 공격을 가하다니?

"펑!"

서현이 입으로 고함을 지르자 도폭선과 은사가 일제히 벽을 세우고 밀려들면서 뱀파이어들을 덮치고 폭발했다.

그야말로 대폭발이었다. 하지만 그게 끝이 아니다.

한세건과 실베스테르가 모습을 드러냈다.

실베스테르는 수류탄들을 뭉텅이로 던지고 한세건은 20㎜ 그레네이드 런처를 연거푸 발사해 먼지가 가라앉지 않은 건물 정중앙으로 쏘아 넣었다.

"펑이 뭐냐, 펑이……."

그레네이드 런처의 탄창을 교체하면서 한세건이 투덜거렸다.

"폭파시키라고 말하는 것보다 훨씬 빠른, 간략화된 의사 전달 방법이었다만?"

판초우의를 펼쳐 흙먼지와 폭풍을 막아내고 반대편에 착지한 서현이 그리 말하며 한 손을 눈 밑에 가져다 대었다.

적외선 시각, 먼지와 폭풍을 뚫고 안을 투사해 보기 위한 기술이다.

그러나 현재 자카르타 시내의 온도가 35도에 달하기 때문에 별 효과가 없다.

폭탄들이 연거푸 터져서 기온이 확 솟구친 것도 물론이다.

"그렇게 말해도 스스로 부끄럽겠지. 앞으로 평생 이불이나 펑~ 펑~ 차라."

한세건은 서현이 적외선 시각으로 안을 보든 말든 다짜고짜 그레네이드를 펑~ 펑~ 쏟아부었다.

수영장 바닥이 붕괴되고 안쪽으로 건물이 허물어져 쓰러지기 시작한다.

"나 참……."

실베스테르는 한숨을 내쉬고 인근 건물 외벽을 세이버로 후려쳤다.

철근 콘크리트 기둥을 칼로 치는 건 값비싼 칼을 못 쓰게 만드는 바보짓이지만 실베스테르의 손에 들린 검이 은백색으로 빛나며 깔끔하게 철근 콘크리트 골조를 절단했다.

실베스테르는 한 손으로 철근 콘크리트 골조를 잡고 다른 한 손으로 은사를 조작해 철근 콘크리트 골조의 방향을 조절해 폭발로 가라앉은 흙먼지 한복판으로 철근 콘크리트의 창을 집어 던졌다.

격렬한 마력과 체력 소모로 실베스테르의 몸에서 빛이 현란하게 번쩍인다.

'남이 기껏 채워놔 주니까 막 쓰는데…….'

서현은 그 모습을 보고 약간 기분이 상했지만… 결과적으로 적들에 대한 효과적인 공격이 되니 뭐라 하기도 그렇다.

그런데 지금 저 한복판에 서린도 있지 않나?

서현에게 있어서 서린은 동생이긴 하지만 말 몇 마디 제대로 섞지 않은 녀석이다.

어린 시절엔 자신의 가혹한 운명에 비해 혼자서 사랑받으면서 사람답게 자란 그 녀석을 원망하기도 했었지만…….

마음의 어둠이 걷히고 나서 생각해 보니 자신과 피를 나눈 존재가 이 세상에 있다는 것만으로도 축복이라는 걸 알게 된 것이다.

자신과 생각이 다르고 삶의 방향이 다른 녀석을 보면서 운명과 삶에 대한 상상의 폭이 넓어진다.

'저 녀석과 내 위치가 바뀌었다면…….'

그런 상상만으로도 삶의 폭이 넓어진다는 것이다.

어린 시절에는 그게 마음의 어둠을 쌓는 원흉이 되었지만 다 지나고 보니 그것조차 고맙다.

상상력을 자극해 주었기 때문에 고맙다. 이 세상에 혼자가 아니라는 감정을 조금이라도 주어서 고맙다.

저 먼 하늘 아래에 나와 같은 피, 나와 다른 삶을 지닌 존재를 상상하는 시간을 조금이라도 주어서 고맙다.

그런 상상이라도 하지 않았다면 죽고 죽이는 전장에서 서현의 영혼이 너무나 쉽게 마모되었을 테니까.

"아… 뭐, 괜찮으려나?"

그래도 서린이 설마 이거 맞고 죽진 않겠지.

명색이 테트라 아낙스고 릴리쓰의 자식인데.

쿠르르릉…….

아르곤과 서린은 쇼핑센터가 무너지며 계속 밑의 층, 밑의 층으로 떨어지고 있었다.

위에서는 가차 없이 폭발물들이 쏟아지며 계속 터지는데 그것 때문에 정신을 차릴 수가 없었다.

신년 불꽃놀이 한복판에 떠다니면 이런 기분일까?

사방팔방에서 폭발물이 터지니 방어 능력을 최대한 전개해서 거북이 등껍질에 들어간 상태를 유지할 수밖에 없었다.

"잘하긴 하는데 가차 없네. 형제간의 정이 별로 없구나?"

아르곤은 고정 결계를 펼쳐 사방팔방에서 쏟아지는 공격을 막아내며 서린에게 말했다.

서린이 있는 걸 알고 있으면서도 가차 없이 공격해 대는 헌터 중에 서린의 형 서현이 있기 때문에 이런 의문을 품는 건 당연하다.

"아니, 뭐… 이 정도 해주는 것만도 고맙죠, 뭐. 어설프게 공격하면 '날 신경 쓰지 말고 공격해!'라고 외쳐야 할 판이잖아요. 하… 그래도 진짜 그런 대사 한번 쳐보고 싶다. 어째 이 동네 사람들은 다들 막장이야. 가차 없이 펑펑펑~ 쏴대는데… 너무하네, 너무해."

기뻐하는 건지 체념하는 건지 모를 태도로 서린이 중얼거리며 한숨을 내쉬었다.

온 세상 부귀공명을 다 누리고 원하면 손가락 하나로 개미 투자자들을 싹 털어먹을 수 있는 테트라 아낙스가 불쌍해 보이는 것도 참 신기한 일이다.

"한세건하고도 한솥밥 먹었는데……."

"세건 형은 원래 그래요. 친한 사이이면 친한 사이일수록 그 자가 뱀파이어가 되면 가장 잔혹한 방법으로 죽이려고 할걸요. 읍참마속은 전 인류의 필수 교양이라고 믿는 사람이라."

"읍참마속이 전 인류의 필수 교양? 그렇게 말하는 건 네가 한세건에게 어쨌든 꽤 인사이드에 있는 인물이라는 자신감이 있다는 거네?"

"그럼요. 세건 형은 친구가 적거든요."

"…나라면 너 같은 친구가 매우 싫을 것 같다만. 차라리 없고 말지."

"에이, 왜 그러실까. 새삼스럽게."

서린이 그렇게 말하자 아르곤은 왠지 꺼림칙해져서 화제를 돌렸다.

"그나저나 괜찮은 거야, 저 아낙스라는 건? 손도 발도 못 쓰겠던데. 진짜 사전적 의미로."

"안 괜찮습니다. 대단히."

서린은 정색을 하며 말했다.

방금 전까지 쾌활한 태도로 말하고 있었지만 지금 상황이 역사상 유례없는 핀치인 것만은 분명하다.

"왜?"

"고든을 제가 흡수했을 때부터 알고는 있었지만 고든은 제게 흡수당하는 상황도 나름 대비하고 있었어요. 저 아담카드몬 아낙스는 일단 앙리 유이가 기억하고 있는 아낙스의 의식을 따르고 있지만 저와의 접촉으로 고든의 기억, 의지도 물려받을 거예요. 그렇게 되면 곤란합니다."

"왜?"

"왜라는 말밖에 할 수 없어요? 조금쯤은 스스로 생각해 보세요."

"아… 미안, 풍선껌이 떨어져서. 금단증상으로 머리가 잘 안 돌아가."

아르곤은 그렇게 말하고 이 상황에서도 풍선껌을 입에 털어 넣었다.

우스꽝스러워 보이지만 풍선껌은 실제로 아르곤이 흡혈 욕구를 다스리는 데 있어서 지대한 공헌을 하는 기호품이다.

"자… 머리가 돌아요?"

"아니, 잠깐!"

그 순간 아르곤은 머리 위에서 거대한 콘크리트 기둥이 떨어지는 걸 보고 서린을 붙잡고 빙글 몸을 돌렸다. 고정 결계로 막기엔 너무나 크다.

쿠웅!

콘크리트 기둥이 플로어를 뚫으며 건물이 중앙으로 무너지기 시작한다.

이제 이 건물은 얼마 버티지 못할 거다.

무너지기 시작하는 건물에서 실베스테르는 인근 오피스텔로 뛰어 들어가 유리창을 부수고 착지함과 동시에 몸을 돌려 바렛 라이플을 겨누었다.

붕괴하는 건물로부터 흙먼지가 피어올라 시야를 가리지만 그는 침착하게 조준을 하면서 서현과 한세건을 호출했다.

"무사한가?"

―네.

―예.

둘 다 무사히 대답했다.

"상대가 뭐든 이걸로 죽지는 않았을 거다."

―…그렇게는 생각하지만.

서현의 반응은 시큰둥했다.

동생인 서린이 있는데도 불구하고 무차별 폭약 드롭을 해서 기분이 나쁜 모양이다.

냉혹한 라이칸스로프 용병 출신이라고 들었는데 그래서일까.

감수성은 되레 더 예민한 것 같다. 별로 챙길 이유가 없는 동생도 저렇게 챙기다니.

하지만 그렇다고 딱히 항명하거나 수를 쓰지 않는 걸 보면 상당히 믿음직한 동료다. 실베스테르는 그리 생각하고 쓴웃음을 지었다.

라이칸스로프 놈에게 이렇게나 도움받을 줄이야.

서현을 이쪽으로 보낸 것은 서린이지만 확실히 고마운 일이다.

서현의 도움이 없었다면 여기까지 오지도 못했을 거다.

'그래서 걱정이군.'

테트라 아낙스가 아무 의미도 없이 그런 행동을 했을 리는 없다. 틀림없이 뭔가 생각해 둔 게 있으니까 서현을 이쪽으로 보낸 거겠지.

서현의 능력이 정말 출중하니 많은 도움이 되지만 그렇다고 너무 의존해서는 안 될 것이다.

그런데…….

바지지지직!

무너지는 건물 한복판에서 아크방전이 일어나기 시작했다.

"이런!"

실베스테르는 즉시 오피스텔 건물의 기둥 뒤로 몸을 피신시켰지만…….

콰아아앙!

마치 열압 탄두 벙커버스터라도 떨어진 듯한 대폭염이 천지를 진동시켰다.

먼지들 때문에 아크방전이 먼지와 먼지들을 따라 타고 흐르며 마치 가시 세운 고슴도치처럼 전 방향에 전기불꽃이 튀고 분진폭발을 일으킨 것이다.

공중의 먼지가 급격히 산화하면서 일제히 폭발하다니……!

―크악!

―젠장!

한세건과 서현의 비명 소리가 무전에 섞여 들어왔다.

공중의 먼지가 급격히 산화하면서 대폭발이 일어난 것이다.

실베스테르도 고막이 터질 지경이라 양손으로 귀를 막고 충격에 버티면서 눈을 감았다.

"흐음."

아담카드몬 아낙스는 자신의 손을 들어 보이고 주위를 둘러보았다.

분진폭발을 일으킨 덕분에 주위의 건물은 깨끗하게 날아가 있고 그를 중심으로 분화구가 형성되어 있었다.

아크방전을 일으킨 것은 헥토르가 아니라 그였던 것이다.

"순간의 실수로 제거하고 싶었지만… 참 놀랍군. 역시 손을 댈 수가 없나? 고작 이 정도 애정 때문에?"

앙리 유이와 헥토르는 아담카드몬 아낙스가 보호해서 무사했다. 이 폭풍 속에서 그냥 내버려 두기만 했어도 엄청난 타격을 입힐 수 있었을 텐데… 아담카드몬 아낙스는 앙리 유이를 해칠 수가 없었다.

앙리 유이를 엄청나게 아끼고 사랑해서가 아니다. 그저 앙리 유이를 제외한 다른 것들을 너무나 무가치하게 보고 있기 때문이었다.

"……."

앙리 유이는 아담카드몬 아낙스가 무슨 짓을 했는지 깨닫고 혀를 찼다.

아담카드몬의 완성이라는 위대한 위업을 달성했다는 기쁨도 유리 테이블 위로 녹아 미끄러지는 얼음 한 조각처럼 빠르게 스쳐 지나가고, 남는 건 불쾌감이다.

과거 아낙스가 그러했을 때처럼 역시 앙리 유이는 자신을 초월하는 존재를 용납할 수 없었다.

게다가 그것이 자신의 목숨을 해칠 수 있을지 없을지 시험해 보는 것은 더더욱 불쾌하다.

물론 앙리 유이는 저 아담카드몬 아낙스의 안, 정확히는 그 그릇인 강아담에게 제어용 장치를 여럿 삽입해 두었다.

주문 한 번이면 한 줌 핏물로 만들 수도 있고, 이성을 빼앗을 수도 있고, 심지어 그의 육체에 자신의 영혼을 투사해서 융합할 수도 있다.

아담카드몬의 육체를 빼앗아 아담카드몬—앙리 유이가 될 수도 있는 것이다.

'하지만 실수로군.'

조금 전 테트라 아낙스나 아르곤이 허우적거렸던 걸 볼 때,

아담카드몬에게 아예 공격의 마음조차 못 먹게 하는, 결의를 흐트러뜨리는 능력이 있음에 분명하다.

즉 앙리 유이가 장치한 함정을 발동시키려 하는 마음 그 자체를 파괴해 버리면 앙리 유이 역시 손도 발도 못 쓴다.

기껏 준비한 함정이 무용지물이 되는 것이다.

"얼른 테트라 아낙스와 아르곤을 내 앞에 죽여놓으시지. 한 번만 더 쓸데없는 짓을 하면……."

앙리 유이는 이 상황에서도 허세를 떨었다.

그 모습을 보며 아담카드몬 아낙스의 입가에 부드러운 미소가 걸렸다. 분명히 과거 아낙스가 종종 앙리 유이에게 보였던 미소였다.

'가련하고 성급한 제자야…….'

앙리 유이의 머릿속에서 아낙스의 목소리가 재생되었다.

"가련하고 성급한 자로군. 뭐, 좋아. 그런 게 소망이라면……."

아담카드몬은 흙먼지와 폭염 속에서도 굳건하게 몸을 지켜낸 아르곤을 바라보았다.

아르곤과 서린은 아르곤의 방어 능력으로 이 폭염을 견뎌냈지만… 여전히 아담카드몬 아낙스에게 손도 발도 쓸 수 없었다.

"와, 어떻게 하나? 이런 성격의 능력은 처음 보는데……. 뭔가 해봐, 서린! 이렇게 허망하게 죽을 수는 없어! 아직 못 해본 게임도 많은데!"

"…텔레파시 계열이라기보다는 확률 변동형 능력이라 방어할 수가 없어요!"

"네 형이랑 한세건은 잘도 공격했잖아? 거기서 뭔가 실마리는 없어?"

"아마도 VT인자가 있으면 잘 걸리는 것 같은데요? VT인자나 아담카드몬이나 근본을 따지면 외령의 정보라서……."

"…아, 싫다. 이거 완전 사기잖아. 사나이끼리 호쾌하게 치고 받다 힘이 다해서 쓰러져도 억울할 판에 이건 뭐 일방적으로 샌드백이니… 야, 앙리 유이. 지금이라도 편 바꾸면 안 될까?"

아르곤이 울상을 지었다.

"내 쪽에 오겠다고?"

앙리 유이는 넉살도 좋은 아르곤의 태도에 기막혀했다.

"허튼소리하지 마라! 저 녀석은 안 돼!"

헥토르가 노성을 내뱉었다.

그러자 아르곤이 풍선껌을 후욱 불면서 피식 웃었다.

"당연히 농담이지 뭘 진지하게 받아들여. 야, 아담카드몬 아낙스인지 뭔지 할 테면 해보라고."

아르곤은 그렇게 말하고 쓱 걸음을 바꾸어 서린의 뒤에 숨었다. 서린보다 덩치도 크면서.

"우리 테트라 아낙스 님이 널 때려눕혀 줄 거야……."

"뭐 하시는 거예요?"

서린이 당황했다. 아르곤의 반응이 무슨 조울증 환자 같다.

너무나 표변한 덕분에 아담카드몬 아낙스도 손을 쓰지 않고 당황해서 아르곤의 반응을 지켜볼 정도였다. 갑자기 미친 게 아닐까 걱정될 정도였다.

원래부터 아르곤이 좀 권위 의식이 너무 없어서 돌발 행동을 취하곤 했지만 이건 도가 지나쳤다.

"쉬잇."

그때 아르곤이 손가락을 들어 입을 가로막았다. 조용히 하라고?

쉬익!

아담카드몬 아낙스를 향해 다시 샷건의 폭풍이 쏟아졌다.

판초우의로 몸을 감싼 서현이 건물의 잔해를 뛰어넘으며 USAS—12를 퍼부어댄 것이다.

"분진폭발 정도로 다 잡은 걸로 생각하면 큰코다치지!"

서현의 총격에 아담카드몬 아낙스가 아크방전을 일으켰다.

뇌광이 샷건 탄을 녹이며 서현을 덮쳤지만…….

바지지직!

서현은 판초우의를 지면에 박고 전기를 흘려 버린 뒤 한세건 이 쓰던 싸구려 일본도들을 손가락 사이에 낀 채 무슨 다트라도 되는 양 집어 던졌다.

아담카드몬 아낙스가 그것을 피해냈지만…….

바지지직!

이번엔 서현에게서 전기 아크가 튀면서 아담카드몬 아낙스를 공격했다. 아담카드몬 아낙스의 주위로 일본도가 지나갈 때 전 기 아크 방출을 한 것이다.

"음?!"

아낙스는 전기 아크에 명중당하고 당혹스러워했다.

치명상은 아니지만 전신을 엄습하는 고통, 그리고 자신을 조롱하는 듯한 공격 구성이 그에게 혼란을 주었다.

이 당혹감이 또한 이제 막 각성한 그에게는, 그리고 생전의 아낙스에게는 생경한 감정이라 또 그게 당혹스럽다.

"저놈은 뭐야?!"

헥토르도 자신의 혈인 능력을 아무렇지도 않게 에뮬레이트하는 서현의 모습에 기겁했다.

"이런……."

하지만 그런 헥토르의 앞에는 어느새 접근해 온 아르곤이 있었다.

"넌 나랑 놀까?"

"웃기지 마라, 천박한 야만인!"

투콱!

아르곤의 어퍼컷, 3쿼터 훅이 헥토르의 머리통을 날려 버리고 하단 로우킥이 두 다리를 성둥 잘라 버렸다.

그리고 공중에 떠오른 헥토르의 몸을 항왜도가 수직으로 일도양단!

그리고 아르곤의 동결 능력이 작동해 헥토르의 몸을 단면부터 얼려서 재생을 방해한다.

깔끔하면서도 치명적인 위력이다.

헥토르라면 직접 전투 능력에선 정말 적수가 없을 정도의 뱀파이어인데도 근접전이 되면 어른과 아이 수준의 차이가 난다.

게다가… 이미 아르곤의 손에는 AA—12가 들려 있었다. 항왜도를 휘두르면서 반대편 손으로 서린이 떨어뜨린 AA—12를 집어 든 것이다.

"아담카드몬은 쏠 수 없어도 너희는 상대할 수 있군."

아르곤의 손에서 불을 뿜는 샷건이 앙리 유이의 무릎관절에 명중했다.

'뭐야?!'

한편 아담카드몬 아낙스를 상대하던 서현은 기겁했다.

아담카드몬 아낙스는 힐끔 고개를 돌리나 싶더니만 왼손 하나로 어퍼컷, 3쿼터 훅을 번개같이 날렸다.

서현이 그걸 뒤로 물러나 피하는 순간 하단 로우킥이 날아온다.

이것도 서현은 다리를 들어서 피해냈다. 그러나 그걸 피하는 것과 동시에 없던 칼날이 나타나 아래에서 위로 서현을 베었다. 한 치 정도 깊이로 턱 중앙과 코끝이 베였다.

그리고 이번에는 있을 리 없는 샷건, AA—12가 아담카드몬 아낙스의 손에 나타났다.

"흡!"

서현도 USAS—12를 앞으로 겨눴다.

누가 먼저라 할 것도 없이 서로 동시에 방아쇠를 당겼다!

투콱!

서현의 공격은 AA—12의 드럼탄창에 맞아 사격을 정지시켰고 아담카드몬의 공격 역시 서현이 들고 있는 USAS—12의 드럼탄창에 맞았다.

마치 서로서로 거울상처럼 똑같은 자세로 쏜 결과다.

'뭐 이런……'

공격 자체는 어떻게 다 상쇄시키긴 했지만 겁이 덜컥 났다.

이건 방금 전 아르곤이 펼친 공격이 아닌가?

그걸 보는 순간 바로 자신의 것으로 만들다니?

단순히 지금 보고 임기응변으로 흉내 내었다고 하기엔 완성도가 예사롭지 않다.

그럼 이 녀석과 싸우면서 빠르게 승부를 이쪽으로 가져오지 않으면 이 녀석은 아르곤이나 서현의 공격을 보고 자신의 능력을 계속 늘려 나갈 게 아닌가?

게다가 어떻게 된 건지 없던 무기도 만들어내는 능력이 두렵다.

'정말 이 정도면 신이라고 해도 이상하지 않겠군. 릴리쓰처럼 육신 없이 떠돌아다니는 외령이기만 해도 골치 아픈데 육신을 입고 인간처럼 활동하는 놈에게 이 정도의 힘이 있다니!'

서현은 왼눈을 감고 붉은 눈만으로 아담카드몬 아낙스를 바라보았다.

릴리쓰와 유사한 막강한 외령의 힘이 아담카드몬 아낙스를 휘감은 채 하늘로 승천하고 있었다.

그야말로 거대한 화산이 눈앞에 펼쳐져 있었다.

이 존재감, 위압감은 신을 참칭한다 해도 부끄러울 게 없으며 실제로 이것은 걸어 다니는 기적의 권화다. 뱀파이어인 헥토르에게 수면과 흡혈욕을 제거했고 아마 죽은 사람도 살릴 수 있을 것이다.

못하는 게 거의 없겠지.

'그러고 보니 이 녀석, 아까 전에 총탄도 맞았는데 흠집도 안 남았네? 이거 참, 테트라 아낙스는 귀여운 수준이로군.'

과거에 보았던 그 어떤 강적보다도 비교할 수 없는 강적이다.

서현이 투쟁에 굶주려 있는 광전사라면 이런 상황이 기쁠지도 모르겠지만 지금 상황은 전혀 기쁘지 않았다.

"경이롭고 또 경이롭구나, 릴리쓰의 아들이여."

"너도 경이로울 정도로 시건방지구나, 아담카드몬."

서현은 아담카드몬 아낙스가 자신을 치하하는 말을 들은 체 만 체하며 뛰어들었다.

이 녀석은 주위의 정보를 흡수해, 혹은 자신의 안에 잠들어 있던 정보를 일깨워 계속해서 힘을 늘려 나갈 것이다.

그렇다고 그게 두려워서 어중간하게 공격하느니 이 순간 빠르게 처단하는 게 나으리라.

그리 생각한 서현은 앞으로 뛰어들며 아담카드몬 아낙스에게 주먹을 날렸다. 마치 야구 선수의 투구 폼 같은, 그 어떤 체계적인 격투기에서도 용납 못 할 막주먹을 휘두르다니?

깜짝 놀란 아낙스가 뒤로 피하는 순간, 서현이 아까 던져두었던 전기 아크 유도용 일본도들이 아낙스를 뒤에서 찔렀다.

"아……."

그와 동시에 서현의 자세가 일변했다.

야구 선수처럼 크게 휘두르던 공격이 스텝을 바꾸어서 한 걸음 앞으로 내디디며 창을 찌르듯 깨끗한 일직선 공격으로 변화했다.

뻗어오는 거리도 장난이 아니다. 거의 2미터 정도 리치가 쑥늘어났다.

투칵!

서현의 일장이 아담카드몬 아낙스의 얼굴에 꽂혔다.

이 일격만으로도 어지간한 굴삭기(Excavator:한국에 포크레인이라고 주로 알려져 있는 중장비)로 쓰는 유압 해머에 맞먹는 파괴력을 가지고 있지만 서현의 공격은 이게 끝이 아니었다.

—나선충격 해방!

단번에 뇌수를 한창 세탁 중인 세탁기 수조 안의 물처럼 만들어 버렸다. 그러나 서현은 이것으로 아담카드몬 아낙스가 쓰러지리라고 생각하지 않았다.

계속 공격할 것이다, 계속! 이 우세를 점한 순간 체력의 한계에 도달할 때까지!

그런데 그때…….

아담카드몬 아낙스의 속삭임이 들려왔다.

"네게… 삶의 행복과 충실감을 안겨주지."

"필요 없……."

서현이 무심코 대답한 순간 갑자기 서현의 눈앞이 새카맣게 타들어갔다.

2

오른쪽 눈이 아프다.

"요새 아폴로 눈병이 유행해서 아예 휴교한다던데? 하지만 안됐습니다. 우린 대학생인데 이제 와서 눈병에 걸리다니 이 무슨⋯⋯."

누가 그렇게 중얼거리는 소리가 들려서 서현은 고개를 들었다.

그곳엔 서린이 있었다. 왼쪽 눈에 안대를 하고 있는 서린이 피식 웃으며 일어난 서현에게 친근하게 딱밤을 날렸다.

물론 서현은 그걸 피해냈다.

"뭐야? 환상인가?"

"헤⋯ 한쪽 눈 가리고도 민첩하네."

"서린? 넌 대체⋯⋯."

서현은 서린이 평범한 베이지색 재킷과 하얀 셔츠, 청바지 차림인 걸 보고 놀랐다.

뱀파이어의 느낌이 없다. 그렇다고 라이칸스로프도 아니다. 서린은 놀랍게도 인간인 채 서현의 앞에 있었다.

'우습군. 이제 와서 환영인가? 그러나 내가 환영에 빠질 리가 없는데.'

서현은 안대를 벗어서 거울을 바라보았다. 왼쪽 눈과 별반 다를 바 없는 눈이 충혈된 채로 드러나 있었다.

"으… 메슥거려. 그런 걸 꼭 보고 싶어?"

"……."

서현은 대답 대신 주위를 둘러보았다. 평범한 한국의 가정집이다.

그리고 놀랍게도 주위의 모든 소품을 보는 순간 그 소품들과 자신의 관계가 머릿속에 흘러들어 온다.

저 시계는 지난겨울에 용돈 모아서 샀고, TV 겸 모니터는 중고 시장에서 구매했고, 게임기는 동생과 함께 아르바이트를 해서 샀다는 등의 기억들이 밀려들어 왔다.

'삶의 충실감을 안겨주겠다고? 웃기는 소리…….'

이런 환영 공격쯤이야… 대수롭지 않다. 그렇게 생각한 서현은 화장실로 달려가 안전면도기를 잡고 힘을 주었다.

뚜둑…….

안전면도기가 부러지며 안의 얇은 칼날들이 튀어나왔다. 서현은 그걸 잡고 부어오른 눈두덩이를 그었다.

"무슨 짓이야! 형!"

선혈이 튀어 새하얀 세면대 위에 혈화가 피어오른다.

날카로운 아픔이 느껴지지만 환영에서는 깨지 않았다.

재생 능력도 발휘되지 않는다.

뒤따라온 서린이 피투성이가 된 서현을 보고 엄지손가락을 추켜세우며 울상을 지었다.

"이게 뭐 여드름 짜는 건 줄 알아? 병신 킹 등극 인정……."

"…아니거든?"

서현은 투덜거리며 수건으로 상처 부위를 눌렀다. 화끈거리는 아픔은 이게 환영이 아니라는 듯 서현에게 중얼거리고 있었다.

'역시 이 정도 자해로는 깨어나지 않는군. 그렇다면 좋아. 환영이 환영임을 입증해 주지.'

서현은 컴퓨터 앞에 앉아서 전원을 켜고 검색을 시작했다. 전문적인 지식들, 학문들을 검색한다.

서현 자신이 모르고 있던 것이나 이해하는 데 집중력을 소모하는 지식을 요구하면 환영은 너무나 쉽게 깨진다.

그런데…….

"어라?"

너무나 난해한 수학, 물리학 문제나 고도의 화학식, 평상시엔 몰랐던 정밀 계측 이론 등이나 그런 지식들을 검색해 봐도 제대로 나온다.

이제 막 각성한 아담카드몬이 이걸 알고 있어서 환영에 집어넣었을 리는 없고, 올바른 정보를 보고 있다는 착각을 주는 걸까?

아니, 아니다. 그런 위화감 없이 정보가 그대로 전달된다.

"젠장… 이 미친놈아, 이게 무슨 짓이냐?"

서현은 그 모습을 보고 불쾌감에 몸을 떨었다.

비록 살육의 삶을 살아왔고 때로는 자괴감에, 때로는 공허감에 휩쓸렸지만 서현은 자신의 삶을 부정할 생각은 추호도 없었다.

물론 가끔은 그도 인간답게 살았다면 어땠을까 상상하는 걸 즐기곤 했었다.

그러나 그것은 상상력이란 본래 고삐를 물릴 수 없는 것이기 때문이다.

진심으로 그런 길을 선택할 기회가 온다면, 지금까지 지나온 길들을 없었던 것으로 치고 그때로 돌아가서 선택할 수 있다고 하더라도 서현은 거부할 것이다.

매 순간 그가 겪은 좌절, 분노, 고통, 상실은 지금의 그의 인격을 형성해 왔다.

그가 사람됨을 갈망하는 것은 바로 그 고통이 있었기 때문. 그런데 그걸 이렇게 허망하게 쉽게 해소시켜 준다고?

이런 건 너무 제멋대로다. 삶이 너무 자신이 원하는 대로 풀린다면, 사는 복권마다 당첨되고 하는 일마다 잘된다면 그것 또한 현실감 없는 일일 터.

아르쥬나에서 박봉을 받으며 파트타임으로 근무하면서 재활을 시작했던 것은 서현이 이미 이 정도 세상 이치는 알고 있기 때문이었다.

그런데 그런 서현의 의지는 무시하고, 그를 수박 겉핥듯이 엿보고 '너는 이런 걸 좋아할 거야'라고 생각해서 이런 환영 안에 처넣었단 말인가?

아담카드몬 아낙스의 오만함에 치가 떨린다.

하나 어떻게 이 환영에서 탈출하지?

자살은 할 수 없다.

　환영에서 탈출하겠다고 자살을 택하는 것은 위험한 일이며 서현은 어떤 상황에서도 자살은 하지 않을 것이다.

3

　"크윽……."

　뜨거운 열사 아래, 서현의 턱을 따라 한 줄기 땀방울이 흘러 바닥에 떨어졌다.

　치이이익.

　달궈진 프라이팬 위에 떨어진 물방울처럼 땀방울이 소리까지 낸다.

　서현이 환영에 빠져든 것은 잠깐이지만 그동안 서현은 체감상 약 석 달 이상을 그 안에서 허비해야 했다.

　환영에서 빠져나오는 순간 머릿속이 뜨겁고 눈앞이 핑핑 돈다.

　뇌가 포도당을 닥치는 대로 소진해서 잠이 쏟아진다.

　가혹한 환영이 그에게서 심력과 자제력을 전부 빼앗아 간 것이다.

　방금 전까지 아담카드몬 아낙스를 일방적으로 유린했던 서현의 손이 멈춰 버렸다.

　그리고 그의 앞에서…….

아담카드몬 아낙스는 상처 하나 없는 처음의 모습 그대로 서 있었다.

"만족했나?"

아담카드몬 아낙스가 묻는다.

그 목소리는 전 세계 모든 교회 종탑의 종이 일제히 울리는 것처럼, 소리의 힘으로 서현을 찢어발겼다.

"나는 그 이상의 것도 줄 수 있다."

아담카드몬은 그렇게 선언했다.

방금 전 그가 보여준 환영, 너무나 평화롭고 평범한 일상들을 실제로 실현시켜 줄 수 있다고 단언한다.

세상을 왜곡하고 변화시킬 수 있는 힘, 과거도 현재도 미래도 통째로 뜯어고칠 수 있는 힘이라도 있다는 건가?

"웃기지 마, 쓰레기 자식."

서현은 탈진에 대항해 숨을 헐떡이며 허우적거린다.

늪에 빠진 사람이 구원을 요청하는 것처럼 다급한 손길이었다.

그러나 눈앞의 신에게 빌지는 않으리라.

아니, 오히려 저 신의 목을 쥐어짜 숨통을 끊어버리고 싶다.

"내가 진짜 원하는 건……."

"원하는 건?"

"너 같은 걸 죽여 없애는 거다."

서현이 솔직하게 적개심을 드러내었다.

위험하다.

환영으로 고갈된 서현은 지금 지나가는 유치원생들에게도 위해를 가할 수 없을 지경이다.

아담카드몬에게 대놓고 적개심을 보여도 되는 걸까?

하지만 서현으로서는 그렇게 말할 수밖에 없었다.

"어째서지?"

아담카드몬 아낙스는 자신에게 적개심을 보이는 서현의 태도가 의외라는 듯 고개를 갸웃거렸다. 호박색 눈동자가 고양이의 눈처럼 반짝인다.

"몰라서 묻나?"

"그렇다. 나는 기적실현자. 이 지상에서 불가능했던 모든 것을 해소할 수 있는 위대한 존재다."

"위대한……."

보통 자신을 그렇게 지칭하나?

서현이 반발하자 아담카드몬은 어깨를 으쓱해 보였다.

"내 스스로 말하기엔 민망하다만 그렇다고 겸양이 지나치면 말을 섞는 의미가 없지. 의사를 제대로 전달하지 못한다면 말을 해서 무엇 하겠느냐? 분명히 나는 위대한, 그 어떤 마법사나 초능력자가 가지지 못한 힘을 지녔다."

아담카드몬 아낙스는 손을 들었다.

그러자 무너졌던 쇼핑센터가 다시 수복된다.

마치 원래 부서지지 않았던 것처럼…….

그 순간 그 장면을 보고 있던 모두가 경악으로 신음성을 토했다.

마치 거대한 무게에 짓눌려 폐부가 그 안의 공기를 토해낼 수 없을 만큼의 위압감이다.

이것은 그전의 어떤 마법도, 각인 능력도, 초능력도 할 수 없는 일이다.

아담카드몬이 스스로 신을 참칭한다 한들 누가 그것을 비난할 수 있을까?

아니, 아담카드몬 외에 누가 감히 신이라 할 수 있을지 모를 지경이다.

"네 안의 갈망, 그 어떤 것도 이룰 수 있다. 그런 힘 앞에 솔직해져도 좋다. 그대는 상처받았고 고통받았으며 명백한 갈망을 가지고 있지 않은가?"

"나는 매일매일 암살자와 악령들에게 쫓기며 도망 다녔어도 단 한 번도 신에게 빈 적이 없어! 그런데 이제 와서 너 같은 것에게 빌라고?"

"왜지? 나는 네게 근심과 걱정을 지워 버리고 널 행복하게 할 수 있는데? 사전적 의미의 신이 할 수 있는 모든 것을 나는… 할 수가 있다. 전 인류를 행복하게 만들 수도 있단 말이지."

"하, 프러포즈할 기세냐? 행복하게는 무슨……."

서현은 어이가 없어서 아담카드몬 아낙스를 노려보았다.

아직도 머리가 핑 도는 게 아담카드몬이 보여준 환영의 여파에서 회복되질 않는다.

라이칸스로프니까 살아 있는 거지 인간이었으면 죽었을 거다.

이런 환영을 별다른 전제 조건 없이 걸 수 있다니 사기도 이런 사기가 없다.

아담카드몬이 공격을 해오지 않고 말을 걸어오는 것은 차라리 다행이긴 한데, 앞으로 또 싸운다 해도 저 환영을 계속 걸어오면 손쓸 방법이 없으리라.

"상당히 나에게 관심이 많은가 본데? 계속 회유하는 걸 보니?"

"방금 전 타격과 공격은 솔직히 내게 새로운 지평을 열어주었다고 해도 과언이 아니었다. 굉장한 무예와 현대 화기, 각인 능력의 향연이었지. 내 안에 담겨 있는 정보는 아낙스의 것인데 아낙스라는 자는 무예에는 그다지 소양이 없었나 보군. 상당히 놀랐다."

"…두들겨 맞고 M 취향에 눈을 떴다거나?"

서현은 그렇게 말하며 자신의 얼굴을 찰싹 때렸다.

어처구니없게도 생애 최대, 최강의 대적을 눈앞에 두고도 눈꺼풀이 무겁다.

이대로는 적 앞에서 잠들어 버릴 판이다.

"그대는 릴리쓰의 가장 사랑받은 자식이니까. 아마 그대를 낳고서 릴리쓰는 자신의 정보를 많이 소실했을 것이다."

"……."

릴리쓰는 태초의 영 중 하나, 신적인 존재라고 할 수 있다.

그 신적인 존재가 훼손당할 정도로 막대한 힘을 테트라 아낙스가 될 서린이 아닌 서현에게 주었다.

'그건 고맙군… 정말 고마워.'

서현은 그리 생각하면서 주위를 둘러보았다.

아르곤과 서린, 헥토르와 앙리 유이는 싸우는 것 같았는데 어느새 멈춰 서 있었다.

아마도 아르곤과 서린은 조종당해서 싸울 수가 없는 것 같았다.

헥토르와 앙리 유이도 마찬가지…….

"이봐, 자칭 신… 이 세상은 악과 부조리로 가득 차 있다고. 그 정도는 알고 있겠지?"

"그렇다."

아담카드몬 아낙스는 고개를 끄덕여 동의를 보였다.

"그로 인해 고통받은 자의 눈앞에 신이 나타난다면 그에게 책임을 묻지 않을 수 없어. 신이란 존재가 실존한다면 그놈은 이 지상의 모든 악에, 모든 눈물과 고통에 책임지고 답해야 한다."

"그래서 내가 답하려는 것이다."

"어떻게?"

"난 악과 부조리를 전부 근절할 수 있다."

"하! 네 옆에 있는 녀석들을 봐. 앙리 유이를 보라고!"

"……."

앙리 유이와 헥토르가 악당 축에 속한다는 것을 부인할 사람은 그 누구도 없으리라.

이들 둘 다, 자신의 욕심을 위해서 남을 해치는 것을 꺼려 하지 않았다.

동경도, 자카르타, 두 개의 대도시에서 엄청난 수의 인간을 학살하지 않았던가?

게다가 이들은 죽은 이들의 영적 에너지까지 착취하였고 그 결과 아담카드몬이 각성했다.

아담카드몬 그 자신이 악업의 산물이면서 악을 근절하겠다니?

"이런 명실상부한 악당들을 자신의 좌우에 두고 있으면서 악을 근절하겠다니 지나가는 개가 웃을 일이지."

"그러나… 나는 그들을 바꿀 수 있다."

"그래. 그들의 본질을 훼손하면서 말이지? 그럼 넌 밀랍 인형과 인간의 차이도 모르겠군. 겉모습은 똑같은데 뭔 문제가 있겠어, 응?"

"……."

"네가 악을 근절하기 위해 그들을 바꾸는 건 그들의 본질을 훼손하는 행위야. 저것들은 죄다 엿 같은 새끼들이지만……."

서현의 손가락이 앙리 유이와 헥토르를 가리켰다.

"그렇다고 네가 저놈들의 본질을 쓱쓱 주물러서 손봐줘 버리면 죽은 것보다 못한 존재가 되지. 설령 천하의 악인이라 하더라도 본질을 훼손당하고 세상에 부딪혀서 경험을 얻을 기회를 박탈하는 건 너무 잔인해… 나부터 이미 천하제일의 악인이었는걸!"

서현은 라이칸스로프 유격대의 대장으로서 할 짓 못 할 짓 다 해왔다.

그 죗값을 생각해 보면 설령 인류를 한두 번쯤 구한다 해도 용서를 비는 게 죄송스러울 정도였다.

죄의 무게는 하염없이 무겁고 공과는 얇은 금박과 같아서 아무리 쌓는다 해도 금세 벗겨져 버린다.

하지만 자살은 할 수 없었다.

자신이 살겠다고 죽여온 그 많은 생명을 되살릴 수 있는 것도 아닌데 이렇게 살다 픽 죽어버린다면 그 얼마나 무례한 짓인가?

그래서 서현은 취하지도 않는 술을 마셔가며 방황하고 자학했다.

스스로 생각해 봐도 웃긴 일이지만 그래서인지 모르지만 서현은 그 이전보다 아주 조금은 더 자신을 좋아할 수 있게 되었다.

이런 작은 변화가 너무나 마음에 들었다.

그런데 어떤 거대한 힘이 알아서 이 모든 걸 다 해주고 알아서 행복하게 해주겠다고?

문득 실베스테르가 서린의 제안을 거절한 게 떠올랐다.

"내게서 괴로워할 권리를 빼앗지 마!"

쏟아지는 잠과 고통 속에서 서현은 일어났다.

"사람들에게서 방황할 권리를 빼앗지 마!"

올바른 과정과 목적이 없으면 삶은 순식간에 무의미해져 버리리라.

서현의 붉은 눈으로부터 흉흉한 안광이 뿜어져 나왔다.

"네놈의 참견 따위 필요 없어! 아담카드몬!"

송곳니와 발톱이 드러난다.

우오오오오오!

서현이 하늘을 향해 울부짖었다. 환영이 만든 피로감을 이기기 위해서 늑대 인간으로 변신한 것이었다.

"아… 이제야 겨우 잠이 좀 달아나는군!"

회색 늑대 인간으로 변신한 서현이 웃으며 이빨을 드러냈다.

"이해는 했다."

그 모습을 보고 아담카드몬 아낙스는 고개를 끄덕였다.

달도 없이 열사의 땅에서 늑대 인간으로 변신한 상대를 앞에 두고 보이는 모습이라기엔 지나치게 담백하다.

"뭣?"

"그렇지만 너희들이 너희들의 본질대로 살아가야 하듯 나 또한 나의 본질대로 살아가야 한다. 나는 아담카드몬이다. 모든 생명의 씨를 뿌리고 생명에 이름을 짓고, 만약 필요하다면 다시금 파동으로 되돌리는 자다. 이것이 나의 본질이니 나는 내 본질대로, 그대는 그대의 본질대로 살면 된다."

"……."

"날 막을 수 있다면 말이지."

4

'우리가 누군가를 미워하는 경우, 그것은 단지 그의 모습을 빌려서 자신 안에 있는 무언가를 미워하는 것이다. 자신의 안에

없는 것은 절대로 자신을 흥분시키지 않는다.'

그렇다면 한세건이 뱀파이어에 대해 보이는 적개심은 어떻게 설명할 수 있을까?

그가 뱀파이어를 사냥하는 것은 소모적이고 자기 파괴적이다.

원초적인 폭력을 가하며 기뻐하지도 않고 생명의 근원, 혹은 마약의 근원이라 불리는 뱀파이어의 피를 강탈하면서 즐거워하지도 않는다.

오히려 이만큼 스토익한 행위도 드물 것이다.

불당에서 삼천 배를 올리는 이들, 고행을 위해 몸을 홀대하는 탁발승들조차 한세건에 비하면 쾌락주의자라 할 수 있으리라.

왜냐면 그들은 법열을 느끼기 때문이다.

반면 한세건은 법열 따윈 느끼지 않는다.

자신이 이 일을 함으로써 올바른 일을 하고 있다는 신념조차 없다.

그럼에도 불구하고 무시무시하게 금욕적이면서 구도적인 자세로 살육을 지속해 나갈 수 있는 것은 그가 뱀파이어에서 바로 자신을 보고 죽이기 때문이다.

즉 한세건은 매 순간순간 뱀파이어에게 자신을 투영하고 죽인다. 자신의 안에 없는 것은 절대로 자신을 흥분시키지 않는 법. 고로 매일 밤마다 그는 자신을 죽이고 또 죽여온 셈이다.

그렇게나 자신을 혐오하고 증오한다면 자살을 하지 않느냐고?

천만에!

자살은 할 수 없다.

죽어서 정말 지옥이 있다면 모르겠으나 지옥이 없이 이 삶이 그냥 단번에 끝나 버린다면 그것은 도피가 된다.

그리고 무신론자인 한세건에게 내세나 환생은 없으므로, 그는 자살 대신 타살로, 뱀파이어를 살해하면서 자신을 학대했다.

그런 그의 앞에… 자칭 신이 나타났다.

"으음……."

부끄럽게도 한세건은 아담카드몬 아낙스가 펼친 분진폭발의 최초 충격에 휩쓸려 막대한 피해를 입었다. 직접적으로 화염과 불꽃에 맞지는 않았지만 그것이 연소하며 터진 충격파만으로도 내장을 진탕시켜 사람을 죽이기에 충분했다.

'머리 타박상, 두부 외상, 늑골 골절, 골반도 욱신욱신 쑤시는데…….'

컨디션을 체크한 한세건은 쓴웃음을 지었다.

동경도, 그리고 자카르타에 이르기까지 강적들과의 연전, 또 연전이었다.

피로가 쌓인 덕분에 뱀파이어의 피를 주사한다 한들 재생력이 잘 들지 않는다.

그리고 한세건은 오랜 헌터 생활 덕분인지, 아니면 실베스테르와 김성희가 그의 뱀파이어화를 막기 위해 처치한 마법적 시술 때문인지 뱀파이어의 피에 내성이 생겼다.

같은 상처를 치유하는 데 더 많은 뱀파이어의 피를 필요로 하게 된 것이다.

'그렇다 해도 이 정도로 주저앉을 수는 없지. 내가 그토록 원하던 때가 지금이다.'

한세건은 피를 흘리며 일어났다.

먹기 위해 인간을 죽인다는 건 어찌 보면 불가피한, 가장 합리적인 살인일지도 모른다.

그러나 그것은 그 인간의 개개인이 어떤 생각을 품고 있고, 어떤 삶을 사는지 묻지 않는다.

묻는 것은 오직 육질, 중량이라는… 인간성이 거세된 요소들뿐. 차라리 그를 미워해서 죽였다면 모르겠다.

뱀파이어들이 사람을 먹는 존재라면 그것만으로도 사람에 대한 모독이다. 그런 놈들에게 사람으로서 커다란 쐐기를 박아 넣고 싶다.

한세건이 그런 갈망으로 몸부림친 덕분에 위대한 뱀파이어의 왕이 교체되었다. 그러나 그 정도론 부족하다.

지금 이 순간 뱀파이어 세계에 역사가 벌어진다.

이 역사에 가세하고 싶다.

네놈들이 무시하고 갖고 놀던 인간의 손으로 네놈들의 운명을 엉망진창으로 만들고 싶다.

한세건은 그 욕망으로 부서져 가는 몸을 채찍질해 전장으로 돌아왔다.

헥토르에게 제압당해 기절하고, 우연히 지나가던 서린의 자비로 목숨을 구하는 건 한 번이면 족하다.

지금 이 순간은 한세건에게는 최고의 축제다.

상처 좀 입었다고 자고 있을 시간이 없다.

때마침 서현이 저들의 시선을 충분히 끌어주고 있었다.

한세건은 도폭선을 풀어내 조심스럽게, 그러나 빠르게 아담카드몬 아낙스에게 날렸다.

쉬익…….

아담카드몬 아낙스의 발목으로 검은 도폭선이 휘감긴다.

서현을 고전시키다 못해 달도 뜨지 않은 낮에 변신시킨 걸로 봐서 뭔가 대단한 재주를 보인 것 같은데 맥 빠질 정도로 쉽게 공격을 허용한다.

"어리석은. 이런 건 나에게 먹히지 않는다."

아담카드몬 아낙스는 자신의 발목에 감긴 도폭선을 보고 손가락을 털었다.

하긴, 거대한 쇼핑센터도 재건시킨 이의 힘이다.

도폭선은 남김없이 금으로 변했다.

가느다란 금의 실이 아담카드몬 아낙스의 몸에 감기니 마치 장신구 같다.

테트라 아낙스의 수장, 서린조차 사법 결계 안에서만 가능했던 일을 통상 공간에서도 벌인 것이다.

그러나 세건은 무시하고 플러그를 당겨 도폭선을 점화시켰다.

"필요 없어."

금사를 따라 혼팅이 질주한다. 마치 전하가 전도체를 따라 사람에게 엄습하듯 혼팅의 정보가 아담카드몬 아낙스를 덮친다.

"음?!"

아담카드몬의 얼굴에 처음으로 이채가 떠올랐다.

놀란 아담카드몬 아낙스가 반격하려 했지만 그 순간 늑대 인간으로 변신한 서현의 발차기가 아담카드몬 아낙스의 머리를 관통한다.

투확!

워낙 신체가 거대해져서 머리가 있던 위치보다 1미터는 더 뻗어나가는 발차기였다.

나이프 같은 발톱이 붙어 있는 발로 쭉 옆차기를 날리니 아담카드몬의 상반신이 통째로 뜯겨 나간다.

"좋아!"

한세건은 글록 두 자루를 빼 들었다.

9㎜ 탄환을 저 정도 강적에게 박아 넣는다는 건 왠지 무례한 행동이라고 여겨졌다.

강력한 뱀파이어들만 되어도 9㎜ 탄환은 그렇게까지 위협적이진 않은 무기였다.

하지만 한세건은 이 무기를 선택했다.

'변신한 서현과 근접 육탄전을 벌이느니 차라리 유압 해머 밑에 기어 들어가서 관자놀이를 해머 팁에 대고 손가락을 쪽쪽 빨겠다!'

비록 앞에선 서현과 으르렁거리지만 서현의 전투 능력, 격투 능력은 인정하고 있던 한세건이었다.

강체 능력을 가지고 있고 원래부터 거대한 골격에 1세대 라이칸스로프여서 천하에 무서울 게 없는 볼코프라면 모를까… 그렇지도 않은 놈이 변신한 서현의 앞에서 육탄전을 벌이고도 멀쩡할 리가 없다.

만약 그럼에도 불구하고 멀쩡하다면 이건 타격에 대해서 뭔가 특별한 방어 수단이 있음이 분명하다.

'저놈의 능력이 뭔지 모르겠지만 아담카드몬을 만들 때 사령이나 사법을 집약해서 만들었다면 혼팅이 가장 잘 먹히는 무기일 거다! 파괴력은 필요 없어. 혼팅을 보다 많이 전달하면 된다.'

한세건은 혼팅의 정보를 총탄에 실어 분무기처럼 총탄을 뿌렸다.

두두두두두!

두 총구로부터 탄피가 막 튀기는 팝콘 튀듯 튀어 오르고…….

아담카드몬 아낙스의 몸에 총탄이 박힌다.

방금 전까지 마치 다른 차원에 있던 것 같던 아담카드몬 아낙스가 광대 손에 들린 꼭두각시 인형처럼 춤춘다.

"흐음… 이건!"

아담카드몬 아낙스는 자신에게 박히는 혼팅에 당혹하면서 뭔가 손을 쓰려 했다.

그러나 그 순간 서현의 발차기가 아담카드몬 아낙스를 벤다.

아담카드몬 아낙스는 공격을 피해냈지만…….

팍!

몸이 크게 갈라진다.

늑대 인간의 발톱이 휘어진 칼날처럼 뻗어 나와서 아담카드 몬 아낙스를 쪼개 버린 것이다.

겉으로 보이는 것보다 훨씬 더 뻗어오는 공격이면서, 위력은 사람을 수직으로 토막 낼 만큼 강력하다.

물론 이것도 아담카드몬 아낙스에게는 결과적으로 아무것도 아니지만……

혼팅이 그를 교란시키고 서현이 공격의 맥을 끊어서 아담카 드몬 아낙스가 한세건을 공격하지 못하게 한다.

미리 이야기해 둔 것도 아닌데 즉석에서 호흡을 맞춰 공격하 는 두 사람의 연계가 그야말로 예술 작품 같다.

아담카드몬 아낙스가 다시 경탄하는 순간 그의 턱을 향해 서 현의 앞손이 날아들었다!

쿵!

하지만 서현의 어퍼컷은 아담카드몬 아낙스를 관통하지 못했 다. 육중한 체구의 거상이 서현과 아담카드몬 아낙스를 막아선 것이다.

"아?!"

"이런!"

아담카드몬 아낙스와 서현, 한세건 사이에 한 초로의 남자가 착지한 것이다.

그는 몸으로 한세건의 총탄을 막아내고 서현의 어퍼컷까지 막아냈다.

9밀리 권총탄이야 그 안에 담긴 저주인 혼팅과 혈전 장애를 일으키는 셀룰러라는 흡수성 콜로이드 독소를 제외하면 저지력이 그다지 대단하지는 않다.

그러나 서현이 인간 모습에서 날리는 어퍼컷만 해도 어지간한 인간을 발목만 지면에 남기고 육편으로 바꾸는 위력이 있다.

하물며 지금은 변신 상태⋯ 그런데도 상대는 변신도 하지 않고 그걸 받아냈다.

강체화 능력이다. 그리고 서현을 제외하고 이런 걸 쓸 수 있는 자는 한정되어 있다.

"⋯왜? 역시 당신도 저 녀석처럼 주어진 본성대로 살아갈 뿐인가?"

서현은 쓴웃음을 지었다.

"그래, 나는 원래 이런 늙은이다. 마치 매일 일용할 양식을 갈구하듯 권력과 폭력을 갈구하는 자이지. 그런 내가 곱게 뒷방 늙은이로 늙어갈 수는 없는 법이지."

서현의 외조부, 볼코프 레보스키 준장이 서현의 어퍼컷을 막아내고 씨익 미소를 지어 보였다.

물론 아무리 강체 능력자라 해도 완전 변신한 서현의 어퍼컷을 받아내는 건 무모했는지 코피가 흐르고 입술이 터져 있지만 저 정도로 끝났다는 게 외려 대단한 것이다.

"우리는 앙리 유이로부터 아담카드몬을 강탈한다."

"하……."

아담카드몬은 자신을 강탈하겠다고 선언한 볼코프를 향해 눈을 깜빡였다.

설령 볼코프라고 해도 아담카드몬을 제압하진 못할 터, 게다가 아담카드몬에게는 앙리 유이가 심어둔 안전장치가 있었다.

아담카드몬을 해칠 수 있는 모든 수단은 무용지물이 되었지만 강아담이라는 소년이 앙리 유이에게 가졌던 충성심은 여전히 아담카드몬의 가슴 안에 살아 있다.

"앙리 유이에게서 떠남으로써 비로소 그대는 진짜 그대의 본질을 알게 될 것이다. 내 조언을 따르는 건 어떤가? 나도 지금 당당하게 내 외손주들 앞에 설 처지가 아닌지라……."

그런데 서현과 서린이 하는 짓에 초를 치고 다 차려둔 밥상을 통째로 빼앗으려고 난입한 것이다.

외손주들과의 관계를 다시금 적대로 돌리는 강수를 썼으니 뭔가 성과가 있어야 할 것이다.

"그것도… 그렇군. 매력적인 제안이야."

아담카드몬 아낙스는 볼코프 레보스키의 제안을 수용했다.

"아… 씨발. 너희 가족 다 병신 같아. 인류를 위해서 온 가족 다 동반 자살 할 생각 없냐?"

보다 못한 한세건이 한탄했다. 볼코프 혼자라 해도 벅찰 텐데 주위에서 무장한 라이칸스로프 여단 병사들이 보이기 시작했기 때문이다.

"우리 가족이 전부 병신 같다는 점을 부정할 수 없다는 점이 슬프군. 그렇지만 한세건 넌 뭐 인류를 위해서 딱히 공헌하고 있는 것도 아니잖아?"

서현은 그렇게 말했지만 지금 상황은 위험하다. 어찌 된 일인지 뱀파이어들은 아담카드몬 아낙스 앞에서 맥을 못 추고 있었다.

아담카드몬 아낙스만 상대하더라도 승산을 장담할 수 없는 상황에서 라이칸스로프 여단이 가세하다니……

각 건물 위로 라이칸스로프 여단들이 모습을 드러낸다.

모두 다 중화기로 무장한 상태다. 개중에는 시대착오적인 대전차소총, PTRD—41을 든 거인병도 보인다.

인간들이 저런 무장을 들고 나오기만 해도 골치 아플 판인데 라이칸스로프 군대라니. 뭐 끽해야 일개 소대 병력 정도겠지만 아담카드몬 아낙스와의 전투에 정신이 팔린 틈을 타서 좋은 위치를 차지하다니……

"윽……"

한세건이 몸을 움직였지만 그 순간 탄막이 쏟아졌다. 기관총이 불을 뿜으며 한세건의 접근을 차단했다.

한세건은 뒤로 물러나서 피할 수밖에 없었고 아담카드몬 아낙스와의 거리가 벌어진다.

이제 서현과의 연계가 불가능해졌다.

서현도 한세건과 연계하지 않으면 아담카드몬 아낙스에게 타격을 줄 수 없다는 걸 이해하고 있었다.

'내가 설마 이런 자리에서, 외조부의 배반으로 죽게 될 줄이야. 망했네. 지은 죄가 너무 크니 어쩔 수는 없지만 조금쯤은 세상에 죗값을 갚고 죽고 싶었는데……'

서현은 죽음을 예감하고 그런 생각을 하다가 피식 웃었다.

'그랬구나. 나는 죗값을 갚고 싶었구나.'

언제나 스스로 구제 못할 악당이라고 생각했는데 그의 내면에 이런 정상적인 인간의 감정이 있을 줄은 몰랐다.

구원받고 싶어서 죗값을 갚고 싶은 게 아니야.

그냥 내가 미안해서 뭔가 의미 있는 일을 하고 싶다.

이런 소망이 있다는 걸 이제야 깨닫다니…….

이 소망을 이루기 위해서도 살고 싶다. 죽고 싶지 않다.

하지만 그의 외조부를 극복하지 않으면, 아담카드몬 아낙스를 극복하지 않으면 살아남을 수 없다.

볼코프는 이미 한 번 서린과 서현 두 형제를 내버렸을 만큼 강경한 인물이다.

누군가의 혈육으로 살기보다는 패도를 걷는 길을 택한 인물… 얄밉고 짜증 난다.

그래도 혈육이라고 연락도 정기적으로 했었는데 이렇게 쉽게 뒤통수를 때려 버리다니. 한세건이 아무리 착하고 잘해주는 뱀파이어라도 뒤통수를 치는 게 자기 학대의 연장 선상에서 벌이는 일이라면 볼코프는 그냥 마초다.

"앙리 유이! 헥토르!"

그때 서린이 외쳤다.

"우릴 도와! 볼코프를 막아야 해!"

"뭐? 무슨 소리인가?"

앙리 유이는 순간 자신이 환청을 들었나 하고 눈을 크게 떴다.

"뇌세포 주름에 보톡스 주사 맞았나?"

서린이 앙리 유이의 뇌 미용 수술(?)에 대한 의문을 표시했다.

"볼코프가 당신을 아작 내고 아담카드몬을 빼앗으러 왔잖아! 라이칸스로프 여단을 고작 몇 푼 돈으로 회유할 수 있을 것 같았어?!"

그렇게 말하는 서린이나 서현은 사실 볼코프를 혈육의 정으로 회유할 수 있을 줄 알았다.

나이도 많이 들었고 패도를 걸으며 걸리적거리는 걸 다 때려 부수고 싶어 하는 패기도 마지막으로 불살라 봤으니 이제 조용히 시골에서 골칫거리인 라이칸스로프 여단을 데리고 은퇴의 삶을 살기를 기대했었다.

그러나 자신이 실수한 것은 빼놓고 앙리 유이의 잘못만 비난하는 서린이었다.

"아담카드몬도 너에 대한 애정을 부담스러워하고 있다고! 여기서 널 버리고 갈아타는 게 둘 사이에선 윈윈이란 말이야! 그럼 무슨 일이 일어나겠어?"

"……."

앙리 유이의 표정이 일그러졌다.

볼코프가 앙리 유이를 예뻐해서 가담한 게 아니라는 건 알고 있었지만 이런 상황에 대비해서 베오울프를 대동했는데 베오울프는 어떻게 된 건가?

그놈들도 배신했나?

"아, 제길……."

한니발은 사법과 원령이 사라져 맑아진 하늘을 보고 있었다.

"이빨 흔들려."

볼코프 레보스키, 아무르의 호랑이와 싸우고 이빨 흔들리는 정도로 끝났다면 그게 더 대단한 일이지만…….

아라한 능력이 각성한 뒤 불패를 자랑하던 한니발에게 첫 패배가 찾아왔다.

뭐 이런 걸로 충격받을 한니발은 아니다.

그는 이미 서현이나 다른 몇몇을 내심 자신의 잠재적인 라이벌로 생각해 두고 있었으니까. 라이벌을 감안한다는 건 패배 역시 감안한다는 뜻이다.

"그래도 아까웠습니다."

아타왈리는 솔직히 그렇게 말했다.

볼코프 레보스키는 라이칸스로프로서도 고령. 하지만 신체 관리가 뛰어나서인지 노쇠했다기보다는 더 많은 경험과 전투 운용 능력을 갖추고 있었다.

그런 볼코프 레보스키를 상대로 한니발은 거의 호각, 아니, 잠재력 면에서는 더 우위에 가까운 모습을 보였다.

다음에 싸운다면, 아타왈리는 한니발 쪽에 돈을 걸 거다.

그렇지만 그건 향후의 이야기. 지금 이 승부에서는 한니발이 패배했고 볼코프는 그를 살려둔 채 물러났다.

아타왈리나 베오울프 병력이 도중에 개입하지 않은 것에 대해서 경의를 표한 것이다.

"꽤 괜찮은 작자야. 하아, 깔끔하네."

한니발은 깔끔한 볼코프의 처신을 칭찬했다.

"네… 그런데 어쩌죠? 그들도 들어왔습니다만… 사법 결계도 사라진 걸 보니 아마도 성공한 거겠지요."

라이칸스로프 여단이 아담카드몬 아낙스를 탈취하기 위해 들어왔다.

이런 일이 벌어질지도 모른다고 예상은 하고 있었지만 정말 벌어졌고 한니발에 그에 당한 것이다.

"어쩔까요?"

"뭘 어째? 베오울프는… 철수해. 난 휴가 신청할게."

한니발은 그렇게 말하고 아타왈리에게 손을 벌렸다.

무기를 달라는 뜻이다.

"휴가를 신청하고 혼자 이 싸움에 남을 거란 말입니까? 그냥 같이 빠지시지요."

이미 베오울프는 초반에 앙리 유이에게 거마비도 받았고 인도네시아 은행들도 알차게 털어서 실속을 올렸다.

볼코프 레보스키나 그의 라이칸스로프 여단이 아담카드몬을 강탈하기 위해 나서는 걸 보고 배알이 꼴리긴 하지만 라이칸스로프 여단과 달리 법인 사업체인 베오울프는 여기서 더 개입할 이유가 없다.

그래서 그는 휴가를 내고 회사의 사장이 아닌 개인 자격으로 이곳에서 더 일을 벌이고 싶어 한다.

"사장님은 우리 회사의 자산이십니다. 그렇게 함부로 몸을 굴려선 안 되지요."

"그래도 휴가 정도는 쓰게 해주라. 응?"

한니발은 그리 말하고 손을 내저었다.

"그럼… 기왕 가시는 김에 화끈하게 이득을 올리고 오시지요."

아타왈리는 한니발의 억지를 허락해 줄 수밖에 없었다.

어차피 그가 말린다고 들을 사람도 아니고… 베오울프는 사장이 죽는다고 망하는 곳이 아니다.

다음 사장이 집권할 뿐이지.

앙리 유이는 매우 더러운 상황에 빠져 있었다.

아담카드몬이라는, 마법사들의 꿈을 이룬 것까지는 좋았는데 이루고 나니까 이 보물을 손에 넣겠다고 그동안 손잡았던 놈들이 배신한다.

게다가 아담카드몬도 그게 싫지 않은 모양이다.

자신을 이런저런 수작으로 만져놓은 앙리 유이보다 새로운 협력자를 구하고 싶어 하는 게 너무 노골적으로 드러나 보인다.

이 상황을 타개하기 위해서는 서린, 서현 저 형제와 손을 잡을 수밖에 없다.

그러나 이제 와서 적과 손을 잡으라고?

저 혐오스러운 서린과?

"짐승 냄새 풀풀 나는 놈들이 지금 우릴 위협한단 말인가?"

헥토르는 자신의 간격 안에 들어와 있는 볼코프를 보며 코웃음 쳤다.

그의 간격 내에서 그와 맞상대한 놈은 지금까지는 서현 정도 뿐이고 서현이 특수한 존재라는 건 귀에 못이 박히게 들어와서 잘 알고 있다.

광기의 헥토르, 그가 자신의 능력에 가지는 자존심은 대단하다.

게다가 앙리 유이는 그 능력의 잠재력, 과학을 이해하면 더더욱 끔찍한 능력이 될 거라는 걸 말해주고 있었다.

그런데 볼코프는 그런 헥토르를 한심하다는 듯 바라보고 있었다.

"지금까지 역사를 보면… 뱀파이어란 놈들은 늘 자신들이 뭔가 귀족입네 부자입네 하면서 까불다가 강력한 라이칸스로프가 나타나면 징징 짜면서 숨었지."

"…뭐?"

헥토르는 그 말을 듣고 얼굴에 피가 끓어오르는 걸 느꼈다.

동면형 뱀파이어인 그는 본의 아니게 잠들어서 유명한 라이칸스로프들과 격돌한 적이 없었다.

물론 볼코프는 애초에 헥토르에게 관심이 없다.

동면형인지 숙면형인지 아침형 뱀파이어인지 알 게 뭐람?

하지만 헥토르는 상대가 자신을 조롱하고 있다고 여겼다.

물론 조롱하는 건 맞다.

"그러다가 시간이 지나서 그 라이칸스로프가 노쇠하면 그때 다시 귀족인 양 까불거리고… 오래 사는 것 외에는 재주가 없으면서 허세가 너무 심한 것 아닌가? 진마 팬텀이 뱀파이어

사이에서 먹어주는 게 라이칸스로프 구아르를 잡아서라는 걸 보면 너희 뱀파이어 놈들은 내 앞에서 허세 떨 처지가 아닐 텐데?"

볼코프가 그리 말하자 헥토르가 혀를 찼다.

"허세인지 아닌지… 알게 되고 난 뒤엔 후회해도 늦을 거다!"

헥토르가 혈인 능력을 끌어 올려 막대한 전력을 방출했다.

바지지직!

눈부신 섬광이 공기를 폭발시키며 뿜어져 나왔다.

하지만 그 순간 볼코프는 전격 폭풍 한복판을 꿰뚫었다.

화르르륵!

볼코프의 전신이 타서 끓어오르고…….

투칵!

헥토르였던 뭔가가 사방팔방 흩뿌려져 쇼핑센터 입구에 서 있는 이해 불가의 센스로 만들어진 청동 조형물을 핏물로 칠했다.

쉬이이이익!

빠르게 재생되며 볼코프의 몸에서 김이 피어오른다.

"자, 누가 더 손해냐? 참고로 난 아직 변신도 안 했다."

볼코프가 이를 씩 드러내자 새하얀 이가 입술 사이로 드러나 보였다.

눈앞에서 벌어진 충격적인 장면에 모두들 다 할 말을 잃었다.

살이 타들어가고, 피하지방에 불이 붙고, 충격으로 뼈대 주위의 근육들이 터져 나가 새하얀 골격이 고스란히 드러나 보이는 볼코프는 여유자적, 선 채로 재생하고 있었다.

분명히 즉사할 정도의 끔찍한 상처를 입었지만 볼코프의 전신에서 여유가 배어 나온다.

이 정도만 해도 끔찍한 모습이지만 헥토르는 완전히 전신이 분쇄되었다.

무슨 분쇄기에 던져 넣은 것 같은 몰골로 쇼핑센터 앞의 청동 조형에 들러붙어서 가뜩이나 전위적인 조형에서 재생을 시작해 더더욱 전위적인 광경을 만들고 있었다.

살점들과 혈액들을 끌어모아서 재생을 하고 있기 때문에 십자 모양의 청동 조상 위에 헥토르의 얼굴이 자라난 것처럼 보인다.

"뭐… 뭐 이런 미친놈이……."

얼떨떨한 표정으로 헥토르가 처음 내뱉은 말이었다.

결과적으로 보면 헥토르의 패배다.

그러나 볼코프도 절대 적은 손상을 입은 게 아니다.

강체화 능력은 운동에너지에 대해 매우 강력한 방어력을 가지고 있지만 전격 공격에는 속수무책이었다.

주먹은 직접 상대에게 꽂아 넣어야 하지만 헥토르의 전격은 그냥 근접해 있으면 자동으로 명중한다.

그런데도 자신의 주먹의 위력을 믿고 맞교환을 하다니…….

볼코프가 절대로 일방적으로 우세한 게 아니다.

다시 승부한다면 승부의 행방은 어디로 기울지 모른다.

그러나 마음가짐의 차가 크다.

헥토르는 지금까지 이렇게 무대포로 공방을 주고받은 적이 없었다.

일방적으로 상대를 밀어붙이고 상대가 투사 무기로 응사하는 정도였지… 이렇게 전신이 분쇄되는 일격을 당할 줄은 상상해 본 적도 없다.

이 단 한 번의 공방으로 헥토르의 마음이 꺾여 버린 것이다.

"아… 맙소사."

그걸 본 앙리 유이는 혀를 찼다.

아담카드몬 아낙스가 이 승부로 누굴 택할지 불을 보듯 뻔했기 때문이다.

"좋아. 그럼… 어찌할 건가, 라이칸스로프여?"

과연 아담카드몬 아낙스는 호기심으로 눈을 빛냈다.

호박색 눈동자가 장난감을 본 고양이처럼 집중하는 게 느껴진다.

"우선 여기의 테트라 아낙스, 앙리 유이, 그리고 헌터 세력을 몰살하겠다."

"친족도 말인가?"

아담카드몬 아낙스가 흥미 깊다는 듯 물어보았다.

헌터 세력엔 서현, 테트라 아낙스에는 서린이 있고 이들이 이자의 혈육이라는 걸 아담카드몬 아낙스는 보는 것만으로 알 수 있었다.

"나는 오래전부터 이렇게 살아왔다. 릴리쓰가 내 딸의 육신을 범하고 지워 버렸을 때 이미 그녀와 그녀의 아이들을 버려 버렸지. 그런데 이제 와서 혈족의 정을 운운할 염치는 없어."

"자, 잠깐만요."

서린이 당황해서 말했다.

"염치가 없었으면 개심해서 도와줘야지요, 무슨 말씀이세요?"

"허튼소리를 하는구나."

볼코프는 쓴웃음을 지었다.

"나는 어차피 인간쓰레기다. 이런 방식으로밖엔 살 수 없고 이제 와서 내 삶의 방식을 바꿀 생각도 없다. 너도 테트라 아낙스라면 혈육의 정 따위에 기대느니 네 손으로 쟁취하지 그러냐?"

"아, 안 되겠다. 말이 안 통해."

서린은 절망했다.

"형도 그렇고 외할아버지도 그렇고 왜 내 혈육은 이따위지?"

"내가 뭘? 내가 보기엔 너도 만만치 않아."

서현이 참다못해 한마디 했다.

"그냥 너희 가족 전부 병신 같다니까."

한세건이 다른 이들에게 들리지 않게 혼자 투덜거렸다.

어떻게든 이 상황을 타개할 기회를 노리고 있는데 볼코프야 뭐 철벽이고 그 외 다른 놈들도 만만치 않다.

레이저 사이트가 오락가락하고 있는지라 서현과 연계할 수도 없고, 볼코프가 몸으로 아담카드몬 아낙스를 가로막고 있다.

게다가 볼코프는 정말 혈육이고 나발이고 죽일 생각인 것 같

있다.

　"자, 그럼⋯⋯."

　볼코프가 손을 들자 레이저 사이트들이 일제히 서현과 서린, 아르곤을 노리기 시작했다.

・ ☾ ・See You Next Moon・